bibliothèque marabout

Trahison

DAVID OSBORN

Trahison

Traduit de l'américain
par Claude Perrier

bibliothèque marabout

Titre original : LOVE AND TREASON (Nal Books, New York)

Prologue

« Mrs. Volker, quand vous vous êtes mariée, avez-vous envisagé de garder votre nom de jeune fille pour sauvegarder votre identité personnelle ? »

Du haut de l'estrade réservée aux orateurs, Alexis regarda la femme installée à une table toute proche qui lui avait posé la question. Elle avait dans les trente-cinq ans, avec les cheveux courts, un visage étroit et peu avenant, et Alexis se demanda qui elle lui rappelait. Quelqu'un d'un passé lointain. Par-delà la femme, la foule des visages qui emplissaient la grande salle de l'hôtel se mêlait dans un anonymat confus : on aurait dit des galets plats dans une flaque d'eau.

« Je suis navrée, répliqua-t-elle, je croyais avoir clairement exposé ma position dans ma conférence. J'ai abandonné la télévision parce que ce dont j'avais besoin alors, c'était de jouer un rôle traditionnel dans le mariage. Cela signifiait, entre autres, porter le même nom que mon mari. »

Son interlocutrice insista : « Vous voulez dire que vous étiez prête à renoncer totalement à votre identité personnelle ? »

Alexis reprit avec patience : « Je n'ai jamais cru qu'être une épouse et une mère signifiait renoncer à quoi que ce soit. Pour ma part, cela m'a toujours semblé devenir enfin quelqu'un qu'au fond j'avais toujours voulu être. » Elle chercha des yeux une autre main levée. « Pas d'autres questions ? »

C'était le vingt-cinquième déjeuner d'anniversaire du F.D.A., les Femmes dans l'actualité, une organisation nationale conçue pour honorer ces femmes dont les membres de l'association estimait qu'elles avaient apporté quelque chose à leur cause.

Alexis venait de terminer un discours d'une demi-heure sur le dilemme carrière-mariage auquel se trouvaient confrontées de nombreuses femmes modernes. C'était Harold qui en avait eu l'idée : elle n'avait aucune envie de parler du passé. Pas de ces années comme correspondante de United Broadcasting Company et première présentatrice des actualités télévisées à l'échelle nationale. Ni de ses débuts comme journaliste de faits divers à Detroit. Et certainement pas de son enfance. Elle avait laissé tout cela derrière elle en se mariant. Mais sa présence au déjeuner d'anniversaire semblait politiquement importante pour Harold. Le mari de la présidente du F.D.A. était un sénateur qui lui donnait quelques ennuis. Pendant des jours, elle s'était fait du souci à propos de cette conférence. Et pendant des nuits aussi. Mais, en fin de compte, tout s'était bien passé. Elle était arrivée, elle avait déjeuné, refusé l'offre insistante de la présidente du F.D.A. de prendre un verre pour se détendre et elle avait fait sa conférence au milieu des applaudissements enthousiastes. Encore quelques questions et ce serait terminé. Une autre femme demandait : « Cela vous ennuierait-il de nous dire quelle a été votre réponse à la célèbre demande en mariage du général Volker, si l'histoire est vraie ?

— L'histoire est vraie, répondit Alexis et ma réponse a tenu en un seul mot : fichtre ! »

On entendit des rires et des applaudissements.

Il y avait quatre ans de cela. Elle venait de quitter le plateau du journal télévisé du soir. L'assistant de production lui tendit un téléphone. « Le général Volker. »

Alexis prit l'appareil. Au cours du journal, elle l'avait presque accusé d'être compromis dans un scandale concernant un contrat avec le Pentagone.

« Alexis Sobieski ? fit la voix du général.

— Oui ?

— Je suis Harold Volker. Je pourrais et je devrais vous poursuivre pour ce que vous avez dit sur moi il y a cinq minutes, mais je pense qu'une riposte plus intelligente serait de vous demander de m'épouser. Quand pourrions-nous nous rencontrer ? »

Quatre mois plus tard, et après le mariage le plus fracassant que Washington avait vu depuis des années, leur union était devenue un fait accompli. Alexis aperçut une main levée. « Oui, je vous en prie.

— J'avais une autre question. » C'était encore la femme au visage étroit. « En parlant de votre carrière, vous n'avez jamais évoqué la façon dont les hommes ont pu vous importuner. Quelle a été pour vous l'ampleur de ce problème ? »

Oh, bonté divine ! songea Alexis. Comment pouvait-on être aussi obsédée à propos de la libération des femmes ? Et aussi assommante ? Elle essaya de répondre avec légèreté. Elle s'était donné beaucoup de mal pour garder ce ton-là et elle avait l'impression d'y avoir jusqu'alors réussi. « Importunée par les hommes ? Non, ça n'a jamais été vraiment un problème. Oh, de temps en temps les hommes essayaient de me faire la cour, puisque c'étaient des hommes. Mais je me suis toujours demandée comment j'aurais réagi s'ils ne l'avaient pas fait. »

Il y eut de nouveaux rires. Une autre main se leva mais l'inquisitrice n'en n'avait pas fini. Sa voix se fit entendre avant même que les rires ne se fussent éteints. « Alors, d'après votre expérience, y a-t-il beaucoup de femmes à la télévision qui utilisent le sexe comme moyen d'avancement ? »

Le silence se fit dans la salle : on attendait.

Alexis étudia la femme. Elle arborait un sourire vaguement insinuant. Tu veux dire : est-ce que ça a été mon cas ? se dit Alexis. Salope. Et puis elle se souvint qui la femme lui rappelait. A un Noël, voilà des années à Detroit, elle avait été invitée avec d'autres enfants adoptés dans une maison riche. Comme elle voulait apporter un cadeau, elle avait confectionné une petite poupée de chiffon, en l'habillant avec du tissu qu'elle avait arraché à l'ourlet de sa propre robe et en utilisant le maquillage de sa mère adoptive pour lui dessiner un visage. Jamais elle n'oublierait le sourire supérieur et condescendant de la petite fille à laquelle ce présent était destiné, pas plus que la superbe poupée toute neuve achetée dans un magasin qu'elle serrait contre elle avec une telle arrogance. La femme qui venait de lui poser la question n'était pas la petite fille riche devenue grande, mais son attitude était la même. Alexis la dévisagea encore un moment, pour la faire attendre. Elle sentait monter en elle tout à la fois l'assurance et la colère. Ce n'était plus Noël à Detroit et elle n'était plus une enfant adoptée. Le journalisme télévisé était un des métiers les plus durs, on n'y faisait pas de quartier, et elle était arrivée tout en haut sans l'aide de personne. Elle aurait voulu broyer cette femme.

Elle dit d'un ton glacial : « Je présume que ce que vous

voudriez vraiment savoir c'est si personnellement c'est à force de coucher que je suis arrivée jusqu'en haut. La réponse à cette question est la suivante : je n'ai jamais constaté que les avantages du sexe pouvaient me faire découvrir un sujet important; le rédiger et m'amener à le lire sur un téléprompteur en ayant l'air de l'improviser. »

Il y eut un silence de mort. Puis l'assistance éclata en applaudissements. La femme se rassit, son sourire évanoui. Cinq minutes plus tard, Alexis s'en allait, entourée de tous côtés de visages amicaux et de mains tendues.

Une caméra d'un des réseaux de télévision qui couvraient la conférence s'était postée dans le hall pour surveiller sa sortie. Il y avait là une foule de gens, mais Alexis ne vit que la caméra et la correspondante qui l'accompagnait. Elle était toute jeune, à peine une vingtaine d'années, et elle parlait avec entrain devant son micro tout en s'approchant avec son cameraman pour poser une question. Un sentiment de profonde nostalgie vint tordre le cœur d'Alexis. Voir était de loin plus pénible que se souvenir. L'envie la prit de s'arrêter devant la fille, de lui dire bonjour, de lui parler et, pour un bref instant, de retrouver le monde qui pendant tant d'années avait été toute sa vie et sa seule famille. Mais elle n'en fit rien. Elle passa devant elle et poursuivit son chemin jusqu'à la rue où sa voiture attendait. Lorsqu'elle était tombée amoureuse d'Harold Volker, elle avait pris la décision de ne jamais risquer de compromettre la stabilité de son mariage en se cramponnant au passé. La télévision pour elle ne pouvait plus exister. Le rôle qu'elle avait choisi était celui d'épouse de l'homme qui depuis lors était devenu secrétaire d'Etat des Etats-Unis et de mère des enfants qu'un jour ils auraient ensemble.

Elle ne pouvait rien concevoir qu'elle laisserait jamais interférer avec cela. Absolument rien.

1

Alexis n'aimait pas beaucoup la pièce. C'était au deuxième étage d'une vieille maison dans cette 24e Rue ombragée d'arbres et tout y était fonctionnel : la moquette beige, les rayonnages de livres, un bureau coincé entre deux hautes fenêtres flanquées de minces rideaux de cotonnade, un petit divan au cuir légèrement craquelé et un fauteuil recouvert d'un tissu rugueux de couleur crème.

Elle trouvait que c'était un endroit stérile. Si l'on devait révéler à un psychiatre ses sentiments les plus intimes, pensait-elle, alors ce qu'on voulait vraiment autour de soi, c'était une ambiance confortable, chaude et protectrice.

C'était Harold qui lui avait conseillé le docteur Wyndholt. Il était jeune et travaillait à l'hôpital de l'université George Washington à quelques blocs de là. On disait que c'était un des meilleurs psychiatres de Washington. Voilà quelques mois, elle avait commencé à éprouver une étrange appréhension, la terreur de quelque chose qu'elle ne parvenait pas à identifier. Ça ne rimait à rien : elle avait tout, l'argent, la situation, la beauté, un merveilleux mari qu'elle adorait. Mais elle en était arrivée à un point où elle ne pouvait pas continuer, incapable qu'elle était de trouver le sommeil, et épuisée par une tension continuelle. Elle avait commencé à voir Wyndholt plusieurs fois par semaine. Mais récemment, elle trouvait de plus en plus pénible de lui parler. Elle commençait à prendre en horreur ses questions sans trêve.

Assise dans le fauteuil, les mains croisées sur ses cuisses, elle évitait de le regarder et elle s'en voulait de réagir ainsi. Avant d'épouser Harold Volker, lorsqu'elle était encore Alexis Sobieski, un nom et un visage qui, pour d'innombrables Américains, s'identifiaient au journal du soir de l'U.B.C., elle avait souvent dû affronter des gens qui, de façon exaspérante, avaient toujours raison et jamais tort. Elle leur lançait alors le regard qui avait séduit des millions de téléspectateurs. Elle savait donner à ses traits d'une grande finesse une douceur professionnelle ; elle faisait briller la séduction dans ses yeux couleur d'ambre, le gauche avec cette petite coquetterie qui intriguait. Un léger sourire, avec quelque chose d'un peu sexuel, s'épanouissait sur sa bouche généreuse. Et, ainsi, elle avait toujours conquis. Mais les rares fois où elle avait essayé cela sur Wyndholt, de toute évidence, il s'en fichait éperdument. Le salaud, pensa-t-elle. Elle avait encore dix minutes à passer avec lui et elle aurait bien voulu que ce fût terminé. Le silence se prolongeait. Ce fut lui qui le rompit. « Nous parlions de la fois où vous êtes allée dans un club d'échanges. Est-ce que ça n'était pas plutôt risqué, compte tenu de la situation de votre mari ? Et de la vôtre ? Qu'est-ce qui vous a poussée à faire ça ?

— Je ne sais pas. Nous avions pas mal bu et tout le monde semble être allé là une fois dans sa vie. D'ailleurs, c'est un endroit où on porte un masque.

— Vous y êtes allée avec un autre couple ?

— Oui, fit-elle d'un ton crispé.

— Et après avoir fait l'amour avec votre mari, vous avez fait l'amour avec l'homme de l'autre couple ?

— Ma foi, oui. » Elle ajouta d'un ton de défi : « Si vous voulez tout savoir, nous avons échangé. Je veux dire que c'est ce qu'on fait dans ce genre d'endroit, non ? Vous croyez y aller rien que pour regarder et, avant d'avoir compris ce qui vous arrive, vous participez.

— Vous n'avez pas trouvé ça dégradant ?

— Si vous prenez la chose hors de son contexte, bien sûr que oui. Ça n'est sûrement pas une expérience que je voudrais jamais recommencer. Mais sur le moment, je n'ai pas réfléchi. Voilà tout. Toute cette musique disco, tous ces gens nus et qui font l'amour tout autour de vous, ça vous fait perdre le sens de la perspective.

— Qu'est-ce que votre mari en a dit ? »

Elle haussa les épaules. « C'est une expérience que nous avons partagée.

— Vous n'avez pas eu le sentiment, interrogea-t-il, de vous être montrée facile ?

— Facile ?

— Comme vous disiez en avoir l'impression durant une bonne partie de votre jeunesse.

— Je n'ai jamais dit facile. Je n'ai pas utilisé ce mot-là. J'ai dit que je regrettais d'avoir couché avec certains hommes. Surtout au lycée et au collège. Avec le recul, je pense que c'étaient des erreurs. Mais j'aimais bien faire l'amour, j'aime toujours ça, et voilà. »

Wyndholt consulta ses notes. « Vous avez évoqué la bisexualité d'Harold. Avez-vous jamais vu cela comme une menace ? »

Elle releva brusquement la tête. Comment avait-il pu s'égarer à ce point ?

« Je n'ai jamais dit qu'il était bisexuel, protesta-t-elle.

— La semaine dernière, lui rappela-t-il, vous avez mentionné qu'une fois dans son enfance il avait eu une expérience sexuelle avec un autre garçon. Et vous croyiez que pendant la guerre il avait eu une aventure avec un adulte. »

L'irritation d'Alexis monta. « Docteur, reprit-elle, tous les gens sûrement ont en eux une part d'homosexualité. Alors si Harold a eu des rapports sexuels avec un garçon voilà des années, ça ne veut pas dire qu'il soit pédé. » Elle eut un rire furieux. « Harold ? Mon Dieu, vous devez plaisanter. Il s'intéresse si fort aux femmes que c'en est effrayant et notre vie sexuelle est fabuleuse. »

Wyndholt de nouveau jeta un coup d'œil à ses notes. « L'homme avec qui vous viviez autrefois, vous manque-t-il jamais ?

— Adrian James et moi n'avons pas en fait " vécu " ensemble, dit-elle. Nous avions des appartements séparés. Mais oui, c'est vrai que parfois il me manque. Mais seulement en tant qu'ami, ce n'est donc pas ça qui ne va pas chez moi.

— Qu'est-ce qui ne va pas, alors ? »

Alexis sentit des larmes de rage lui monter aux yeux. Elle parvint toutefois à se maîtriser et à ne pas crier. « Docteur Wyndholt, si je le savais, je ne serais pas ici, non ?

— Vous ne commenceriez pas non plus à avoir à trente-quatre ans un problème de boisson. » Il leva la main sans lui laisser le temps de protester. « Je n'ai pas dit que vous étiez une alcoolique. J'ai dit que vous *commenciez* à avoir des problèmes.

Vous m'avez bien dit que les gens jasaient, n'est-ce pas ? Que certains chroniqueurs faisaient des allusions ? » Elle ne répondit pas. Il se renversa dans son fauteuil en croisant les mains derrière sa nuque. « Revenons un instant à la case départ. Vous avez abandonné la télévision, car ce n'était qu'une nécessité intérimaire que vous avez vite maîtrisée étant donné le genre de femme que vous êtes. Mais ce qu'en fait vous avez toujours voulu faire, c'était élever des enfants. Et vous occuper d'une maison. Etre cette sorte de femme dont plus personne n'ose parler aujourd'hui, une femme d'intérieur. Exact ?

— Oui, dit-elle.

— Mais vous n'êtes pas vraiment une femme d'intérieur, n'est-ce pas ? Vous ne faites pas la cuisine, vous ne vous occupez pas de votre maison, vous n'avez pas d'enfants. Est-ce que vous n'avez pas sacrifié votre brillante carrière sans obtenir ce dont vous aviez envie ? »

Les yeux d'Alexis flamboyaient. « Harold ne va pas être toute sa vie secrétaire d'Etat. Washington, ce n'est que du provisoire. Nous ne pouvons pas avoir d'enfants quand Harold est toujours en voyage et que notre maison est à moitié un bureau et grouille d'agents de la Sécurité. Nous sommes tous les deux d'accord là-dessus. Mais nous en aurons. Et j'aurai une maison à m'occuper parce qu'on a proposé à Harold une chaire à Princeton lorsqu'il quittera le gouvernement. »

Le docteur Wyndholt songea brièvement à Volker : l'air jeune, désinvolte et sportif, brillant, un réfugié juif allemand avec assez de style et de dons pour commencer par être général d'aviation à deux étoiles, puis secrétaire d'Etat. On comprenait sans mal pourquoi n'importe quelle femme tombait amoureuse de lui.

« Bon, reprit-il, mais l'idée vous est-elle jamais venue que tous vos anciens amants sont coulés dans le même moule et que ce n'est guère le moule du bourgeois de banlieue pantouflard. Vous n'avez pas épousé un modeste avocat ni un petit ingénieur. Vous avez épousé une super-star avec une situation capable de faire le bonheur de dix femmes.

— Au nom du ciel, protesta-t-elle, on n'est pas obligé d'épouser un type bête et assommant pour avoir des gosses et un foyer, non ? »

Il réfléchit un moment. Elle n'avait pas encore compris sa remarque ou peut-être faisait-elle exprès de ne pas comprendre.

C'était assez évident. Il poursuivit avec prudence : « Non, non, bien sûr, mais si l'Administration actuelle remporte les prochaines élections, votre mari pourrait être Secrétaire d'Etat pendant six ans encore, n'est-ce pas ? »

Il obtint la réaction à laquelle il s'attendait. Quelque chose se passa en elle. Il le voyait dans son regard. L'expression de défi disparut. Une angoisse brève mais aiguë jaillit comme une flamme puis s'éteignit aussitôt.

Il regarda sa montre et dit : « Quand est-ce que je vous revois ?

— Lundi. » Elle se leva lentement et passa sur son épaule la bandoulière de son sac. « Et après, fini pour toute une semaine. » Son langage corporel disait assez qu'il l'avait secouée. Des femmes de trente-quatre ans qui voulaient des enfants ne voulaient généralement pas attendre plus longtemps. A cet âge-là, nombre d'entre elles étaient déjà désespérées.

Il examina son calendrier. « C'est juste. Vous allez à Brigham Bay. » Cela amena sur le visage d'Alexis un sourire presque triomphant. « Je m'en vais avoir pendant six grands jours Harold tout à moi. Rien que lui et moi.

— Bon, fit-il en lui rendant son sourire. Et en attendant ?

— Il y a quelque chose demain à la Maison-Blanche. Un concert dans le Salon Est. Segovia, je crois. Ce soir, nous avons des gens à dîner. Je ne me rappelle plus qui. Et samedi Harold doit aller à Camp David.

— Il vous emmènera ? »

Son visage s'éclaira. « J'espère que oui. Je me plais bien là-bas. Et j'aime bien le président. La dernière fois que nous avons joué au tennis, je l'ai battu. Six deux, six zéro, précisa-t-elle en riant. Je crois qu'il est la seule personne que, moi, je puisse battre. »

Elle se dirigea vers la porte, mince et blonde dans son léger tailleur d'été. Sa présence emplit soudain la pièce, et aussi son parfum, son allure et sa personnalité. Elle n'était plus une patiente en colère et désemparée, sur la défensive.

Lorsqu'elle fut partie, Wyndholt referma son dossier. Il éprouvait une certaine satisfaction professionnelle. Il commençait à comprendre quelque chose d'une enfant pauvre issue d'une famille polono-américaine et élevée dans les faubourgs sans âme de Detroit, une enfant qui n'avait su échapper aux tristes réalités d'une famille adoptive qu'en rêvant d'une vie familiale idéale dans une rue de banlieue idéale. Il voyait une jeune femme gauche et tendue, à peine sortie du lycée et jetée trop tôt dans le monde impitoyable du journalisme des grandes villes. Une jeune femme qui travaillait pour payer ses études, hantant les stations de radio et de télé avec tous les bouts de reportages qu'elle pouvait vendre à la pige ou même donner. Jusqu'au jour où on avait reconnu son talent.

Une jeune femme qui n'avait cessé de se cramponner à son rêve d'enfant jusqu'au jour où elle avait rencontré un homme qu'elle estimait et aimait assez et à qui elle faisait suffisamment confiance pour le partager avec lui. Wyndholt repoussa son dossier. Il aimait bien Alexis et en fait rares étaient les patients pour lesquels il avait de l'affection. Mais il y avait chez elle une profonde solitude. Qu'était-ce donc qu'elle se cachait à elle-même ? Qu'elle n'osait pas affronter et à cause de quoi elle souffrait d'insomnie, buvait trop et tentait de justifier de sordides aventures comme une visite à un club d'échanges. Il se doutait qu'elle allait traverser une sale période et qu'elle aurait besoin d'une amitié véritable, de quelqu'un qui lui serait vraiment attaché et qui ne serait pas son psychiatre. Il espérait que quelque part elle avait quelqu'un pour tenir ce rôle et sinon il espérait que le destin le lui ferait rencontrer.

Il pressa sur son bureau le bouton qui annonçait à sa secrétaire qu'il était prêt pour le patient suivant.

2

Lorsque Alexis arriva en bas, le cabriolet Lancia bleu marine qu'Harold Volker lui avait offert l'an dernier pour leur quatrième anniversaire de mariage attendait au bord du trottoir. Sandy Muscioni était au volant. Le soleil de fin d'après-midi était chaud et Sandy avait décapoté la voiture. C'était une jeune femme athlétique de vingt-huit ans avec un visage avenant de sportive et de courts cheveux blonds. Derrière ses lunettes de soleil Ray-Ban, ses yeux étaient bleu clair et pétillants d'intelligence. Elle était le garde du corps attitré d'Alexis, mais on avait du mal à croire qu'elle portait un 6,35 automatique, en général dans un baudrier fixé sur la face intérieure du haut de la cuisse. Elle avait été spécialement détachée du Service secret au Bureau de sécurité du Département d'Etat six mois plus tôt, quand Alex avait reçu une série de menaces par téléphone. Alexis avait protesté. Des dangers bien plus grands que de simples menaces avaient été sa vie quotidienne durant toutes ces années de télévision. Elle ne voulait pas qu'on la suive. Les appels provenaient sûrement d'un détraqué. Mais le Bureau de sécurité et son mari en avaient jugé autrement. A sa surprise, Sandy se révéla n'être pas du tout comme les agents de son mari qui, trouvait Alexis, se prenaient tous bien trop au sérieux. Sandy n'en faisait pas trop. Elle savait à quel moment elle avait besoin d'être garde du corps et quand c'était inutile. La moitié du temps, c'était à peine si on remarquait sa présence et au bout d'une semaine, elles étaient devenues amies. Elles avaient des points communs : Sandy elle aussi était issue d'un milieu modeste.

« Vous voulez conduire ?

— Non. Allez-y. » Alexis se glissa à la place du passager, tressaillant au contact du cuir brûlant. Sandy démarra. Elles prirent H Street et s'engagèrent dans la 23e Rue.

« Où va-t-on ?

— A la maison. » Alexis renversa sa tête en arrière et ferma les yeux.

Une heure chez Wyndholt l'avait épuisée.

Sandy s'en aperçut et demanda : « Comment était le sorcier ? » Il y avait de la sollicitude dans sa voix.

« J'ai la tête deux fois plus petite, dit Alexis en souriant.

— Vous voulez jouer au tennis pour retrouver votre état normal ?

— J'aimerais bien, mais j'ai un tas de lettres à signer et de coups de téléphone à donner. »

La résidence du Secrétaire d'Etat était dans R Street qui bordait le vieux cimetière d'Oak Hill tout en haut de Georgetown. C'était une grande maison de style colonial en briques jaunes abritée par des sycomores et des chênes et, contrairement à ses voisines, elle se dressait en retrait de la rue et on y accédait par une allée de gravier qui traversait une pelouse bien entretenue. Elle n'appartenait pas à Harold Volker. C'était la propriété d'Arnold Wilderstein, le banquier new-yorkais, président de l'A.C.T., l'American Credit and Trust Company. C'était lui aussi qui leur avait prêté Brigham Bay, une petite maison de campagne sur le Potomac, là où il s'élargit dans la baie de Chesapeake. Il utilisait rarement la maison, résidant le plus souvent à New York ou dans sa propriété du Maine. Wilderstein, racontait-on, avait dépensé une fortune pour parrainer la carrière diplomatique de Volker. Jusqu'à maintenant, ni lui ni aucun de ses puissants amis n'avaient jamais rien demandé en retour de leurs investissements, mais Volker parfois s'interrogeait là-dessus devant Alexis.

« Il faudra bien que quelqu'un le fasse un jour, lui avait-il dit une fois. En attendant, j'imagine que mon style politique leur plaît. » Ils étaient mariés depuis un an. C'était au début d'une soirée de printemps et il était rentré d'une séance épuisante devant la Commission sénatoriale des Affaires étrangères. Ils avaient fait l'amour, avaient pris une douche ensemble et, avant de s'habiller pour une réception à l'ambassade britannique, ils étaient restés un moment étendus sur leur lit, Volker, un verre à la main, Alexis perpendiculaire à lui, la tête posée sur les cuisses de son mari, les genoux relevés, savourant le plaisir d'être près de lui, son odeur nette, virile et la minceur musclée de son corps hâlé par le soleil.

« Ils aiment la façon dont tu règles les problèmes du tiers monde. » Elle n'avait pu s'empêcher d'avoir un ton ironique.

Il rit en lui caressant les cheveux. « Tu veux dire la façon dont ils croient que je les règle. Alexis, aucune Administration n'empêchera jamais les gens nantis de dépouiller les pauvres du monde. Seul le Congrès en a le pouvoir, et devine qui possède au Congrès les groupes d'intérêts les plus puissants ? J'essaie simplement d'atténuer les coups autant que possible sans effrayer les dieux au point qu'ils veuillent se débarrasser de moi. Une fois à l'écart, je ne serai plus bon pour personne.

— Il y a des moments où la diplomatie me dégoûte, observa-t-elle.

— Je suis bien d'accord, ma chérie. C'est encore et toujours de la politique, seulement avec une nomination prétendument polie. »

Dans M Street, Sandy ralentit et prit la 29e Rue. A mesure qu'elles gravissaient les pentes de Oak Hill, les maisons devenaient plus riches, plus vastes, les arbres plus grands répandaient davantage d'ombre. Juste avant le cimetière, elles tournèrent à droite dans R Street : elles étaient arrivées.

Sandy franchit la grille de fer forgé ouverte, flanquée de ses massives têtes de lions grimaçantes. Les pneus de la Lancia crissaient sur le gravier de l'allée. Elles se garèrent. Pas de gardes en uniformes. Volker avait comme gardes du corps trois agents de la Sécurité du Département d'Etat, mais la plupart du temps ils étaient invisibles. Alexis et Sandy descendirent de voiture, Sandy reprit son 6,35 de sous son siège et le remit en place dans son baudrier sous sa jupe.

« A propos du docteur Wyndholt, dit Alexis, qu'est-ce que Freud dirait de vous ? »

En riant, elles se dirigèrent vers les marches blanches du perron. Sandy annonça : « Deux des agents du général Volker sont de service et vous allez être dans votre bureau avec Allison jusqu'au retour du général. Est-ce que je peux partir ? » Son sourire expliquait sa requête. Elle avait son propre appartement en ville et elle s'était trouvé un amant. Elle l'appelait en plaisantant Batman et ils avaient un arrangement entre eux :

aucun des deux ne voulait s'engager sérieusement. Lorsqu'il se trouvait être libre et que cela ne la gênait pas dans ses tâches officielles, Sandy demandait parfois à Alexis de partir un peu plus tôt.

« Bien sûr, dit Alexis, prenez la voiture. »

En regardant Sandy s'éloigner, elle éprouva un soupçon d'envie nostalgique. Faire ce qu'elle voulait, avoir de temps en temps un amant sans complication dans sa vie. Quand on se mariait, on renonçait à tout cela. Elle entra dans la maison. Le vestibule était vaste, les murs ornés de toiles superbes. Il faisait frais et silencieux. Everett l'accueillit. « Bonjour, Madame. » C'était le maître d'hôtel anglais qu'Arnold Wilderstein avait envoyé de New York. Elle lui dit qu'elle aimerait une double vodka avec du tonic, sans tenir compte de son masque impassible qui chez lui était un signe de désapprobation. Il disparut par une lourde porte de chêne sous le grand escalier incurvé qui montait au premier étage et elle prit le couloir menant à son bureau qui communiquait avec celui de son mari.

Volker travaillait autant chez lui qu'au Département d'Etat, peut-être plus. Il occupait son poste depuis près de deux ans maintenant ; au départ il n'avait guère d'expérience de la diplomatie à part une mission comme envoyé spécial en Chine et il avait stupéfié Washington et le monde en pratiquant une sorte de diplomatie excentrique qui ne cessait de scandaliser les professionnels. Harold Volker était partisan de commencer au sommet, tout seul, sans donner à l' « opposition » comme il désignait toujours le chef de tout Etat, ennemi ou allié, la moindre chance de réfléchir.

« Vous vous asseyez, vous procédez à des négociations rapides, disait-il toujours, et *ensuite* vous faites venir les experts. Une fois le marché conclu, ils n'oseront pas tout bousiller. Ce sont leurs places qui seront en jeu. »

Les médias adoraient ce style qu'ils appelaient la « diplomatie du blitz ». Le public aussi était ravi. Après une décennie passée à être humilié par l'étranger et à perdre la face, cela lui faisait retrouver son orgueil. Peu importait si de temps en temps le succès se trouvait déséquilibré par la réaction communiste qui suivait. Si quelqu'un d'autre échouait, c'était son problème. Mais personne n'avait bousculé l'oncle Sam.

En passant devant la porte du bureau d'Harold, Alexis vit le secrétaire de celui-ci qui parlait à Steve Riker, un des agents de la Sécurité. Riker était en survêtement et semblait en nage. Elle hâta le pas avant qu'il ne la vît. C'était lui qui conduisait la nuit où Harold et elle s'étaient rendus à ce club dont elle avait parlé à Wyndholt et une autre nuit où elle avait trop bu. Bien qu'il gardât toujours une attitude fort courtoise, chaque fois qu'elle devait lui parler elle se sentait toute nue.

Son bureau à elle était au bout du couloir, en face de la luxueuse petite salle de cinéma que Wilderstein avait fait installer pour des projections privées. Allison Palmer, qui occupait la pièce qu'il fallait traverser pour accéder au bureau d'Alexis, leva les yeux de sa machine à écrire. C'était une grande fille à l'allure patricienne, dans les vingt-cinq ans, la parfaite secrétaire particulière de Washington, mais il faut dire qu'elle avait eu un meilleur départ que beaucoup d'autres. Son père était chef de l'opposition au Sénat. Pendant les premiers mois, elle s'était montrée déférente. Puis son admiration béate pour la star de la télévision qu'était Alexis avait cédé la place à un certain snobisme. C'était à peine perceptible, mais Alexis trouvait cela assommant. Elle eut un sourire poli et continua à taper. Alexis lui répondit par un sourire figé et referma d'une main ferme sa porte derrière elle.

Son bureau était spacieux et climatisé. Elle se dirigea vers sa table de travail, attacha son sac au dossier de son fauteuil et se mit à feuilleter des lettres qu'Allison lui avait laissé à signer. Il y avait devant elle deux photographies encadrées. L'une représentait son mari dans le cockpit d'un avion à réaction de l'Air Force. L'autre était celle d'un homme trapu et plus âgé dont les yeux gris et bienveillants regardaient un monde troublé avec sympathie et compréhension.

En cinquante ans passés dans les médias, dont vingt-cinq ans comme présentateur vedette de l'United Broadcasting Company, Andrew Taylor était devenu une sorte de figure nationale de père. Sa photo était la seule qu'Alexis conservait de son passage à la télévision. Cela faisait deux ans qu'elle n'avait pas vu Taylor ni personne d'autre de la chaîne. Des dizaines d'autres photos de célébrités et de collègues étaient rangées dans des cartons. Même la fameuse photo qu'on avait prise d'elle quand, micro à la main, elle avait été retenue en otage par un tueur fou de Detroit.

Elle était partie avec son équipe pour couvrir une bagarre dans un bar du centre. Pendant que le tueur lui appuyait contre la gorge un 12 mm automatique, son équipe continuait à filmer. On avait pris ainsi le coup de feu du tireur d'élite de la police qui avait fait exploser la tête du tueur. Lorsqu'elle avait fait son reportage en direct, elle était encore tout éclaboussée de fragments de cerveau, elle avait les cheveux dégoulinants de sang. Mais elle l'avait fait la tête haute, la voix forte et calme. Ce n'était qu'après qu'elle s'était abandonnée à la terreur. Taylor s'était fait passer un enregistrement vidéo de l'épisode et avait demandé son transfert à Washington. Il avait trouvé une fille et, pensait-il, la personne qu'il fallait pour le remplacer quand il finirait par prendre sa retraite. Quand elle avait abandonné la télévision, ç'avait été pour lui un coup terrible.

Alexis finit de signer son courrier et jeta un coup d'œil à la liste des invités pour le dîner de ce soir. Ce n'était pas un grand dîner, juste une douzaine de personnes, mais parmi eux les Wilderstein, ce qui était assommant. Arnold Wilderstein ne manquerait pas de leur rappeler subtilement, comme il le faisait toujours, que c'était sa maison qu'ils occupaient. Nettie exhiberait son ignorance crasse de tout ce qui touchait à la politique. Il y avait un nom qu'elle ne connaissait pas. Elle demanda dans l'interphone : « Allison, qui est Alfredo Nasciemento ? »

La voix lui répondit sèchement : « C'est le général Nasciemento. Il est portugais. Sa visite ici n'a rien d'officiel. Le secrétaire Volker m'a demandé de l'inviter. Je l'ai placé auprès de Mrs. Wilderstein.

— Merci. » Alexis referma l'interphone. Sa porte s'ouvrit. Everett apparut, portant un plateau avec une bouteille de vodka, quelques bouteilles de tonic, de la glace dans un seau et un verre.

« Votre vodka, Madame. » Il déposa le plateau et disparut aussi silencieusement qu'il était arrivé. Alexis fit une grimace au dos du maître d'hôtel, se prépara un verre et s'en alla chercher dans sa bibliothèque un des *Who's Who* à feuilles volantes que le Département d'Etat mettait constamment à jour. Elle essaya d'y trouver Alfredo Nasciemento. Mais en vain. Il n'y figurait ni parmi les membres de l'armée portugaise ni à la rubrique des Affaires étrangères du Portugal. Peut-être était-il une sorte d'émissaire spécial, et son titre une survivance de l'époque coloniale au Mozambique ou en Angola.

Elle revint à son bureau et s'assit pour réfléchir. Elle éprouvait une étrange angoisse. Elle n'arrivait pas à se rappeler qu'Harold lui eût jamais mentionné ce personnage et jamais encore il n'avait invité quelqu'un à dîner sans lui expliquer qui c'était.

Elle finit par s'obliger à penser à autre chose. Elle donnait à un détail très mineur une importance qu'il ne méritait pas. Wyndholt l'avait mise en garde contre cela. Elle alla prendre son carnet de téléphone et se mit à lancer des appels. Elle avait à moitié composé le premier numéro lorsqu'elle prit conscience d'une présence, qu'elle ne voyait pas mais qu'elle sentait. Quelqu'un était planté en silence devant son bureau.

Elle reposa le combiné et leva les yeux. C'était son mari.

3

L'espace d'un instant, elle ne vit que ses yeux, plus bleus que jamais à cause de son bronzage et de ses cheveux bruns en désordre où l'on ne voyait pratiquement pas un fil gris et qui, comme d'habitude, avaient grand besoin des soins d'un coiffeur. Ce fut ensuite qu'elle vit qu'il portait des jeans kaki, une chemise de tennis et des baskets.

« Salut. Où étais-tu ?

— A la Maison-Blanche.

— Dans cette tenue ?

— Et pourquoi pas ? C'est l'uniforme du citoyen américain, non ? Le seul détail qui manque, c'est une casquette de toile. » Il en tira aussitôt une de sa poche revolver. On pouvait lire « Marines » sur le devant.

Elle se leva de derrière son bureau et l'entoura de ses bras, heureuse de voir qu'il était de bonne humeur. « Tu es complètement fou.

— Non. Je te faisais marcher. Je suis rentré de bonne heure et Riker m'a donné une leçon de judo. »

Elle se sentit vaguement soulagée. Et en même temps agacée de se trouver aussi conventionnelle. Peut-être devrait-il aller vraiment au Département d'Etat habillé de cette façon et ainsi les secouer encore plus qu'il ne l'avait déjà fait.

Elle rit et repoussa les cheveux qui dépassaient de son col. Impossible de croire qu'il avait plus de cinquante ans. Il en paraissait quarante.

« Qu'est-ce qui se passe en Libye ? »

Il se rembrunit, lui posa sur le front un baiser léger, se détacha de ses bras et s'affala sur le canapé. « Rien. Vingt diplomates bouclés. Un salopard égocentrique du nom de Kadhafi. Plus ça change, plus c'est la même chose. »

A peine avait-elle posé la question qu'elle le regrettait déjà. Au début de leur mariage, ils discutaient de toutes les nuances de sa carrière. Mais aujourd'hui, de plus en plus, il semblait ne pas avoir envie d'en parler, même si une grande partie de son travail se faisait lors de réunions privées pendant et après des dîners. Wyndholt avait prévenu Alexis qu'il était sans doute surmené, surtout avec la situation si éprouvante pour les nerfs des otages. Il lui avait conseillé d'éviter de poser trop de questions. Elle vint s'asseoir près de lui et s'efforça de changer la conversation. « Il devra bien les laisser partir un jour ou l'autre. Quand le blocus commencera vraiment à faire de l'effet, j'imagine. Harold, qui est Alfredo Nasciemento ? »

Il lui jeta un bref coup d'œil mais sans répondre aussitôt. Il alla se verser un verre.

« Je suis désolée, s'empressa-t-elle d'ajouter. Je sais que tu es vanné, mais il faut bien que je te le demande. Après tout, il vient dîner, n'est-ce pas ? »

Il haussa les épaules. « Bien sûr. C'est un général portugais.

— Oui, mais de quelle sorte ? Je veux dire : est-ce quelqu'un d'important ?

— C'est l'aide de camp de Figueira, et Figueira est le chef d'état-major de l'armée. »

La réponse était sèche, c'était un avertissement de laisser tomber. Sans savoir pourquoi, elle en était incapable. « Est-ce que nous le recevons, insista-t-elle, pour une raison particulière ? De quoi faut-il que je lui parle ? »

Il se leva et vida son verre. Sa réponse fut désinvolte, comme lancée au hasard. « Ils ont pas mal de problèmes là-bas. Des élections prochaines, des communistes qui menacent. J'ai pensé que j'allais me procurer des renseignements de bonne source. » Il se dirigea vers la porte, s'arrêta devant une toile de Wyeth qu'elle avait récemment achetée. « Où as-tu trouvé ça ?

— A la vente à laquelle je suis allée. A Philadelphie.

— J'aime bien. » Il sortit du bureau. Elle le regarda partir, un peu chagrinée, un peu vexée et s'en voulant aussi d'être ainsi sur la défensive. Poser des questions à propos de quelqu'un invité à dîner, ce n'était guère introduire le travail de son mari dans leur vie personnelle. Y avait-il quelque chose à propos de Nasciemento qu'il ne voulait pas qu'elle sût ? Et pourquoi se faire renseigner sur le Portugal par un simple aide de camp ?

Elle se versa un autre verre, qu'elle but à petites gorgées tout en donnant ses coups de téléphone, elle le termina et s'en versa un autre. Elle prépara son emploi du temps pour le lendemain, dit bonsoir à Allison et partit. Il était six heures.

Elle trouva son mari dans leur chambre, allongé sur le lit, à lire la *Revue de Heidelberg*. C'était une revue érudite publiée par l'université de Bavière et un dernier lien avec son passé de jeune Allemand. Elle arrivait chaque mois et il l'étudiait toujours religieusement, lisant chacun des arides articles qui paraissaient sous la couverture sombre. Il avait une véritable passion pour l'histoire et son héros était l'empereur Charlemagne qu'il considérait comme le plus grand Européen qui eût jamais existé.

Il ne leva pas les yeux. Elle alla s'asseoir sans un mot à sa coiffeuse. Il était beaucoup trop tôt pour se préparer pour le dîner. Elle savait qu'elle était un peu éméchée et qu'elle ne devrait plus boire. Elle prit quand même une gorgée de vodka et dit d'un ton gauche : « Je sais que je t'ai énervé. Je suis navrée.

— Ne t'inquiète pas pour ça. »

Rien de plus. De toute évidence, il n'avait pas envie de parler. Elle commença à se démaquiller. Il reposa soudain la revue qu'il lisait, dévisagea sa femme, puis se leva et s'approcha. Il posa les mains sur ses épaules. « Alexis, pardonne-moi. Ça n'était pas gentil de ma part. Pour Nasciemento. Mais tout au long de la journée, tous les jours j'ai affaire à des idiots. De vrais idiots. Il y a des fois où la perspective d'en voir un de plus m'accable. » Il éclata de rire. « Peut-être que je suis injuste avec lui aussi. Je ne l'ai jamais rencontré. Il est peut-être très brillant. »

Il la fit se lever, passa ses mains sous ses cheveux et les noua derrière sa nuque. « Nous avons une heure et demie avant d'être en représentation. Ça n'est pas beaucoup, alors je te fais la course jusqu'à la douche. » Il l'attira contre lui pour l'embrasser. « D'accord ?

— Oui. » Elle se sentait lâcher prise. Tout allait bien. C'étaient des idées qu'elle se faisait. Wyndholt le lui avait dit. Souvent. Elle se créait des angoisses et des scénarios qui n'existaient tout simplement pas. Elle les imaginait. Elle ouvrit doucement sa bouche devant la sienne. « Oh, oui. » Elle gagna la course en trichant. Elle déboutonna son chemisier et dégrafa sa jupe pendant qu'il l'embrassait.

4

Tout en mettant son moteur en marche, le Portugais qui répondait au nom d'Alfredo Nasciemento se disait que la soirée avait été tout à fait agréable.

Le Secrétaire d'Etat et sa femme, debout sur le seuil de leur résidence, attendaient son départ. Il leur fit signe de la main, ils lui rendirent son salut. Il embraya et descendit doucement l'allée de gravier. Quelques instants plus tard, un agent de la Sécurité refermait derrière lui la lourde grille en fer forgé de l'entrée et il se retrouva sur R Street. Il tourna dans la 28e Rue et traversa les rues calmes et relativement sombres de Georgetown jusqu'à M Street, plus fréquentée avec ses boutiques et ses restaurants ouverts le soir.

Un couple tout à fait charmant, songea-t-il. Le Secrétaire d'Etat était de toute évidence un homme plein d'allant et d'énergie, sa femme était intelligente et belle, souvent très spirituelle et toujours drôle. Pas du tout le genre habituel des hôtesses de Washington. Une ou deux fois au cours de la soirée, il avait trouvé dommage qu'elle bût un peu trop. Mais il avait estimé plus préoccupant que ce fût une femme qui, pendant ses années de journaliste, avait eu pour métier d'arracher la vérité aux gens. La vérité n'était pas quelque chose qu'elle devrait connaître sur lui. Non pas seulement à cause du danger que cela pourrait signifier pour elle, mais aussi à cause du terrible danger dans lequel elle pourrait se trouver placée. Il n'était pas encore sûr, mais il se doutait qu'il y avait des forces en œuvre pour lesquelles une malheureuse vie humaine, peu importe laquelle, ne signifiait absolument rien si on la considérait comme une menace si mineure fût-elle. Il ne pouvait qu'espérer qu'elle était assez amoureuse de son mari pour ne pas s'intéresser sérieusement à rien ni à personne d'autre.

Il atteignit M Street et tourna à droite vers Key Bridge. Il n'avait pas loin à aller. Il suffisait de traverser le Potomac pour atteindre l'hôtel Marriot. Il avait décidé, pour des raisons de discrétion, de ne pas descendre à l'ambassade. Inutile d'attirer l'attention sur lui puisque, théoriquement, il était toujours à Lisbonne. Il était venu avec un faux passeport au nom d'Alfredo Nasciemento, qui lui conférait aussi le titre de général. Il faudrait donc le voir pour reconnaître qui il était vraiment, mais c'était aujourd'hui un risque considérable. Il connaissait plusieurs groupes de dissidents portugais dont les agents rôdaient dans Washington et on avait sûrement fait circuler sa photo parmi un certain nombre de cadres communistes, notamment les Cubains qui disposaient aux Etats-Unis d'une puissante force d'espionnage. Il s'arrêta à un feu rouge. Il y avait de la circulation maintenant. Les gens étaient sortis du centre Kennedy. Les restaurants fermaient. Les gens regagnaient leur banlieue, leurs silhouettes à peine visibles à la lumière tamisée du tableau de bord de leur voiture.

Un homme extraordinaire, ce Volker, songea-t-il. Depuis l'époque où il était un réfugié sans un sou jusqu'à la situation qu'il occupait aujourd'hui, pas un faux pas. Tout au long, il avait manifesté l'extraordinaire talent politique d'avoir tout précisément comme il le voulait. Qui d'autre, sans risques sérieux de s'aliéner soit le centre, soit la gauche modérée, serait parvenu à être patronné par un homme qui incarnait la droite conservatrice ?

Il était donc doublement important que la ruse de ce soir eût opéré. Le Secrétaire d'Etat avait sans aucun mal accepté sa lettre expliquant qu'il était le représentant du général Figueira. Certes, il représentait bien le général Figueira, mais cela aussi était trompeur. Il jouait un double jeu. Il lui avait fallu des mois d'un travail acharné pour gagner la confiance du chef d'état-major portugais. Et quels risques. La propre position de Figueira était précaire. Dans l'armée, qui représentait une force politique considérable, il avait réprimé ses sympathies d'extrême droite en faveur d'une majorité modérée et pour satisfaire ses besoins économiques. Il ne s'agirait pas d'être surpris à le trahir.

Sa mission était simple : utiliser la confiance dont il jouissait auprès de Figueira pour découvrir pourquoi le chef d'état-major avait récemment communiqué officieusement avec Volker. On savait que les deux hommes avaient eu plusieurs entretiens à Lisbonne et à New York. Figueira avait aussi éveillé quelque inquiétude au Portugal en raison de certaine sympathie clandestine dont on le soupçonnait là-bas.

Bien sûr, il n'y aurait pas beaucoup à attendre de ce premier voyage à Washington. Le but était d'établir le contact avec Volker. Les confidences, si jamais il y en avait, viendraient plus tard.

Son esprit revint à la soirée, au merveilleux dîner, à l'excellent champagne et au superbe chablis. Le soufflé de homard avait, à n'en pas douter, été préparé par un maître, les crêpes norvégiennes aussi, et le sorbet à l'abricot était une perfection. Pour finir, le café était du vrai café, et non pas l'habituelle lavasse colorée dont se contentaient les Américains. Il devait revoir plusieurs fois Volker. Il attendait avec impatience ces nouvelles rencontres. Avec un sentiment de bien-être, il s'engagea sur le Key Bridge. En le traversant, il aperçut les douces lumières du centre Kennedy et du Mémorial de Lincoln. Tout en bas du mail, des projecteurs éclairaient l'obélisque et, plus loin, le dôme du Capitole.

Au sortir du pont, il déboucha sur Rossling Circle et s'engagea aussitôt dans le parking du Marriot. Il le traversa et roula jusqu'à l'aile de l'hôtel qui bordait le Potomac, avec ses buissons, ses arbres et un autre parking. Tout au fond il y avait un garage pour les clients de l'hôtel. Il s'y arrêta, ferma la voiture à clé et repartit vers l'hôtel. Plusieurs entrées, ouvertes toute la nuit, permettaient d'accéder à sa chambre située au premier étage.

Il était à trois mètres de la porte quand les deux hommes jaillirent de l'ombre épaisse des buissons. Ils avaient un air très ordinaire. Il crut un moment que c'étaient des clients de l'hôtel. L'un avait des cheveux gris. L'autre, plus jeune, avait une calvitie naissante. Ils portaient des costumes bleu sombre. Quand il les vit, ils avaient tous deux des gants. Il éprouva simultanément deux sentiments, la pure terreur de ce qu'il savait inévitable et l'amer regret d'avoir été si négligent.

C'étaient des professionnels. Cela se voyait à la rapidité avec laquelle ils agissaient et à leur assurance. Le canon du revolver vint s'enfoncer au creux de ses reins. Il eut à peine le temps de pousser un cri de douleur qu'on lui avait saisi et tordu derrière le dos le bras gauche. « Pas un bruit. Ne te débats pas. » La voix était sourde, étouffée. Il essaya de la situer, mais sans y parvenir. L'accent semblait américain.

Une main se glissa entre ses jambes, lui empoigna les parties et tira sec. Une violente douleur lui traversa le bassin. Une autre main empoigna ses cheveux sur sa nuque et poussa en avant. Déséquilibré, il franchit en trébuchant la portière ouverte d'une voiture à l'arrêt et fut précipité sur la banquette arrière.

Le corps massif d'un de ses agresseurs vint s'écraser auprès de lui. Des portières claquèrent. Il sentit que l'autre était au volant. La voiture démarra.

« Tourne-toi par ici. »

On le tira en arrière, son corps dans une position incommode qui faisait que son cou et ses épaules étaient sur la banquette, sa tête sur les genoux de son agresseur.

« Ouvre la bouche. »

Il obéit. Une douleur intense et aiguë. Qu'est-ce que c'était ? Il n'arrivait pas à comprendre. Sa langue baignait dans du sang. Puis il comprit. Le canon du revolver lui avait enfoncé les dents. Il sentait l'acier lui déchirer le fond de la gorge, une nausée le secoua. Il avala, du sang ruissela.

« Reste tranquille, ne bouge pas. »

La voiture démarra.

Il pensa à la souffrance. Il pensa à sa mort imminente. Il pensa à la capsule de cyanure qu'il conservait toujours dans le faux capuchon de son stylo. Aucun moyen de l'atteindre.

Il priait le ciel pour que son agresseur presse la détente du revolver et mette un terme à ses souffrances. Il savait qu'il n'en ferait rien. Ses tortionnaires devaient avoir d'autres projets, bien pires. L'homme qui les payait voudrait qu'on fasse un exemple avec lui. Un horrible exemple pour intimider d'autres qui pourraient essayer de faire ce qu'il avait tenté.

Il espérait que ce serait si terrible qu'il s'évanouirait tout de suite. C'était la seule pensée que sa terreur lui permettait d'avoir.

5

L'admiration qui entourait Harold Volker n'était pourtant pas unanime. Il y avait dans l'élite des spécialistes en politique étrangère des analystes et autres membres de l'intelligentsia qui le considéraient comme une catastrophe.

On était lundi matin. A Langley, dans le bureau de Virgil Fein, le second assistant du directeur adjoint du Renseignement à la C.I.A., une jeune femme exprimait précisément cette opinion. Ses yeux sombres au regard intense et fort beau flamboyaient de mépris, son rire était presque dédaigneux. Elle laissa retomber sur le bureau de Fein le mémorandum de quatre pages photocopié aux feuillets écornés. « Le salaud, murmura-t-elle. Je parierai qu'il n'y a pas un mot de faux. »

Helen Carson, à moins de trente ans, faisait partie de ces mercenaires modernes qui travaillaient dans les bureaux ; elle était le type même de toute une nouvelle race de jeunes cadres qui étaient en train de changer la texture de la communauté du Renseignement. Après avoir obtenu à Vassar une licence d'histoire avec mention, elle était allée à l'université Johns Hopkins de Baltimore passer son doctorat de sciences politiques avant d'entrer dans le service diplomatique. Mais, au lieu du Département d'Etat, elle s'était retrouvée à la C.I.A., non par choix — elle méprisait la Compagnie — mais parce qu'un poste de conseiller lui avait offert des possibilités d'avancement plus en accord avec ses ambitions qui étaient considérables et que rien ou presque n'arrêtait.

Virgil Fein considérait d'un air morne le mémorandum. La C.I.A. recevait des dizaines de pareils rapports sans intérêt rédigés aux frais des contribuables et qui se réduisaient le plus souvent à des théories insensées, à des jalousies transparentes, voire à des fumisteries prétendument étayées par des preuves en général si tirées par les cheveux ou si fragiles qu'on ne pouvait même pas les prendre en considération. Il avait déjà rencontré cette forme de foutaises. Il avait étudié de semblables rapports, il y avait réfléchi parce que c'était son métier. Et il ne les avait pas retenus. Pas plus qu'aucun de ses collègues, y compris à leur antenne de Berlin. Berlin avait tout vérifié jusqu'au moindre détail et avait qualifié le rapport, en utilisant ce que Fein estimait être un classique de la litote, de spéculation divertissante et sans fondement.

Il bougea d'un air las dans son fauteuil. Il se sentait soudain bien plus que quarante-cinq ans. Sa journée pourtant avait commencé normalement. Il s'était levé de bonne humeur, avait supporté avec stoïcisme les récriminations habituelles de sa femme au petit déjeuner sur la difficulté qu'il y avait à vivre avec soixante mille dollars par an dans une banlieue élégante. Son trajet jusqu'à Langley ne lui prenait qu'un quart d'heure. Lorsqu'il était arrivé dans son bureau confortable et ensoleillé, du café l'attendait, préparé par sa secrétaire toujours souriante. Pas de grande réunion prévue pour la journée, pas de catastrophe annoncée aux actualités et sur son récepteur de télévision. Même le monde, figuré par un grand globe en relief éclairé de l'intérieur et monté sur un trépied, demeurait paisible. Et voilà qu'en quelques mots bien choisis, Helen Carson venait de démolir tout cela. Il n'arrivait pas à croire qu'elle prenait le mémorandum au sérieux. Levant les yeux, il la vit passer une main fine et racée dans ses courts cheveux bruns, en faisant tinter ses bracelets d'argent. Son corps jeune et souple semblait prêt à bondir de son fauteuil. Son corsage était entrebâillé sur ses petits seins fermes. Et pourtant, en même temps, elle avait l'air détendue.

« Au risque de paraître raciste, dit-elle en souriant, un Boche reste toujours un Boche. Deutschland über alles et tout le bazar. »

Virgil Fein essaya de prendre un ton conciliant. Elle le rendait à moitié fou quand elle était dans une de ces humeurs-là. Et elle lui faisait peur. Son agressivité croissante pourrait fort bien devenir un danger au poste qu'elle occupait et, comme il était son supérieur immédiat, une gêne pour lui.

« Helen, c'est une plaisanterie. Rien de plus. Pourquoi croyez-vous que je vous l'ai montré ? Et même si ça n'était pas le cas, ajouta-t-il, ça ne prouve rien contre le général Volker lui-même. Même pas par la bande. » Il se rendait compte que son ton était condescendant. Il avait commencé à coucher avec elle un mois plus tôt et il avait maintenant du mal à la voir d'un œil professionnel. Ce qu'il savait de sa sexualité passionnée et sans retenue ne cessait de s'interposer, tout comme la désagréable sensation que c'était elle qui commençait à imposer sa loi, pas seulement lorsqu'ils faisaient l'amour, mais au bureau aussi.

Elle restait insensible aux arguments de Virgil. Elle reprit le rapport. Il provenait d'un bureau des services de renseignements de l'armée américaine à Munich, en Allemagne, et était signé d'un certain capitaine Shenson. Il s'agissait d'un de ces agents qu'on avait retrouvé exécuté dans une forêt bavaroise, la tête fracassée par une balle de pistolet de gros calibre. Shenson estimait que c'était un coup du K.G.B. Il évoquait aussi la mort récente d'une certaine Joanna Volker, une vieille fille allemande, cousine du Secrétaire d'Etat, avec laquelle le général Volker correspondait fréquemment et à qui il rendait parfois visite. Le rapport laissait vaguement entendre que les deux décès pourraient bien être liés.

Helen Carson brandissait les feuillets. « Vous voyez cela comme une plaisanterie, Virgil ? Ça ? » fit-elle feignant la stupéfaction.

Il essaya la flatterie. « Parfaitement. Et je pensais que vous, en tout cas, seriez du même avis.

— Virgil, si je lis bien ce document, dit-elle, il donne à penser que la cousine du général Volker a été assassinée.

— Pas assassinée. Noyée dans le Neckar à Heidelberg. Suicide ou agression, la police ne sait pas très bien. »

Lorsqu'elle répondit, sa voix, plus basse, vibrait comme celle d'un procureur qui conclut son réquisitoire. Elle sourit. « Il donne à penser aussi qu'elle avait un amant qui pourrait appartenir au K.G.B. »

Fein s'obstinait. « Le rapport pose cette hypothèse, Helen. Il ne donne pas à penser. Tout cela n'est rien d'autre que pure spéculation. »

Sans l'écouter, elle tourna les pages, cherchant quelque chose. « Un certain professeur Schaeffer, je crois. Oui. Voici. Un professeur d'histoire à l'université de Heidelberg. L'auteur du rapport se demande si, sous un nom différent, il n'aurait pas pu jadis être un camarade d'études de Volker avant que Volker n'arrive aux Etats-Unis. Il précise que cet ami était un marxiste convaincu. »

Fein sentait sa patience s'user rapidement. Bon sang, c'était lui le patron, après tout. Il haussa légèrement le ton. « Berlin n'a pu trouver de preuves nulle part que Schaeffer s'appelle en réalité Melkine. Melkine est mort pendant la guerre. Sans doute quand les Russes ont pris Berlin.

— Vous voulez dire qu'il a disparu.

— D'accord. Disparu.

— Et qu'est-ce que vous dites du fait que Schaeffer n'ait aucun document pour prouver qu'il existait bien avant la guerre ?

— Si vous examinez le dossier, vous verrez qu'ils ont tous été détruits dans l'incendie qui a suivi le bombardement de Dresde par les Alliés.

— Comme c'est commode ! Et ça ? » fit Helen Carson en pointant un doigt effilé sur une ligne au milieu d'une autre page. « Ce passage qui dit que Volker a eu une aventure avec ce Melkine du temps où ils allaient en classe au lycée de Munich.

— Helen, le rapport dit " il paraîtrait ". » Il vit au visage de la jeune femme qu'il ne la convainquait pas. Il reprit un ton conciliant. « Qu'est-ce que vous voulez que je fasse de ça, Helen ? Proposez-moi quelque chose », fit-il en désignant de la tête le mémorandum.

Elle le laissa une fois de plus retomber sur le bureau. « De ça ? Rien. Comme vous dites, tout a été vérifié. Par des experts. Alors ne nous en occupons pas pour l'instant. J'aimerais parler de Volker lui-même. »

Fein devinait ce qui allait venir et il réprima un petit gémissement.

« Quelle est notre dernière explication à la C.I.A., demanda-t-elle, pour tous les progrès effectués par les communistes depuis qu'il est Secrétaire d'Etat ?

— L'impérialisme soviétique, Helen. Ecoutez, n'y pensez plus. Le peuple américain adore Volker.

— Tout comme Moscou.

— Oh, voyons !

— Je parle sérieusement, Virgil. Prenez n'importe quel fiasco, en Indonésie, au Venezuela — je vous laisse le choix. La

" diplomatie du blitz ", un coup d'Etat de la droite parrainé par Volker pour " stabiliser " la démocratie tout en nous aliénant la moitié du monde. Et avec les communistes qui ne manquent jamais après cela de déchaîner leur propagande ou bien qui décident de faire suivre le coup d'Etat de Volker par un qu'ils montent eux-mêmes. »

Il ne répondit pas. Le mieux était de la laisser vider son sac. Elle poursuivit : « C'est parfait pour Wilderstein et ses copains de Wall Street qui font leur beurre sur les petites victoires de Volker, à court terme. Mais, à long terme, qu'est-ce qui se passe pour l'Amérique et le reste du monde ? Encore cinq ans du général Harold Volker et il ne nous restera plus un ami. Ni sans doute un monde non plus. »

Elle s'arrêta. Ce fut le silence. Fein désigna le rapport et demanda, en se donnant beaucoup de mal pour ne pas laisser percer dans sa voix une incrédulité railleuse : « Et tout cela est lié au contenu de ces quatre feuillets ? »

Elle répondit avec une mortelle douceur : « Pouvez-vous vous permettre de penser que ce ne l'est pas ?

— Oh, Helen, je vous en prie...

— Virgil, je suis sérieuse. Imaginez un instant que ce soit le cas ! Imaginez que tous les soupçons et toutes les insinuations contenus là-dedans soient vrais !

— Et qu'il ait délibérément fait foirer notre politique étrangère ? Le général Volker ?

— Oui. Volker. Peut-être que ça n'est pas qu'un égocentrique avec les deux pieds dans le même sabot et un Arnold Wilderstein à garder de bonne humeur. Peut-être qu'il est plus malin qu'on le croit. Même Wilderstein. » Elle leva la main pour empêcher Fein de l'interrompre. « Attendez. Je ne dis pas que ce soit le cas. Je dis simplement : imaginez. Je dis : imaginez seulement qu'il ait bien été cela et que nous ayons été en mesure de faire quelque chose à ce propos et que nous ne l'ayons pas fait parce que vous aviez décidé que tout cela n'était qu'une plaisanterie. D'accord ? » Elle jeta un coup d'œil à sa montre. « Seigneur. J'ai un rapport à faire. » Elle se leva et prit sa tasse de café pour regagner son bureau. « Dans le courant de ce mois, il doit aller au Portugal. Nous savons tous dans quel pétrin est ce pays. Quelle heureuse petite solution imaginez-vous qu'il va trouver là-bas ? Et il ne s'agit plus du tiers monde. Le Portugal appartient à l'O.T.A.N. et c'est la porte sud dont dispose l'oncle Sam pour avoir accès à l'Atlantique. »

Sur le seuil elle s'arrêta. « Il y a quelques années, quand Willy Brandt dirigeait l'Allemagne de l'Ouest, on a arrêté son principal assistant. Pris la main dans le sac. K.G.B. » Elle marqua un temps et reprit : « Pour ne rien dire de tous ces Anglais. Est-ce qu'il n'y en avait pas un qui avait un gros poste au M.I.5 ? »

La porte se referma doucement derrière elle et Fein songea à la dualité des femmes qui, en quelques mots, pouvaient réduire un homme à un état d'angoisse intolérable tout en n'en restant pas moins désirables.

La même pensée rôdait au fond de son esprit le lendemain matin. Tout en regardant la campagne boisée de Virginie, il se rappelait sans cesse les paroles d'Helen : « Imaginez seulement. » Elles lui avaient désagréablement trotté dans la tête toute la journée d'hiver et toute la nuit dernière. Il fit pivoter son fauteuil vers le bureau, posa de nouveau les yeux sur le dossier qu'il avait fait venir du Pentagone après le départ d'Helen. Il s'était renseigné sur l'auteur du fameux rapport. La carrière du capitaine Shenson était sans éclat, sa promotion au grade de commandant changerait beaucoup sa pension quand il prendrait sa retraite dans trois ans. Voilà vingt minutes, quand il avait parlé par téléphone au capitaine, il avait décelé dans la voix de celui-ci quelque chose qui l'avait fait réfléchir. Ce qu'il avait entendu, c'était la peur et soudain il avait perçu une faille dans le rapport du capitaine. De toute évidence, pour commencer, le capitaine n'avait jamais eu envie de l'écrire. C'était naturel. Qui voudrait se trouver mêler à une affaire risquant de nuire à un tout-puissant Secrétaire d'Etat qui avait la totale confiance du Président ? Et en même temps, le capitaine s'était certainement fait du souci à l'idée que, s'il ne rédigeait pas ce rapport, les renseignements qu'il contenait risquaient un jour de faire surface assez tôt pour compromettre son avancement. Il avait donc prudemment louvoyé en écrivant quelque chose qui ne pouvait le compromettre ni dans un sens ni dans l'autre.

Virgil Fein sentait son estomac se serrer. Il pivota de nouveau pour regarder le paysage, mais il ne le voyait pas. Il ne s'aperçut pas non plus que sa secrétaire était entrée dans son bureau. Elle était plantée devant lui avec une liasse de papiers à la main et lui annonçait qu'il avait rendez-vous avec quelqu'un qui attendait à la réception.

Helen Carson avait évoqué le Portugal comme faisant partie de l'O.T.A.N. et donnant accès à l'Atlantique. Il revoyait son expression, il croyait entendre sa voix. « Imaginez seulement... » Au Portugal, un gouvernement du centre ami allait bientôt s'affronter dans des élections nationales à une nouvelle coalition socialo-communiste. Il semblait que les centristes allaient l'emporter aisément mais que se passerait-il si, pour une raison imprévue, cela n'arrivait pas ? Contrairement à la plupart des euro-communistes, les communistes portugais étaient violemment pro-Moscou.

Sa secrétaire finit par interrompre ses réflexions.

« Pardon, fit-il. Bien sûr, faites-le entrer. » Il ajouta : « Ensuite, appelez David Farr au F.B.I. Voyez s'il peut déjeuner avec moi aujourd'hui ou demain.

— Il est avec le département Renseignements ?

— Exact. Je crois que son poste, c'est le 374. » Il se retourna vers son bureau et lui tendit le rapport Shenson. « Et gardez cela en attente.

— Bien, monsieur. »

Il se mit à essayer de se rappeler la raison pour laquelle son visiteur venait le voir.

6

L'objet en question était petit, métallique et étonnamment lourd. Il avait la forme, en trois fois plus épais, d'un bouton de manteau, dont il avait à peu près la taille. Un côté était perforé d'une série de trous minuscules et légèrement convexe. Il était posé sur le bureau du directeur de la Sécurité du Département d'Etat, un homme aux cheveux gris, sorti du rang. Il le fit tourner d'un air songeur entre des doigts épaissis par des années de jardinage dominical avant de poser une autre question à la jeune femme assise en face de lui.

« Avez-vous trouvé bizarre de le découvrir là où il était ?

— Dans une prise de courant inutilisée ? Un peu, monsieur. Oui. »

Sandy Muscioni s'agita sur sa chaise et lissa sa jupe de gabardine. Pendant le week-end, elle jouait beaucoup au tennis avec Alexis et elle avait la peau bronzée et les cheveux décolorés par le soleil. « C'est plutôt une cachette d'amateur. »

Le directeur examina de nouveau le micro. « Intéressant. Je ne sache pas que nous ayons rien de comparable. Quel est le rayon d'émission déjà ?

— Une centaine de mètres.

— Assez loin pour être capté par quelqu'un dans une voiture en stationnement.

— Tout à fait, monsieur. L'émission est très nette. Jusqu'à la limite de portée. Quand nous sommes allés trop loin, nous avons perdu contact tout à fait brusquement. Je dirais à un mètre près.

— Je vais le remettre au F.B.I., dit-il. Voyez ce que leur labo peut en tirer.

— Est-ce qu'il ne faudrait pas prévenir Mrs. Volker, monsieur ?

— Pas encore. Je préférerais installer une sorte d'interrupteur. Peut-être allons-nous le remettre en place rien que pour dérouter l'intéressé. »

Puis il ajouta : « Aucune idée sur qui aurait pu faire ça ? »

Sandy était songeuse. « Quelqu'un qui se doute que le général Volker peut parfois parler à sa femme, répondit-elle, et qui pense qu'elle n'est sans doute pas aussi pénétrée que lui des problèmes de sécurité. Surtout qu'elle boit parfois un peu trop. » Elle haussa les épaules. « En commençant par le moins probable, monsieur, ce pourrait être les médias. » Elle sourit. « Ou le F.B.I. qui surveille tout le monde. » Puis son sourire s'évanouit. « Une hypothèse plus plausible, ce serait le K.G.B. avec ses gros sabots. Et ce pourrait être aussi un groupe portugais quelconque. Le général Volker en ce moment même prépare leurs élections. Il a donné un dîner vendredi dernier. Il y avait un général portugais.

— Alfredo Nasciemento ?

— Oui, monsieur. » Sandy était étonnée mais elle ne lui demanda pas comment il savait.

Le directeur se remit à examiner le micro. « Qui à votre avis l'a installé là ? »

Sandy réfléchit. « A ma connaissance, personne ce mois-ci n'est entré dans la maison. Je veux dire personne de l'extérieur, aucun réparateur de télé, ou plombier, ni personne de ce genre. Rien que le personnel. Les domestiques, les secrétaires ? Et nous, monsieur. »

Le directeur n'avait pas pensé à ses gens. « C'est assez désagréable, dit-il. Vous croyez vraiment qu'il y ait une possibilité de ce côté-là ? » Il passa rapidement en revue les agents qu'il avait chargés de la protection du général Volker. Tous remarquables et très expérimentés. Steve Riker et Sandy, les deux seuls à n'être pas des anciens, étaient arrivés tous les deux du F.B.I. avec des états de service impeccables, et Sandy avait même assuré un intérim au Secret Service à la Maison-Blanche.

Il entendit Sandy répondre : « Non, monsieur. Pas vraiment. » Elle avait un sourire un peu crispé. Il l'aimait bien. On ne pouvait pas la regarder sans penser au surf en Californie ou à la marche dans les Sierras. On avait du mal à comprendre le chemin qu'elle avait fait en à peine dix ans puisqu'elle avait commencé dans l'unité peut-être la plus dure de toutes, la police de Los Angeles.

« Combien de domestiques ? »

Sandy énuméra les membres du personnel. Et leur classification. « Franchement, insista-t-elle, à moins que ce ne soient des actrices de génie, je n'arrive pas à croire qu'aucune des femmes de chambre soit assez intelligente pour ce genre de travail. Et Everett avait déjà été accepté par les services de sécurité de la N.A.S.A. quand Wilderstein l'a tout d'abord engagé, sans parler de tous les contrôles que le F.B.I. et nous lui avons fait subir.

— Et le secrétariat ? » C'était une question purement académique, mais Sandy lui rappela que les deux secrétaires attachées à Volker venaient de la direction de la Sécurité au Département d'Etat lorsqu'on les avait détachées ici à cause des menaces. On avait également passé au peigne fin le dossier d'Allison Palmer, malgré la position éminente de sa famille.

Le directeur changea de sujet. « Comment vous entendez-vous avec Mrs. Volker ?

— Je l'aime bien. Vraiment, fit Sandy en riant. Et je ne veux pas dire à cause de ce qu'elle était, sa célébrité et tout ça. Ce n'est pas une snob. J'ai toujours l'impression qu'elle continue à être une fille qui travaille comme moi.

— Et son problème de boisson ?

— J'essaie de le cantonner dans des limites acceptables.

— Vous voyez une raison à ça ?

— Je ne sais pas. Elle est toujours beaucoup plus vulnérable quand elle sort de chez son imbécile de psychiatre.

— Elle regrette d'avoir quitté la télévision ?

— Je ne crois pas. Elle a vraiment envie de jouer la mère de famille au foyer. Elle est très axée là-dessus.

— Est-ce qu'elle en discute jamais avec vous ?

— Non, répondit Sandy. Elle est assez discrète sur ses problèmes personnels. Même avec moi. Mais je le sens bien.

— Ça vaut peut-être mieux comme ça », dit le directeur. Du menton, il désigna le micro. « Compte tenu du petit mystère que nous avons ici. » Il marqua un temps puis reprit : « Il y a encore une chose, dit-il. Le général Nasciemento dont vous avez parlé. Peut-être devriez-vous voir ceci. » Il lui tendit un mémo intérieur.

Sandy le lut sans un mot. Quand elle le lui rendit, son visage avait perdu toute animation. « C'est horrible, fit-elle.

— Vous n'aviez entendu ni le général ni Mrs. Volker jamais mentionner son vrai nom ?

— Non, monsieur. On l'appelait simplement le général Nasciemento. Je suis certaine que Mrs. Volker ne savait pas qui il était en réalité. Elle m'a dit qu'elle avait essayé de chercher son nom dans le *Who's Who* du Département d'Etat. Elle fait ça pour tous les invités, mais elle n'avait pas pu le trouver. Le général Volker est au courant, monsieur ?

— Nous le lui avons annoncé ce matin. Ça l'a secoué. Il ne veut pas que Mrs. Volker sache.

— Et la presse ?

— Elle coopère. La police a imposé un silence total. »

Sandy se leva, s'apprêtant à partir. « Quelqu'un a-t-il la moindre idée à propos d'un mobile, monsieur ?

— Le général Volker dit que cet homme représentait Figueira. A mon avis, ou bien il a été pris jouant les agents doubles, ou bien une faction politique a estimé qu'il risquait d'obtenir trop de Volker pour Figueira. Je doute que nous sachions jamais. » Il prit le micro miniature sur son bureau. « Vous avez peut-être raison de penser qu'il aurait pu être responsable de ça, mais voilà encore une chose que nous ne saurons sans doute jamais. » Il jeta un coup d'œil à un papier posé devant lui. « Je vois que vous avez congé jusqu'à la fin de la semaine.

— Oui, monsieur. Des jours de vacances en retard et on n'a pas besoin de moi à Brigham Bay. Je vais jouer au tennis en Virginie.

— Voilà qui me paraît une bonne idée. A quelle heure les Volker partent-ils ?

— Mrs. Volker a dit vers trois heures et demie. Elle vient chez moi pique-niquer avant leur départ. Je passe d'abord la prendre chez le coiffeur. Trois des garçons les escorteront, le général Volker et elle, jusqu'à la campagne. »

Il consulta de nouveau le papier. « Et les Wilderstein ?

— Ils viennent directement en voiture de l'aéroport.

— Quand leur visite a-t-elle été décidée ?

— Hier soir, apparemment. Ils ont téléphoné pour s'inviter. »

Il plissa les lèvres. « Comment Mrs. Volker a-t-elle pris ça ? La dernière fois que nous en avons parlé, vous m'aviez dit qu'elle ne les aimait pas beaucoup. » Sandy, une fois de plus, fut surprise qu'il se rappelât ce détail. Rien ne lui échappait.

« Mrs. Volker était furieuse, dit-elle. Elle s'attendait à être seule avec son mari.

— Et le général ?

— Je crois que ça lui est égal. Il emporte toute une serviette de dossiers. »

Il l'accompagna jusqu'à la porte. « Parfait, Sandy. Bon travail. Continuez.

— Merci, monsieur. »

Dans le vaste garage souterrain du Département d'Etat, elle retrouva la Lancia d'Alexis là où elle l'avait laissée au milieu d'une foule d'autres voitures, personnelles aussi bien qu'officielles. Elle exhiba son laissez-passer au garde de la sécurité et remonta la 21e Rue. Elle avait passé plus de quarante-cinq minutes avec le directeur. Dans la 22e Rue, elle s'arrêta dans une charcuterie où elle avait demandé le matin qu'on lui prépare deux homards du Maine avec une salade de choucroute et de pommes de terre et une mousse au chocolat qui était une de leurs spécialités. Elle leur fit ajouter dans le sac une bouteille d'un mousseux italien bien frappé et fort coûteux. Elle serait à moitié fauchée pour une semaine mais elle voulait voir Alexis se détendre et s'amuser un peu. Ça l'aiderait à mieux supporter les Wilderstein.

En sortant, elle se souvint tout d'un coup de Batman. Ce fut un choc presque physique et son cœur se mit à battre plus fort. Elle avait oublié de le prévenir à propos d'Alexis. Il savait qu'elle avait congé cette semaine et il pouvait fort bien être venu chez elle. C'était une chose qu'Alexis sût qu'elle avait un amant. C'en serait une autre de savoir qui il était vraiment. Il y avait une cabine téléphonique dans le magasin. Elle introduisit une pièce et composa son propre numéro. A son soulagement, il répondit.

« C'est moi, dit-elle. Ecoute, je suis désolée, mais j'avais complètement oublié. J'ai invité la patronne à déjeuner.

— Ici ?

— Oui.

— Bon. J'allais justement prendre ma douche. »

Quelque chose se figea instantanément chez Sandy. Le ton agacé qu'il avait pris, cette attitude de propriétaire, tout cela ne faisait pas partie de leur accord. Elle n'appartenait à personne. Ce ne serait jamais le cas.

« Je ne te le conseille pas », dit-elle, d'un ton glacé et sans la moindre trace d'affection. L'affection, pour elle, avait cessé d'exister en Californie voilà des années. Elle avait vingt ans, elle était désespérément amoureuse et trouvait le monde merveilleux. Elle venait d'une famille désunie et n'avait jamais cru à personne auparavant. Là-dessus le type avait pris ses cliques et ses claques pour s'installer avec une femme plus âgée qui avait assez d'argent pour lui acheter tout ce qu'il voulait. Sans avertissement, sans adieu, sans explication. Sandy les avait trouvés au lit dans la villa de l'autre à Malibu. Ils avaient ignoré sa présence et avaient continué à faire l'amour comme si elle n'existait pas. Par la suite, quand Sandy avait fait une scène, la femme avait tenté d'utiliser ses relations pour la faire congédier. C'est alors qu'elle était entrée dans la police et il lui semblait bien que depuis lors elle n'avait jamais éprouvé pour personne aucune émotion réelle. En tout cas, pas pour un homme.

Elle l'entendit avoir un petit rire gêné. Il se rendit compte qu'il avait exagéré. « Bon. Désolé. Quand est-ce que je te revois ? »

Elle réfléchit un moment. De nouveau elle maîtrisait la situation et son agacement commençait à se dissiper. Alexis devait retrouver son mari à trois heures. « Comment se présente ta soirée ? demanda-t-elle.

— Je suis libre.

— Je termine à quatre heures. Téléphone d'abord, à tout hasard. » Elle raccrocha sans attendre de réponse, ramassa son sac avec ses provisions et se dirigea vers la voiture. Elle s'assit au volant et un moment renversa la tête en arrière, les yeux fermés sous le soleil brûlant. Son cœur battait encore très fort. Elle l'avait échappé belle. Elle n'arrivait pas à croire qu'elle avait failli faire une pareille erreur. Elle se relâchait, il allait falloir se reprendre et faire plus attention. Son travail était trop important pour qu'elle le gâche.

Quelques instants plus tard, elle mit la voiture en route et démarra pour aller prendre Alexis chez le coiffeur.

7

Brigham Bay tirait son nom de son emplacement, un paisible estuaire du Maryland. La maison était située en haut d'un cap et de là on ne voyait pas seulement le Potomac et la baie de Chesapeake mais aussi plus de huit cents hectares de bois et de marais bordant les deux rives de l'estuaire et que n'interrompait de loin en loin qu'une petite ferme. Le père d'Arnold Wilderstein avait acheté la propriété pendant la crise pour une bouchée de pain à une famille qui la possédait depuis six générations mais qui n'avait pas tenu le choc. Arnold ne l'utilisait que pour la chasse au canard à la fin de l'automne lorsqu'il venait de New York ou de Boston avec une demi-douzaine de copains banquiers.

La première année où Harold Volker devint Secrétaire d'Etat, Arnold avait mis la propriété à sa disposition. « C'est tout à la fois pour fêter votre nomination, dit-il, et un cadeau de mariage avec un peu de retard. Je ne chasse plus, Mettie a assez de travail avec la maison du Maine, l'appartement de New York et la villa de Southampton. Je ne peux pas vous en faire cadeau parce que j'en ai besoin pour déduire les frais de mes impôts et d'ailleurs vous vous ruineriez à l'entretenir. Considérez seulement que c'est à vous. Utilisez-la, profitez-en. » La maison, construite en 1801, était petite mais charmante. Elle avait d'étroits bardeaux blancs, des volets d'un vert délavé et de vieilles cheminées de briques. Non loin du bâtiment principal se dressait une étable mansardée à demi couverte de lierre et où l'on avait installé les chambres de domestiques. En plus de cent quatre-vingts ans d'existence, les jardins avaient atteint cette somptueuse maturité que seul le temps peut créer. Les haies de buis impénétrables étaient maintenant à hauteur d'homme. Les troncs moussus des bouleaux et des érables géants avaient été tordus par des décennies du vent qui soufflait de la baie de Chesapeake. Les vivaces colorés avaient l'air aussi d'avoir toujours été là. Peut-être était-ce l'aspect ordonné de leurs massifs, le gazon touffu. Dans un petit parc où se trouvait un cadran solaire patiné par les ans, le leur formait presque une voûte. Et l'allée en chevrons de brique qui menait à la lourde porte d'entrée verte avec son seuil de pierre blanche, son heurtoir de cuivre et son grattoir en fer forgé avait vu la plupart de ses briques remplacées une demi-douzaine de fois, même si çà et là il en restait encore une de la construction d'origine. Alexis adorait cette propriété. Elle y trouvait une sensuelle atmosphère de secret qui lui donnait le sentiment d'être à l'abri chaque fois qu'elle était là. En même temps, la persistance de cet élément dans sa vie lui donnait un sentiment croissant de frustration : c'était dur d'aimer et de ne pas posséder. Il y avait toujours la triste certitude qu'un jour le domaine reviendrait aux Wilderstein qui s'en fichaient éperdument.

Parfois, quand elle ne passait là que quelques jours seule avec juste Missy et Sam Cranball, les vieux gardiens noirs, pour toute compagnie, elle éprouvait une impression de complicité avec la maison elle-même. On aurait dit qu'elle devait l'aider à se défendre contre l'avenir. Dans ces moments-là, elle haïssait Arnold Wilderstein et son argent, et la maison en venait à représenter la dépendance constante qu'Harold laissait le banquier avoir sur cet aspect-là de leur mariage : tout en adorant Brigham Bay, elle avait en même temps très envie d'avoir une maison à elle.

Harold et elle quittèrent la maison de R Street dans la Lancia d'Alexis peu après trois heures et demie. Des agents de la Sécurité suivaient dans une autre voiture avec une secrétaire. Les Wilderstein venaient de Boston dans leur avion privé. Une limousine les attendait sans doute à l'aéroport de Washington.

C'était Harold qui conduisait. Alexis inclina son siège en arrière, cala ses pieds chaussés de sandales contre la boîte à gants et se laissa aller à la béatitude dans laquelle l'avait laissée son déjeuner avec Sandy. Le repas et le vin étaient merveilleux, juste ce qu'il lui fallait avant de s'efforcer de supporter les Wilderstein.

Sans fermer les yeux, elle revoyait l'appartement de Sandy. Elle en avait eu un comme ça lorsqu'elle avait débuté à la télévision. C'était peut-être le cas de toute jeune célibataire. Des nattes sur le sol, le genre de meubles qu'on achetait bon marché, qu'on réparait et qu'on recouvrait soi-même, une table basse en bois blanc, des divans recouverts de cotonnade aux couleurs vives, des affiches aux murs : un Lautrec et un Mucha. Il y avait une petite chambre à coucher avec un grand matelas posé sur une simple plate-forme en bois, des lanternes japonaises et une cuisine séparée du living-room par de grands volets réunis pour former un paravent.

C'était féminin et on se sentait chez soi. Elles avaient commencé par une vodka avec du tonic. « Peu importe que vous soyez au régime sec ou non, avait dit Sandy. Ça vous aidera à oublier votre psychiatre. » Lorsque Alex eut terminé le sien, elle dit : « Etes-vous prête pour de nouvelles aventures ? »

Alexis crut qu'elle voulait dire un autre verre et refusa.

« Je ne parlais pas de vodka. Et si jamais vous mouchardez sur moi, je vous ferai une démonstration de judo. »

Alexis finit par comprendre et éclata de rire. « Vous voulez dire que vous en avez ?

— Pas moi. Je suis la vertu incarnée, enfin plus ou moins. Mais Batman fume de l'herbe comme si c'était des cigarettes en chocolat. » Sandy disparut dans sa chambre et revint avec un joint. Elles l'allumèrent.

« Je n'ai pas fait ça depuis le bon vieux temps de Detroit », dit Alexis. Elle raconta à Sandy sa première expérience de présentatrice de télévision en solo. « Vous vous rappelez, c'était quand le patron est tombé malade au moment de la Convention de Chicago ? J'ai dû y aller à sa place et je me suis retrouvée interviewant tout le monde jusques et y compris le Président. C'était vraiment impressionnant. A trois heures du matin, j'étais à ramasser à la petite cuillère et un des opérateurs avait de l'herbe. Quand on nous a repris l'antenne, on a allumé nos joints comme si c'était le jour de l'armistice et on s'est complètement pété. »

Des gosses qui s'amusaient. L'insouciance de la jeunesse. Plus tard, le travail était devenu trop sérieux, les enjeux trop importants. Personne ne montait les échelons à Washington ni à New York s'il se droguait. Un instant d'inattention et on se retrouvait tout en bas. Ou même dehors. Mais la tension était épuisante et ils buvaient presque tous. Trop.

En évoquant ces souvenirs, Alexis cessa de penser à Sandy et au déjeuner. Des visages familiers du temps de ses années de télévision se dessinaient sur le pare-brise de la Lancia, des voix oubliées retentissaient à ses oreilles, des incidents surgissaient dans sa mémoire. Ils avaient quitté le périphérique pour prendre la Nationale 5 et roulaient vers le sud, en direction de la rive du Potomac située dans le Maryland lorsque Harold Volker la tira de sa rêverie.

« Eh ! Où es-tu ?

— Toujours à déjeuner.

— C'était si bon que ça ?

— C'était formidable. »

Alexis se retourna sur son siège pour l'examiner. Ses cheveux fouettés par le vent avaient à peine quelques fils gris et ses bras, que révélaient ses manches relevées, étaient musclés et bronzés, ses mains robustes sur le volant. Elle inspecta son corps : il avait le ventre plat, les cuisses solides et musclées. Il avait un T-shirt, des jeans et des espadrilles.

« Tu es incroyable, fit-elle.

— Quoi ?

— Peu importe. » Elle se pencha pour l'embrasser sur la joue et dit : « Je t'aime et je suis impatiente de ces six jours entiers avec toi.

— Je suis vraiment navré pour Arnold et compagnie. » Compagnie était le surnom qu'il donnait à Mettie. Dans le privé, il n'avait jamais caché son antipathie pour elle. Ils étaient arrêtés à un feu rouge. Il posa une main sur le genou d'Alexis. « Nous barricaderons la porte de notre chambre et je te mettrai un coussin sur la bouche.

— Un coussin sur *ma* bouche ! Et la tienne ?

— Un diplomate sait se taire. »

Elle éclata de rire et lui donna un coup de coude. Il riposta. Elle poussa un cri et, en s'éloignant de lui, elle surprit le regard désapprobateur d'un couple plus âgé arrêté à côté d'eux. Les agents de la Sécurité, du côté d'Harold, s'efforçaient de regarder ailleurs. Le feu passa au vert. Harold démarra en trombe, les pneus patinant sur l'asphalte et les deux autres voitures laissées sur place. C'était comme au temps où elle était au collège, songea Alexis. Elle se rapprocha pour poser sa tête contre l'épaule d'Harold. Ce soir, décida-t-elle, tant pis s'ils dérangeaient les Wilderstein dans la chambre d'ami. Si elle ou Harold faisaient trop de bruit, eh bien ! ils s'en feraient une raison.

Bientôt les affreuses semi-banlieues à l'est de Washington cédèrent la place au doux paysage de la rive ouest de l'estuaire. Les supermarchés disparaissaient, remplacés par des fermes isolées et ils étaient complètement sortis du monde qu'ils avaient laissé derrière eux. Quarante minutes plus tard, ils s'engageaient sur le chemin de campagne poussiéreux qui menait à Brigham Bay.

Ce fut l'étable qui apparut en premier, Sam agitant le bras depuis le potager où il ramassait des légumes pour le dîner. Missy devait être dans la cuisine depuis des heures maintenant, elle adorait tant avoir des gens pour qui faire la cuisine. Alexis sentit une vague de bonheur l'envahir. Mais quand elle vit la maison, son cœur se serra. Une longue Cadillac bleu marine était déjà garée devant la porte, un chauffeur en livrée s'affairant à décharger les bagages. La Lancia vint s'arrêter derrière. Alexis descendit de voiture et suivit le chemin de brique jusqu'à la porte d'entrée peinte en vert.

Nettie Wilderstein était plantée là comme un petit phare avec ses cheveux gris-bleu tout mousseux, son visage inexpressif et pâle figé en un sourire appliqué mais sans chaleur au-dessus de son corps sans forme vêtu d'une robe sans élégance.

« Bienvenue à Brigham Bay. » Les mots montèrent aux lèvres d'Alexis : « C'est moi qui devrais vous dire ça, Nettie. » Mais quelque chose se figea en elle et elle ne dit rien.

Au lieu de cela, elle tendit à la bouche peinte en rouge sombre de Nettie sa joue, serra sa main lourdement chargée de bagues, la remercia et la suivit docilement à l'intérieur.

Arnold s'affairait déjà près du bar à préparer des cocktails. « Salut, beauté. L'heure des premiers apéritifs. » Il était grand, il commençait à perdre ses cheveux argentés et à s'empâter. Il était vêtu d'une chemise rose, d'un short à l'anglaise de toile sombre avec des chaussettes et des mocassins de golf. Son visage rond n'exprimait rien. Il n'avait pas l'air du plus puissant banquier du pays, un homme qui avait la réputation d'être impitoyable et de toujours obtenir ce qu'il voulait.

« Bonjour, Arnold. » Elle le laissa lui donner une vodka qu'elle emporta sur la terrasse. Elle franchit les dalles usées par les ans et alla s'asseoir sur le vieux mur de pierre au-delà duquel la pelouse descendait jusqu'à l'eau où se trouvaient un hangar à bateaux et une petite plage de sable. Des ormes géants jetaient leur ombre sur la terrasse. Il faisait très chaud, le soleil était encore haut au-dessus des bois à la pointe de l'estuaire. La fin d'après-midi était étouffante et l'air sentait le marécage et l'eau croupie. Des cigales chantaient. Toutes ses bonnes intentions de ne pas se laisser énerver par les Wilderstein s'étaient évanouies. Elle avait l'impression d'être une étrangère et une prisonnière.

Harold sortit avec Nettie à qui il essayait d'expliquer le Portugal. « Le Portugal, Nettie, est un pays clé dans l'O.T.A.N. Ils sont en démocratie depuis qu'en 1974 l'armée s'est révoltée et a renversé un dictateur. Ils ont un système de gouvernement parlementaire avec un président et un Premier ministre. C'est ce dernier qui doit être réélu. Mais non, mais non. Ce n'est pas un communiste. » Il eut un rire patient. « C'est un modéré. Tout à fait modéré. C'est un allié, notre ami. Les communistes voudraient l'évincer pour prendre sa place, naturellement. Mais ils ne sont pas assez forts tout seuls, alors ils ont conclu une alliance avec les socialistes. C'est cette coalition qu'il doit battre et ça va être juste, mais je pense que ça se passera bien si nous le soutenons vraiment. Après tout, les Portugais sont des Européens. Le pays a neuf cents ans et les gens ont une tradition de bon sens. »

Alexis s'aperçut qu'Arnold était venu s'asseoir auprès d'elle. Il commença à parler puis la regarda attentivement.

« Qu'est-ce qui ne va pas ?

— Ça va très bien, je vous remercie.

— Vous êtes devenue toute blanche.

— Pardonnez-moi. Je ne me sens pas très bien. Si vous voulez bien m'excuser, je vais aller m'allonger quelques minutes.

— Vous devriez. Harold ? »

Là-haut, elle fut malade comme une bête. Missy arriva de la cuisine pour s'occuper d'elle. Elle lui posa un linge froid sur le front et tira les stores de la chambre au plafond bas. Un courant d'air frais arrivait de l'escalier par la porte ouverte de la chambre d'ami. Harold lui demanda ce qu'elle avait mangé chez Sandy.

« Du homard et une salade de pommes de terre. Je suis sûre que ce n'était pas ça. Je t'en prie, ne lui dis rien.

— Il vaudrait mieux.

— Je t'en prie. »

Elle ne parla pas du joint. Cela faisait des années qu'elle ne fumait plus de marijuana, parce que ça la rendait toujours malade. Mais elle ne croyait pas que c'était cela non plus. Pas vraiment. Elle ne savait pas ce que c'était. Tout ce qu'elle savait, c'était qu'elle ne pouvait pas supporter les Wilderstein. Lorsqu'on annonça le dîner, elle avait encore des nausées. Elle chargea Harold de l'excuser.

Après le dîner, elle resta allongée à écouter le murmure de leurs conversations sur la terrasse juste sous la fenêtre de sa chambre. Elle ne commença à se sentir mieux que lorsque Harold finit par monter se coucher et par s'endormir et qu'il n'y eut plus de lumière qui brillait sous la porte de la chambre d'ami. Alors la maison silencieuse recommença à lui appartenir. Soudain elle eut faim. Elle se leva sans bruit et descendit jusqu'à la cuisine, se versa un verre de lait et prit quelques biscuits. Il y avait trop de moustiques pour aller sur la terrasse sans allumer les bougies spéciales qui les tenaient à l'écart. Elle s'assit dans l'obscurité fraîche du salon, en songeant aux générations inconnues qui avaient vécu ici, à leurs amours, à leurs existences, à leurs espoirs et à leurs rêves. Elle buvait son lait à petites gorgées en prêtant l'oreille au léger craquement qu'on entendait toujours la nuit dans la vieille maison, en écoutant le tic tac de la vieille horloge du vestibule, l'appel du canard sauvage au-dessus de l'estuaire et le trille aigu des grenouilles.

Quand elle était allongée là-haut, malade, elle avait pris deux décisions. Elle avait fermement décidé qu'elle allait trouver un moyen d'arracher Brigham Bay à Arnold Wilderstein. Peu importait à quel prix. Ce serait un endroit merveilleux pour élever des enfants. Elle avait résolu aussi de persuader Harold de ne pas attendre pour en avoir de ne plus être Secrétaire d'Etat.

8

David Farr était un Noir d'une quarantaine d'années, qui avait jadis joué demi d'ouverture dans l'équipe de rugby de l'Arkansas. Il était grand, robuste et vif, d'une intelligence aiguë et il préférait lorsqu'il lisait pour se détendre les meilleurs romanciers anglais et français du XIXe.

Sa femme, Susan, avait dix-sept ans de moins et elle était noire aussi. Elle avait fait ses études de médecine avec l'aide de son mari et grâce à l'argent qu'elle avait touché comme finaliste aux élections de Miss Amérique. Elle était maintenant attachée au Centre médical de la Marine à Bethesda, au service de neurochirurgie. Ils habitaient une banlieue au nord-ouest de Washington, dans une rue tranquille et bordée d'arbres qui donnait sur Foxhall Road.

Dans la hiérarchie bureaucratique du F.B.I., Farr occupait un rang élevé : il était sous-directeur adjoint du département Renseignements et il était responsable de l'évaluation de tous les rapports de contre-espionnage, qu'ils fussent en provenance des unités du F.B.I. ou d'autres sources comme la C.I.A. Lorsqu'il avait été recruté par le F.B.I., il venait d'être admis au barreau tout à la fois à New York et en Californie et s'apprêtait à devenir avocat d'affaires. Lorsqu'il avait épousé Susan, elle terminait sa dernière année de collège et il n'était au F.B.I. que depuis trois ans. David Farr était content à l'idée de déjeuner avec Virgil Fein. Ils avaient fait leurs études ensemble à l'école de droit de Harvard et ils étaient restés en contact, mais cela faisait quelques mois maintenant qu'ils ne s'étaient pas vus. En outre, il adorait rencontrer des gens de Langley, pour parler boutique. Ça élargissait sa perspective. Son ami du C.I.A. était peut-être un peu mou. Il devait l'être pour tolérer le genre de harcèlement qu'il supportait des femmes, de la sienne ou de quiconque se trouvait être son actuelle petite amie, mais il était intelligent et souvent intéressant.

Farr, toutefois, n'avait pas découvert de quoi Fein voulait parler. Ils déjeunèrent au *Quorum*, un établissement fréquenté par des bureaucrates et des membres du Congrès et, à mesure que le repas avançait, le visage de Farr s'assombrissait davantage. Toutefois, ce n'était pas de l'inquiétude, c'était de l'agacement. C'était contre ses principes de perdre du temps en soupçons quand il n'y avait aucune preuve tangible. Au long des années, il avait suivi tant de fausses pistes et il avait en vain gâché tant d'énergie et d'émotions à ce jeu qu'il avait appris à ne plus le faire. Il exigeait maintenant un doigt qui pointait sans trembler dans une direction.

A deux reprises, il lut avec attention le mémorandum du capitaine Shenson et, par courtoisie, posa quelques questions de routine. Si tous les dossiers personnels du professeur Schaeffer, l'amant de Joanna Volker qu'on avait retrouvé noyé, avaient été détruits durant la Seconde Guerre mondiale, les enquêteurs avaient-ils tenté de découvrir des parents ou des amis qui auraient pu le connaître avant cette époque ? Avaient-ils aussi cherché à retrouver des amis ou des parents de Melkine, le marxiste disparu, le camarade d'études du général Volker, qui pourraient dire catégoriquement si Schaeffer était ou n'était pas une réincarnation de Melkine ? Savait-on s'il y avait eu un contact personnel entre l'agent allemand abattu du capitaine Shenson et soit Joanna Volker, soit son professeur ? Des voisins, par exemple, ou des commerçants du quartier les avaient-ils jamais vus ensemble ? Fein affirma que toutes ces pistes avaient été soigneusement examinées. Aucune preuve nouvelle d'aucune sorte n'était apparue pour renforcer ni réfuter les insinuations du rapport d'après lequel le K.G.B. avait établi ou essayé d'établir un contact avec le Secrétaire d'Etat américain.

Vers deux heures et demie, un nombre suffisant de clients avaient quitté le restaurant pour que le sous-directeur du F.B.I. estimât sans risque d'élever la voix.

« Virgil, en admettant que tout ce que tu dis soit vrai, en reconnaissant que le brave capitaine dans cette affaire a peut-être ménagé la chèvre et le chou et qu'il continue, compte tenu du fait que tu pourrais sans doute arriver à trouver que le professeur Schaeffer appartient vraiment au K.G.B., en admettant aussi que les deux morts puissent être plus qu'une pure coïncidence, tu n'as toujours aucune piste qui mène à Volker. Rien. »

Fein haussa les épaules. En fait, l'attitude négative de Farr lui paraissait plus difficile à supporter que la méfiance d'Helen Carson. Il faiblit. « Ecoute, David, je reconnais que je suis aussi perplexe que toi et... »

Farr l'interrompit d'un rire brutal. « Perplexe ? Moi ? Objection. Je ne suis pas perplexe. Tout ça est très clair. » Il jeta un coup d'œil au rapport. « Si l'on croit malgré tout qu'il y a quelque chose de concret derrière ces soupçons, alors la personne toute désignée sur laquelle il faut enquêter, c'est Volker lui-même, n'est-ce pas ? Nous essayons de découvrir un lien qui existe avec le K.G.B., d'accord ? Nous essayons aussi, si je comprends une partie de ce que tu me dis, de le prendre la main dans le sac en train de manipuler délibérément certains aspects de notre politique étrangère pour qu'en fin de compte la Russie en profite. Exact ? »

Comme Fein ne répondait pas, Farr le fit pour lui. « Exact ! fit-il. Puisque c'est ce que tu penses depuis le début et que tu n'oses pas dire tout haut. » Il reprit d'un ton las : « Virgil, quand nous faisions notre droit ensemble, tu ne donnais pas le moindre signe d'être totalement fou. »

Il posa sa carte de crédit sur l'addition que le serveur avait apportée. « Quiconque envisage sérieusement d'ouvrir une enquête sur le Secrétaire d'Etat pour activités dommageables aux intérêts des Etats-Unis a besoin qu'on lui paie son déjeuner : il va perdre sa place. »

De retour à son bureau du Hoover Building, Farr s'occupa un moment d'un petit émetteur ultra-sensible dont l'intérieur était un assemblage de pastilles microscopiques et qui tirait son énergie du radium. Le laboratoire du Bureau au onzième étage l'avait reçu hier du directeur de la Sécurité du Département d'Etat. Farr en avait entendu parler par le chef du labo qui était un ami et il avait demandé à le voir. Un rapport accompagnait l'appareil. Il précisait qu'on n'avait jamais rien vu de pareil. Les analyses montraient que l'acier provenait de l'Allemagne de l'Est, mais les techniciens croyaient que l'émetteur lui-même avait pu être monté en Tchécoslovaquie. Certaines vis minuscules étaient similaires à d'autres repérées un an plus tôt comme fabriquées par un atelier de Pilsen. Le rapport concluait que la fabrication tchèque ne prouvait pas nécessairement que l'émetteur appartînt au K.G.B.

Farr le rangea non sans avoir remarqué avec quelle maladresse apparente l'appareil avait été dissimulé et donc aisément découvert. Un nom ressortait de tout cela. Volker. Deux fois dans la journée.

Et une fois la veille.

Prenant une clé de son trousseau, il ouvrit un tiroir de son bureau et y prit un mince dossier. Il contenait deux rapports. Le premier portait l'inscription « transfuge ». En deux pages concises, il résumait les renseignements recueillis au cours de l'interminable interrogatoire d'un agent du K.G.B. qui, six mois auparavant, avait décidé qu'il préférait l'Amérique. Une des choses que le transfuge avait dites, c'était que le K.G.B. avait réussi à infiltrer tout à la fois le service secret et le bureau de Sécurité du Département d'Etat. En l'absence de toute allusion précise à la force spéciale chargée de protéger le Secrétaire d'Etat, il fallait supposer que l'agent infiltré pouvait appartenir au personnel chargé de cette mission.

Le second rapport, à peu près de la même longueur, portait la mention Jesus d'Almeida. Alors qu'il se trouvait aux Etats-Unis sous l'identité du général Alfredo Nasciemento, il avait été assassiné moins d'une heure après avoir dîné avec le général Harold Volker et sa femme quelques jours auparavant. David Farr parcourut le rapport. Le pauvre diable, songea-t-il. Ils l'avaient d'abord ligoté avec du fil de cuivre et l'avaient emmené jusqu'au dépôt de délivres où on l'avait découvert. Là, certainement pour faire un exemple, ils l'avaient émasculé, puis lui avaient arraché les yeux. Pendant qu'il se tordait dans d'atroces souffrances, ils l'avaient arrosé d'essence et l'avaient laissé attendre le moment où les ordures en train de se consumer lentement y mettraient le feu. Outre l'énumération de ces horribles brutalités, le rapport décrivait la véritable occupation d'Almeida. Le Portugal n'avait pas de service d'espionnage. Mais depuis des années, sous la dictature précédente, il était un exilé travaillant comme agent pour divers pays de l'Ouest. Après la révolution, il avait regagné le Portugal où, disait-on, il aidait à mettre sur pied un nouveau service de renseignements ultra-secret rattaché à l'armée portugaise. On ne donnait aucune raison de sa visite à Washington ; Lisbonne de toute évidence ne pouvait ou ne voulait donner aucune précision là-dessus.

David Farr n'avait mentionné aucun des rapports à Virgil Fein. Pas plus qu'il n'avait parlé du micro envoyé par le bureau de sécurité du Département d'Etat. Il n'avait pas non plus dit à Fein que, à cause du rapport du transfuge, il avait très soigneusement infiltré un de ses agents du contre-espionnage parmi le personnel attaché au service des Volker.

Il prit dans sa poche le mémorandum de Shenson et l'étala sur son bureau. Volker. Ça faisait quatre fois maintenant. La possibilité d'un agent du K.G.B. parmi les collaborateurs de Volker. Un micro-émetteur posé par des inconnus dans le bureau de sa femme. Un responsable du renseignement portugais assassiné juste après avoir passé la soirée chez les Volker et alors que Volker devait bientôt se rendre à Lisbonne pour soutenir la cause du Premier ministre modéré sur le point d'affronter des élections qui n'étaient pas jouées. Et pour finir, un officier des Renseignements de l'armée qui soupçonnait Volker d'avoir des rapports avec le K.G.B. Qu'y avait-il de précis derrière tout cela ? Apparemment rien. Le seul commun dénominateur qu'il pouvait voir à tous ces faits, c'était Harold Volker.

Il relut le mémorandum. Puis le lut encore. Il maudissait Fein. Tout ce qu'il voulait, c'était oublier tout ce fatras et se remettre à son travail de routine. Mais il savait que ce n'était pas possible.

Il appela sa secrétaire et lui dit qu'il ne voulait pas être dérangé. Par personne. Sous aucun prétexte. Il avait besoin de réfléchir et de réfléchir calmement. En ce qui concernait Volker, il y avait une chose qu'il ne pouvait pas se permettre, c'était de faire une erreur. Trois heures plus tard, quand le bureau ferma, il était toujours installé dans son fauteuil à fixer le rapport du capitaine Shenson.

9

Il était onze heures et demie du soir et la 24e Rue, devant le cabinet du docteur Wyndholt, était silencieuse. Presque tout ce pâté de maisons avait été transformé en bureaux mais, çà et là, des rectangles de lumière provenant des quelques immeubles résidentiels qui subsistaient éclairaient le trottoir sombre où des voitures garées. De temps en temps, des étudiants de l'université George Washington voisine passaient, rompant le silence, ou bien c'était un travailleur attardé qui avançait, tête baissée, du pas déterminé de quelqu'un qui a envie de rentrer chez lui le plus vite possible.

Les deux hommes attendaient depuis plus d'une heure dans une chaleur qui ne tombait pas que Wyndholt fermât son bureau et partît. L'un avait les cheveux gris, l'autre était plus jeune avec un début de calvitie. Ils portaient tous deux des complets sombres parfaitement anonymes. Sur la banquette entre eux, il y avait un porte-documents. Ils trouvaient tous les deux leur attente extrêmement inconfortable et ils commençaient à s'énerver. Le travail qu'ils avaient à faire ne leur prendrait qu'un quart d'heure, peut-être moins. Mais ils n'avaient pas pensé que Wyndholt travaillerait tard et qu'une femme de ménage chargée de balayer les couloirs et l'entrée arrivait à minuit dix. Cela faisait plusieurs soirs qu'ils surveillaient l'immeuble et elle surgissait avec une régularité d'horloge.

A voix basse ils envisagèrent de laisser tomber, mais il n'y avait pas moyen de contacter l'homme qui les avait engagés pour expliquer leur problème. Ils ne l'avaient jamais rencontré, ne savaient même pas qui il était. Ils lui avaient été recommandés voilà un an par un ami qui leur avait donné une boîte postale par laquelle établir le contact. Cela fait, la boîte postale changeait à chaque mission. On les avait payés d'avance pour ce soir et ils ne voulaient pas contrarier leur employeur. C'était du travail bien payé, les tâches fréquentes qu'on leur confiait étaient relativement simples et, pour autant qu'ils pouvaient en juger, leurs rapports entre lui et eux étaient si vagues qu'ils ne permettraient pas de les repérer si jamais ils avaient des ennuis.

L'aîné des deux hommes jeta un coup d'œil à sa montre. « On va lui donner encore dix minutes », dit-il.

Là-haut, dans son bureau du troisième étage, le docteur Wyndholt ignorait tout de leur présence. Sa femme était avec leurs enfants pour l'été dans la maison de ses parents à Cape Cod et il passait plusieurs soirs chaque semaine au bureau à travailler sur un livre universitaire. Ce soir, il estimait en avoir écrit assez. Il avait réussi à rédiger six pages. Il les ajouta à un épais manuscrit rangé dans une chemise, qu'il entoura d'un gros élastique et reposa sur le rayonnage. Puis il mit de l'ordre sur son bureau et prit sa veste sur le dossier de son fauteuil. Il s'assura que le classeur où il rangeait ses dossiers était fermé à clé, éteignit la lumière et sortit. La porte de son cabinet avait deux serrures de sûreté, une Yale et une Ward. Il verrouilla les deux.

Il se lava les mains dans le petit cabinet de toilette à côté du bureau de sa secrétaire qui faisait office en même temps de salle d'attente. Là aussi, il vérifia machinalement les serrures des deux classeurs et, quand il sortit dans le couloir, il ferma aussi cette porte-là à double tour. Wyndholt était très pointilleux à propos de la sécurité de ses patients. Dans presque tous ses dossiers il y avait de quoi faire les délices d'un maître chanteur. Ce soir, il était plus prudent que jamais car sa sonnerie d'alarme était tombée en panne la veille et il ne pourrait la faire réparer que la semaine prochaine.

Les deux hommes qui attendaient dans la voiture en stationnement se donnèrent cinq minutes après qu'il eut mis en marche sa Volkswagen et qu'il fut parti. Le plus âgé consulta de nouveau sa montre : onze heures quarante. Il descendit de voiture, son compagnon le suivant avec le porte-documents.

La porte d'entrée de l'immeuble de Wyndholt avait deux serrures. L'une était une barre de sûreté qu'on pouvait ouvrir avec un bout de plastique inséré entre la porte et le chambranle. En poussant fort, on arrivait à faire glisser le pêne en arrière.

L'autre était une Ward et il fallait une clé spéciale. Ils avaient examiné les deux serrures la veille et avaient apporté plusieurs passes. Le second que le plus jeune essaya s'introduisit sans mal, fit un demi-tour dans la serrure, mais pas plus. Il murmura quelque chose et le plus âgé des deux prit une petite lime dans une trousse où des outils étaient bien rangés dans le porte-documents. Le plus jeune lima la clé. Lorsqu'il l'introduisit à nouveau dans la serrure, elle tournait. La porte s'ouvrit et ils pénétrèrent dans l'immeuble. Une fois à l'intérieur, ils enfilèrent des gants qui auraient pu paraître bizarres dehors et effacèrent toutes les empreintes sur la poignée de la serrure et le chambranle. Ils refermèrent la porte à double tour derrière eux et glissèrent le passe sur un anneau vide. Là-haut, ce fut plus difficile. Une barre de sécurité céda de nouveau à une lame de plastique, un passe fit tourner la mortaise de la Yale. La troisième était encore une serrure Ward. Ils essayèrent cinq passes avant de tomber sur le bon. Quand la porte s'ouvrit, ils ajoutèrent la clé à l'anneau avec celle de la porte d'en bas, ne refermant que la Yale et la barre de sécurité.

Ils traversèrent la salle d'attente sans s'arrêter aux deux grands classeurs et allèrent droit jusqu'à la porte du cabinet de Wyndholt. Ils avaient discuté des dossiers la veille quand, se faisant passer pour des techniciens de la compagnie des téléphones, ils avaient repéré les lieux. Ils avaient décidé que Wyndholt selon toute probabilité gardait le gros des dossiers dans le bureau de sa secrétaire et ceux des patients en cours dans son cabinet. Lors de la même visite ils avaient court-circuité la sonnerie d'alarme.

La porte leur posa des problèmes. Aucun de leurs passes ne marchait sur la Ward. Il était maintenant onze heures quarante-cinq. Le plus jeune des deux prit dans le porte-documents deux outils qui ressemblaient à une sonde de dentiste, s'accroupit devant la serrure et, les introduisant dans le mécanisme, se mit à tâter avec le plus grand soin les cliquets de la serrure. Le silence était total ; ils travaillaient au son et au toucher. Il y avait quatre cliquets et il lui fallut environ une minute pour les faire tourner chacun et passer au suivant. Quand il eut terminé et qu'il eut aussi fait glisser la barre de sécurité avec une lame de plastique, il transpirait à grosses gouttes. Les crochets spéciaux vinrent rejoindre les deux clés sur l'anneau.

Ils entrèrent dans le cabinet de Wyndholt. Le plus âgé qui

fermait la marche effaça sur la porte toute tache révélatrice car il y avait un peu d'huile graphitée dans la serrure.

Le classeur de Wyndholt était fermé par une serrure qui faisait partie du meuble métallique. Lorsqu'ils avaient repéré les lieux, Wyndholt était occupé avec un patient. Ils avaient supposé que ce classeur serait le même que ceux du bureau de la secrétaire, mais au cas où il serait différent, ils avaient remarqué que le mobilier du bureau était moderne, ils avaient vérifié le genre de serrures utilisées par les principaux fabricants de classeurs et avaient apporté les passes adaptés. La serrure en effet était différente de celle de l'autre bureau et ils durent utiliser un de leurs passes. Il était onze heures cinquante. Il leur avait fallu dix minutes pour entrer dans la place. Il ne leur en faudrait pas plus de sept pour en sortir.

Pendant tout ce temps ils avaient utilisé une minuscule torche électrique. Son faisceau maintenant parcourait lentement les étiquettes rouges et vertes tandis qu'ils cherchaient un dossier parmi les autres. Ils le découvrirent, le faisceau s'immobilisa et le plus âgé des deux hommes sortit la chemise du classeur. Elle portait la mention « finances personnelles ». Ils la déposèrent sur le bureau et prirent dans le porte-documents un appareil de photos à objectif grand angle chargé avec de la pellicule à infrarouge.

Avec des gestes rapides et précis, l'homme aux cheveux gris se mit à photographier des copies des déclarations de revenus de Wyndholt, de ses contrats d'emprunts, de ses relevés bancaires et autres documents.

Le plus jeune, planté près d'une fenêtre, surveillait la rue. Chaque fois qu'ils faisaient un travail et quel que fût ce travail, l'un montait toujours la garde pendant que l'autre opérait. Lorsque le plus âgé parut sur le point d'en avoir terminé, il jeta un coup d'œil à sa montre. Minuit cinq. Il allait l'annoncer quand une voiture déboucha dans la rue. Elle paraissait familière. Elle ralentit et il reconnut la Volkswagen de Wyndholt. Le docteur revenait.

Les deux hommes étaient prêts à toute éventualité. Ils agirent très vite. L'appareil de photos retomba dans le porte-documents, la chemise dans le classeur que l'on referma aussitôt avec la clé mise de côté quelques minutes auparavant sur l'anneau spécial. Lorsqu'ils revinrent dans le bureau de la secrétaire, Wyndholt sortait de la Volkswagen. On ressortit l'anneau. Cette fois il fallait les outils spéciaux. Le plus jeune se pencha et se mit au travail sans tarder sur la mortaise.

Un cliquet, deux.

En bas, la porte de l'immeuble s'ouvrit.

Trois cliquets.

Les pas de Wyndholt montaient l'escalier, arrivaient sur le palier. Le docteur prit son trousseau, isola les trois clés de son bureau. Il ouvrit d'abord la barre de sécurité, puis la Yale, puis introduisit dans l'ouverture la clé de Ward. A sa surprise, la serrure n'était pas fermée. Il était pourtant certain de l'avoir fait en sortant. Il éprouva un vague malaise. Quelqu'un avait-il pu s'introduire dans l'appartement ? Il ouvrit prudemment la porte. Sans avancer dans la salle d'attente, il tâtonna autour du chambranle et alluma le plafonnier.

Personne. Intrigué, il s'approcha de la porte de son cabinet, essaya la serrure. Il la trouva dûment fermée. Il décida qu'il était surmené et que sa mémoire lui jouait des tours. De toute évidence il avait oublié l'autre Ward.

Il entra dans le cabinet de toilette et reprit sa montre sur le lavabo. C'était pour cela qu'il était revenu. Il ressortit en la passant à son poignet. Là-dessus, une étrange suite de pensées se mit à lui traverser l'esprit. Quelque chose clochait.

Et s'il avait bien fermé les serrures du palier. Ça voudrait dire que quelqu'un s'était introduit et, à moins d'avoir quitté l'immeuble avant son retour, en oubliant ou en ne se souciant pas de fermer les deux serrures de son cabinet, le ou les cambrioleurs pouvaient se trouver encore là.

Dans ce cas, où ?

Ils ne pouvaient pas être sur le palier ni dans l'escalier sans qu'il les ait vus. Il y avait deux autres bureaux dans l'immeuble, un dentiste au premier, un cartographe au second. S'il avait surpris quelqu'un, sûrement ces gens n'auraient pas eu le temps de pénétrer par effraction dans un autre bureau juste pour se cacher.

Son cœur se mit à battre violemment. Il se sentait la nuque exposée et glacée. Ses oreilles tintaient.

Ils ne pouvaient pas être dans son cabinet parce qu'on ne pouvait pas fermer à clé la Yale de l'intérieur. Il ne restait qu'un endroit : la salle de bains. Et là une seule cachette : dans la baignoire, derrière le rideau de la douche.

Il avait envie de regarder, mais il en était incapable. La terreur lui serrait la gorge. Quelqu'un était vraiment là. Il sentait une présence maintenant. Comme un animal. Ses jambes se dérobaient sous lui. Il n'osait pas regarder. Ils étaient peut-être armés. S'il décrochait le téléphone, ce serait pareil. Il se trahirait.

Là-dessus, il se souvint de la cabine publique. Au bout de la rue. Juste au coin.

Au prix d'un immense effort, il se força à prendre une attitude normale. Du coin de l'œil, il apercevait la porte de la salle de bains ouverte. Le rideau de la douche se reflétait dans le miroir au-dessus du lavabo. Est-ce qu'il remuait ? Ou bien l'imaginait-il ?

N'importe qui derrière le rideau pourrait très bien le voir aussi.

Essayer d'avoir l'air naturel. Ne pas leur montrer qu'on savait. Aller jusqu'à la porte, l'ouvrir, quitter le bureau. Normalement.

Sur le palier, il referma la porte doucement derrière lui. Ses mains tremblaient tandis qu'il fermait les trois serrures.

Il descendit rapidement. Une fois dehors, il combattit sa panique et se força à fermer aussi à clé la porte de la rue. Se maîtrisant toujours, il marcha d'un pas aussi rapide que possible vers le coin de la rue.

Ce fut sa terreur qui le sauva, le fait qu'il n'osait pas regarder. Dès l'instant où ils entendirent ses pas dans l'escalier, les deux hommes sortirent de derrière le rideau de la douche, le plus jeune fourrant dans sa poche un 9 mm équipé d'un silencieux. Ils savaient fort bien quelles pensées avaient pu passer dans l'esprit de Wyndholt. Ils quittèrent aussitôt le bureau, refermant les trois serrures derrière eux, dévalèrent l'escalier et se précipitèrent dans la rue, non sans fermer aussi à clé la porte de l'immeuble.

Ils arrivèrent à leur voiture juste au moment où Wyndholt tournait le coin. Ils ne virent personne d'autre dans la rue. Le plus âgé s'installa au volant, mit le moteur en marche. Sans allumer les lumières de la voiture, il se dégagea du trottoir, puis enclencha la marche arrière et recula rapidement dans la 24e Rue. En arrivant dans H Street, il tourna à droite.

Au moment où il allait accélérer, il dut ralentir car la femme de ménage traversait la rue, se dirigeant vers l'immeuble de Wyndholt. Elle ne remarqua rien. Ils n'avaient pas laissé un indice derrière eux. Le bureau de Wyndholt était tout aussi verrouillé que lorsqu'il l'avait quitté à onze heures trente-cinq. Quand les policiers viendraient, ils ne trouveraient rien pour justifier son angoisse. Absolument rien.

10

Quand David et Susan Farr regagnèrent leur maison de Chevy Chase, il était minuit passé. Ils étaient allés à un concert à Wolf Trap.

Susan était d'humeur à bavarder. Ses yeux brillaient, elle parlait d'un ton ravi. Son travail ne lui laissait pas tant de soirées libres et chaque fois qu'ils sortaient, elle était comme une enfant qui va au cirque. Elle avait replié ses jambes sous elle sur la banquette et elle était assise tout près de Farr, son corps mince bien droit et un bras passé derrière lui. De temps en temps tout en parlant, elle lui caressait très doucement la nuque du bout des doigts.

Farr était très conscient de sa présence, de sa jeune beauté sensuelle et de sa forte sexualité. Et, en même temps, son esprit ne cessait de l'oublier pour revenir aux événements de la journée. Il avait pour principe de ne pas penser au travail lorsqu'il était avec Susan. C'était la première fois qu'il n'y avait pas réussi, mais ce n'était que depuis le déjeuner qu'il ne cessait de tourner en rond. Le mémorandum était ce qui le tracassait le plus. Les soupçons apparemment sans fondement qu'il exprimait étaient rendus crédibles par les autres preuves dont, lui, Farr, disposait. Pouvait-il se permettre arbitrairement de ne pas en tenir compte ? Et s'il décidait qu'il ne le pouvait pas, alors comment devrait-il agir ? Il ne pensait guère que son chef, pas plus que le directeur du F.B.I., désigné par l'Administration, aurait le courage d'approuver une enquête sur le général Volker. D'un autre côté, si on découvrait soudain, quelque chose, on le lui reprocherait. Mener une enquête de son côté ? Sans rien dire ? Un faux pas et là aussi ce serait sa perte. Le risque était trop grand. Susan allait bientôt avoir besoin d'argent pour se créer une clientèle et il se remettait tout juste des dettes qu'il avait dû faire pour lui permettre de terminer ses études de médecine. Farr commençait à comprendre le capitaine Shenson. Cette situation vous condamnait si on faisait quelque chose et vous condamnait si on ne faisait rien. Il n'y avait nulle part aucun élément concret. Tout n'était qu'ombres et soupçons.

Ils habitaient une maison moderne à un seul étage, en retrait de la rue tranquille et bordée d'arbres où ils vivaient et séparée de leurs voisins, un autre médecin et un publicitaire, tous les deux Blancs, par une pelouse avec des massifs de fleurs et des buissons. Derrière, Farr avait entouré la pelouse d'une palissade de deux mètres pour leur permettre de jouir tranquillement de leur petite piscine. Il mit la voiture au garage et Susan et lui prirent l'allée qui donnait accès à la cuisine.

« Tu veux manger quelque chose ?

— Non, mais je prendrais bien une bière.

— Je vais en prendre une avec toi. » Elle noua ses bras autour du cou de David, serra son corps contre le sien et lui embrassa le cou. « Tu étais le plus bel homme de l'assistance, dit-elle. Et puis tu sens divinement bon et je t'aime. »

Il trouva sa bouche et l'embrassa doucement. Elle réagit d'une façon qui voulait dire qu'elle avait envie de faire l'amour. « Pourquoi ne pas apporter la bière dans la chambre », dit-elle. Elle disparut dans l'ombre du living-room.

Il prit une boîte de bière dans le réfrigérateur, l'ouvrit, trouva deux verres et monta l'escalier.

Où même commencer une enquête sur Volker ? Peut-être par une analyse minutieuse de ses états de service, car Fein avait certainement raison sur un point. Ce que le public américain, qui pendant des années n'avait connu à l'extérieur qu'humiliations, saluait comme des triomphes avait en fait mal tourné une fois l'attention du public occupée ailleurs.

Farr se rappelait surtout le Venezuela où une junte militaire avait réprimé des émeutes de paysans soutenus par les Cubains et qui menaçaient un gouvernement centriste plutôt faible. Préparée en secret par le Département d'Etat en liaison avec la C.I.A., cette intervention était considérée comme ayant sauvé d'énormes investissements américains dans l'agriculture de ce pays. Dans le choc en retour qui avait suivi, les gains politiques importants qu'avaient par contrecoup acquis les communistes à travers toute l'Amérique latine s'étaient trouvés masqués par d'autres crises mondiales plus pressantes.

Ce qui avait été remarquable aussi, ç'avait été l'intervention navale américaine dans le Sud-Est asiatique où des groupes « terroristes » à l'est de Timor aidaient les Soviétiques à installer des bases de fusées à portée de la capitale indonésienne de Djarkata. On avait félicité Volker et le Président de leur audacieuse action qui rappelait si fort l'attitude de Kennedy au moment de la crise des missiles de Cuba. Lorqu'il s'était avéré que les terroristes étaient des gens qui opposaient une résistance bien légitime au génocide par Djakarta d'un demi-million d'indigènes en quête de leur indépendance, une vague d'anti-américanisme avait renversé le gouvernement de Djakarta pour installer à sa place une marionnette aux ordres de Moscou, menaçant sérieusement l'Organisation du Traité de l'Asie du Sud-Est. On avait reproché à la C.I.A. de n'avoir pas su recueillir les renseignements qu'il fallait. Très peu de gens avaient blâmé Volker. Là encore d'autres événements dans le monde avaient attiré l'attention.

Erreurs de jugement politique ? Une façon de régler les affaires à l'allemande ? Ou bien des mésaventures habilement préparées. Etait-ce se montrer raisonnable ou totalement paranoïaque que de soupçonner Volker d'un plan machiavélique pour nuire à son pays d'adoption ? Et si en fait c'était le cas, quels étaient ses mobiles ? L'argent ? Le chantage ? Comment sa profitable amitié avec Arnold Wilderstein pourrait-elle jamais s'accommoder de liens avec le marxisme ?

Susan, déjà déshabillée, était assise devant sa coiffeuse, en train de se démaquiller.

« Tu prends une douche ?

— Tu viens de dire que je sentais bon. »

Elle rit doucement. Il inspecta son corps. Elle avait un buste élancé avec des seins bien ronds et un long cou gracieux surmonté d'une petite tête à la forme exquise, ce que soulignait la façon dont elle gardait ses cheveux coupés très courts dans le style « esclave » de nouveau en vogue. Elle avait le nez fin, les yeux en amande, les pommettes saillantes. Farr trouvait qu'elle avait l'air d'une princesse. Elle avait les hanches larges et féminines et sa peau était d'une somptueuse couleur chocolat.

Pourquoi elle l'avait épousé, ç'avait toujours été un mystère pour Farr.

Il se brossa les dents, se déshabilla à son tour et vint s'allonger sur le lit. Elle éteignit les lumières et vint s'installer près de lui, la tête sur son épaule. Elle resta ainsi un moment, traçant d'un doigt effilé de petits cercles sur la poitrine de David. Au bout d'un moment, elle dit d'une voix douce : « Tu as quelque chose qui te rend fou à ton bureau, n'est-ce pas ? » C'était une déclaration plus qu'une question. « Je suis navré, Susan. » Tout en disant cela, il cherchait un moyen de se sentir d'humeur romantique. Rien à faire. Il se trouvait stupide. Elle était belle et il l'aimait. Elle l'aimait et avait envie de lui. Il était incapable de réagir. Même s'il ne pensait à rien d'autre qu'au plaisir physique de faire l'amour avec elle, avec tout ce que cela comprenait d'émotions et d'extase, il n'y arrivait toujours pas. Il était trop profondément en proie à son angoisse. C'est comme s'il était infirme.

Il l'entendit murmurer : « Ne sois pas navré. Et si tu as honte, je ne t'adresserai plus jamais la parole, tu entends ? »

Elle se blottit contre lui et resta silencieuse. Au bout de quelques minutes, il se rendit compte qu'elle s'était endormie. Il se dégagea très doucement, la recouvrit avec le drap et retourna dans la cuisine. Il prit une autre boîte de bière et s'assit dans l'obscurité du living-room à boire lentement.

Susan le découvrit à quatre heures du matin lorsqu'elle s'aperçut qu'il n'était pas dans le lit. « Quoi que ce soit, fit-elle, tu ferais mieux de me raconter. Si tu continues, tu vas te retrouver dans une camisole de force. »

Il lui raconta tout. Ils discutèrent jusqu'à l'aube et elle dit : « Il paraît que le mariage de Volker ne marche pas si fort.

— Qui a dit ça ?

— Elle boit et elle voit un psychiatre. S'il voulait vraiment mijoter de mauvais coups, qui serait mieux placé pour le savoir que sa femme ?

— Tu es folle.

— Ah oui ?

— Quelle est ta source ? Qui dit que leur mariage a des problèmes ? » Elle était agenouillée près de lui sur le divan, sa peau comme de l'ébène dans la pâle lueur de l'aube tranchant contre le blanc de la légère chemise de nuit qu'elle avait passée. Elle esquiva la question. « Elle a eu une grande liaison avec un nommé Adrian James, dit-elle. Ils ont vécu ensemble plus d'un an. C'est James qui a rompu. On disait qu'il ne pouvait pas supporter qu'elle fasse une carrière. Là-dessus, elle s'est mariée.

— Je t'ai posé une question », reprit-il.

Elle eut un petit rire. « Je t'ai entendu. Je lis les potins. Un petit détail par-ci. Un autre ailleurs. Et puis les médecins. James s'est fait opérer un genou. Je connais un des chirurgiens. » Elle rit de nouveau. « Une chirurgienne, en fait. Oh là là ! Une vraie tigresse. Une dévoreuse de femmes aussi bien que d'hommes. Il l'a emmenée à Paris une semaine. Avec une autre fille, je crois. Un ménage à trois. » Elle se mit à lui masser le cou et les épaules. « David, tu ne pourrais pas trouver un moyen de parler à cette femme et de l'utiliser d'une façon ou d'une autre ? Il paraît qu'elle ne sait pas dire non. En tout cas, c'est ce que James a dit à mon amie. »

Un moment, il fut absolument scandalisé. « Est-ce que tu suggères que je la fasse chanter ? »

Elle lui posa un petit baiser sur l'épaule. « Non. Bien sûr que non. Rien d'aussi simple. Ni d'aussi rudimentaire. Non, je voulais dire qu'elle pourrait avoir besoin d'une amie. Quelqu'un à qui se confier. Je pensais à ses antécédents. Elle était journaliste, non ? Quand on fait abstraction de toutes les caméras et de tout le côté star, c'est ce qu'elle était. Une journaliste. Alors j'ai pensé que s'il y avait vraiment des problèmes entre elle et son mari et que la personne qu'il fallait parvienne à lui semer dans l'esprit le doute qu'il faut, elle pourrait fort bien faire tout ton travail pour toi. Si tu faisais attention, qu'est-ce que tu aurais à perdre ? »

L'idée le consternait.

« Tu me conseilles d'utiliser James pour le faire ?

— C'était une idée comme ça.

— Et comment est-ce que je le décide à marcher ?

— Je ne sais pas, avoua-t-elle. C'est le point faible de ma théorie. Mais je crois qu'il mérite ce qui lui arrive. D'après ce qu'on m'a dit, il est dénué de tout sens moral.

— Docteur, vous êtes folle.

— Tu as probablement raison, mais je suis de ton côté et tu vas finir par te donner une dépression nerveuse à force de remâcher ce problème. Veux-tu que je te dise pourquoi ? Parce que quand on a rédigé ce manuel sur la Sécurité nationale, on n'y a pas inclu un chapitre sur le Secrétaire d'Etat, voilà pourquoi.

Eh bien, qu'il aille au diable. Avec son titre, ça n'est jamais qu'un être humain comme les autres. Essaie de penser à lui sous cet angle. Et essaie de te rappeler que la Sécurité nationale, c'est ton boulot. » Elle l'embrassa sur le front, puis sur les lèvres. « Il fait jour. Il faut que j'opère ce matin et je peux encore dormir trois heures avant de me lever. Et si tu n'essaies pas d'en faire autant, c'est toi qui es fou. »

Elle disparut, ne laissant derrière elle que le doux parfum musqué de son corps tiède et la sensation de sa présence toute proche. Farr tira mentalement à pile ou face entre bière et lait et décida que le mélange des deux ne le tuerait pas. Il retourna jusqu'au réfrigérateur et but la moitié d'une bouteille de lait. Puis il la suivit dans la chambre.

11

L'officier de garde au Centre opérationnel du Département d'Etat fut le premier à recevoir la nouvelle. Elle lui fut téléphonée de l'ambassade américaine à Lisbonne. Il la transmit aussitôt au directeur des opérations à son domicile. Le directeur à son tour appela Harold Volker. Il était quatre heures trente du matin, heure de Washington, neuf heures trente au Portugal.

Alexis avait connu une autre nuit d'insomnie. Elle était assise sur la terrasse et regardait le gris d'avant l'aube tourner lentement au bleu, en écoutant les premiers bruits du matin, l'éveil des hirondelles, l'appel d'un passereau du côté de l'estuaire et de loin en loin le cri d'une mouette qui passait. C'était son heure préférée de la journée, un moment où elle se sentait toujours pleine d'optimisme et de vie et où elle avait la sensation d'être en totale communion avec la nature. Ce jour-là ne faisait pas exception. Ni la présence des Wilderstein qui dormaient là-haut, ni celle des agents de la Sécurité dans l'étable ne la gênaient. La journée était trop parfaite pour que rien vînt la gâcher. Elle avait envie de se débarrasser de ses vêtements, de traverser nue la pelouse jusqu'à la petite plage de sable auprès du hangar à bateaux et là de se jeter dans l'eau tiède de l'estuaire pour flotter paresseusement, à plat ventre comme pour serrer la mer contre elle.

Le téléphone sonna en même temps dans l'étable où se trouvait le personnel et dans la maison. Mais les agents avaient pour consigne de ne pas répondre avant la septième sonnerie. Alexis insistait pour pouvoir recevoir des appels directs sans intermédiaire. Brigham Bay, disait-elle, était une maison et non pas un bureau. Elle décrocha le combiné à la troisième sonnerie.

Le directeur des opérations lui présenta ses excuses et dit que c'était urgent. Elle alla réveiller son mari et il descendit après avoir passé son court peignoir en tissu-éponge. Pendant qu'il écoutait ce que le directeur avait à lui dire, elle se rendit dans la cuisine pour faire du café. Elle savait au son de la voix d'Harold qu'il y avait eu une catastrophe quelque part.

Il raccrocha et entra dans la cuisine au moment où elle disposait les tasses. Il la prit par la taille et lui mordilla le cou. « Il faut que j'aille à Washington. »

Elle poussa un gémissement et se tourna vers lui. « Oh, Harold.

— Pire encore, fit-il, je vais être probablement obligé d'aller au Portugal cet après-midi ou demain. Le Premier ministre vient d'être tué dans un accident de voiture.

— Cet homme charmant ? Oh, mon Dieu. » Alexis se souvenait d'un homme aimable et corpulent avec une moustache de morse et une stupéfiante connaissance de l'histoire. Elle l'avait rencontré l'été dernier lorsqu'il était venu en visite officielle à Washington.

« Un camion a brûlé un feu rouge à un carrefour. Il a heurté un motard de son escorte et puis lui. Personne n'a encore de certitude, mais ç'aurait bien pu être un sacrifice délibéré, c'est-à-dire une tentative d'assassinat.

— Harold, c'est épouvantable. Qu'est-ce qui va se passer ?

— Politiquement ? » Il s'approcha du réfrigérateur, y prit le pot de jus d'orange et le rapporta. « Ma foi, à moins que les modérés ne puissent dénicher vite un nouveau candidat, quelqu'un qui ait des chances réelles, les socialistes et les communistes pourraient bien remporter les élections. Et nous n'avons pas beaucoup de temps. Il ne reste que deux semaines. »

Il but un peu de jus d'orange et ils allèrent prendre leur café sur la terrasse. Les premiers rayons du soleil filtraient à travers les branches des ormes géants. Alexis ressentait la chaleur brusque et intense. Ça allait encore être une journée brûlante. Ils devaient prendre le chris-craft pour aller pique-niquer sur une plage de l'autre côté de la baie. Les Wilderstein allaient à une exposition d'antiquaires de la région.

« Quand aura lieu l'enterrement ?

— Dimanche ou lundi.

— Alors, pourquoi dois-tu partir demain ? »

Volker regarda un couple de rouges-gorges qui sautillaient sur la pelouse. Il étendit ses jambes hâlées par le soleil, posant les pieds sur un autre fauteuil, il ouvrit son peignoir pour laisser le soleil caresser son torse nu. Il n'avait pas l'air inquiet. « Deux raisons, dit-il, d'un ton songeur. Faire acte de présence. Montrer au peuple portugais que leur principal allié est à cent pour cent derrière le gouvernement actuel. C'est le premier point. L'autre est de voir ce que je peux faire pour influencer ceux qui ont de l'influence. M'assurer tout d'abord que le président Luis Cabral désigne pour expédier les affaires courantes un Premier ministre capable de gagner une élection. Peu importe qu'il soit capable, il faut trouver quelqu'un qui pour l'instant soit vraiment populaire. » Il s'interrompit en souriant. « Et pour vraiment ne pas prendre de risques, je pourrais bien essayer aussi de conclure un marché avec le candidat socialiste pour bousiller sa campagne. Je connais l'homme. S'il y a une chose qu'il préfère au socialisme, c'est l'argent. » Il se mit à rire. « Si je pouvais, je prendrais un chèque sur le Trésor de deux ou trois millions de dollars. A long terme, la diplomatie coûtera deux fois ça. »

Quand Arnold Wilderstein descendit pour le petit déjeuner, il était beaucoup plus préoccupé par la nouvelle crise qu'Harold Volker. « Que ce salaud de socialiste se fasse élire et vous allez vous retrouver avec des commissaires de Moscou partageant le palais de l'Estoril avec des paysans illettrés. Du jour au lendemain, Harold, le Portugal va basculer dans le camp soviétique. Il ne sera pas capable de contrôler les communistes.

— Ça n'arrivera pas, dit Volker d'un ton calme. Les Portugais ne sont pas stupides. Et nous avons des moyens de les influencer. L'O.T.A.N. et le Marché commun. Et puis le dollar. »

Mais Alexis sentit quand même un frisson d'appréhension la parcourir. Le départ de Volker pour Lisbonne fut finalement fixé au lendemain après-midi. Ils rentrèrent ensemble à Washington en voiture pour d'abord déjeuner de bonne heure avec le président à la Maison-Blanche. C'était Volker qui le représenterait aux funérailles maintenant prévues pour le lundi afin de réduire au minimum le nombre de manifestants communistes. La plupart des fidèles du Parti seraient au travail. Après le déjeuner, l'hélicoptère présidentiel les emmena discrètement à la base d'aviation d'Andrews. C'était un de ces jours un peu brumeux où les nuages n'avaient pas de forme nette mais se fondaient avec un ciel plus gris-jaune que bleu. La météo avait annoncé un degré de pollution de 119 et 94 % d'humidité. Lorsque Alexis et lui arrivèrent, le SAM 70 avait fait le plein de carburant et était prêt depuis douze heures trente. C'était un Boeing 707 et le préféré de Volker parmi les cinq avions de la Special Air Mission à la disposition du Département d'Etat. Le décollage était prévu pour quatorze heures. Il y avait très peu de monde sur la piste. Les arrivées et les départs de Volker étaient si fréquents qu'ils n'attiraient plus que l'attention routinière des médias. Le secrétaire adjoint était venu avec une poignée de spécialistes du Département d'Etat qui devaient accompagner Volker. Ils étaient là à bavarder avec des officiers d'aviation de service. Il y avait aussi une douzaine de journalistes triés sur le volet et les quelques collaborateurs nécessaires.

Alexis s'aperçut qu'à aucun moment elle ne pourrait être seule avec son mari. Quand ce n'était pas les Wilderstein toujours présents à Brigham Bay, maintenant c'étaient les fonctionnaires et les caméras de télévision qui enregistraient le départ pour le journal du soir. Elle le gratifia du genre de baiser léger et sans passion qui montrerait au public qu'Harold et elle étaient un couple uni mais qui, en même temps, n'embarrasserait personne. Lorsqu'elle parla, elle évita de hausser le ton et garda son sourire radieux.

« Harold, je t'en prie, change d'avis. J'ai vraiment envie de venir. Je peux acheter des toilettes là-bas.

— Je suis désolé, chérie. Ce genre de voyage ne s'y prête pas. S'il s'agissait d'une visite officielle, bien sûr. Mais ça n'est pas le cas. Il faut que je sois libre. Si tu étais là, les Portugais se sentiraient obligés de mettre les petits plats dans les grands et d'organiser des réceptions pour nous deux. Je ne veux pas de ça. Il faut que je puisse improviser sans être ligoté par les mondanités.

— Mais personne n'aurait même à savoir que je suis là. Je pourrais filer à l'Algarve et m'installer sur une plage.

— Chérie, sois raisonnable. » Il se mit à rire en désignant une caméra de télé toute proche. « Tu ne peux pas faire un geste sans que le monde le sache. Moi non plus. C'est le métier qui veut ça. Nous n'y pouvons rien.

— Je t'en prie, Harold. C'est important pour moi.

— Alexis, ils attendent. » Son sourire disparut.

Elle jeta un coup d'œil autour d'elle ? Tout près d'eux, divers fonctionnaires avaient l'air vaguement gênés. Le sous-secrétaire d'Etat jeta un coup d'œil à sa montre. Espèce de salaud, pensa-t-elle, comment oses-tu ? Elle se retourna vers son mari.

« Je suis navré, dit-il. Je t'appellerai de Lisbonne. » Il lui donna encore un baiser rapide, puis s'en alla rejoindre les autres.

Elle fit comme si tout allait bien. Elle garda son radieux sourire officiel tandis qu'il gravissait les marches puis disparaissait dans l'intérieur de l'appareil, suivi de ses agents de sécurité, de ses collaborateurs et des journalistes. Tout en regardant l'avion décoller et le suivant des yeux jusqu'à ce qu'il ne fût plus qu'une petite tache dans le ciel, elle éprouva un sentiment de frustration et presque de rejet. Et soudain de violente colère.

Une voiture de l'Air Force attendait pour la reconduire jusqu'à l'hélicoptère présidentiel. Elle passa devant sans se soucier du jeune officier qui s'était approché pour l'accompagner ; elle alla droit à la limousine officielle qui avait amené le sous-secrétaire d'Etat de Washington.

« Je voudrais téléphoner, annonça-t-elle au chauffeur.

— Mais oui, madame. » Abasourdi, il ouvrit toute grande la portière.

Elle s'engouffra dans la voiture. Le téléphone était monté sur la paroi séparant les passagers du chauffeur. Elle décrocha le combiné. Une opératrice du Département d'Etat répondit aussitôt.

« Je veux appeler Brigham Bay, fit Alexis.

— C'est madame Volker ?

— Oui.

— Tout de suite, madame. »

A la quatrième sonnerie, la voix stupide de Nettie Wilderstein répondit.

« Allô ?

— Nettie, c'est Alexis. Chérie, je crois malheureusement qu'il y a un changement dans les plans. Je veux dire en ce qui concerne les miens. Il faut que je rentre à R Street. Harold m'a chargée de faire quelque chose que je ne peux pas régler depuis Brigham Bay.

— Oh ! Alors il ne faut pas que nous vous attendions pour dîner ?

— Je voulais dire que je n'allais pas revenir du tout, Nettie. Je suis absolument désolée.

— Vous voulez dire pas de tout le week-end? fit-elle, incrédule.

— Il faut que je reste en ville.

— Oh ! Mais nous avons annulé pour aujourd'hui notre visite à l'exposition d'antiquaires. Nous pensions que vous pourriez nous accompagner demain. Comme ça vous ne seriez pas toute seule.

— Vous êtes gentille. Voulez-vous dire à Arnold combien je regrette. Et si vous avez besoin de quelque chose, appelez-moi.

— Bien sûr, ma chère. Mais et vos affaires qui sont ici?

— Je les reprendrai la prochaine fois que je viendrai.

— Mais Alexis... »

Elle raccrocha et sortit de la voiture. Elle se sentait chaud à la nuque. Elle écarta un instant ses cheveux de ses épaules et sourit au chauffeur.

« Je vous remercie.

— Je vous en prie, madame. »

Elle revint vers la voiture officielle à longues enjambées, se sentant merveilleusement en forme pour la première fois de toute la journée ; elle trouva toutes les phrases qu'il fallait dire au jeune officier qui, un peu déconcerté, l'avait rejointe et l'escortait avec inquiétude. Elle n'avait aucune obligation mondaine puisqu'elle devait se trouver à Brigham Bay. Sandy avait congé pour le week-end, donc pas de tennis. Elle avait les perspectives d'un vendredi soir, d'un samedi et d'un dimanche toute seule et jamais de sa vie elle n'avait envisagé cela avec autant de plaisir. Il n'y avait personne dans la société de Washington qu'elle eût particulièrement envie de voir. Elle allait se laver les cheveux, regarder la télévision, peut-être aller voir un film. Demain, elle ferait la grasse matinée et puis peut-être appellerait un de ses vieux amis de la télévision.

C'était merveilleux. Elle s'était affirmée, elle s'était libérée des Wilderstein.

Cinq minutes plus tard, l'hélicoptère présidentiel décollait et elle repartait pour Washington.

12

David Farr avait pris sa voiture pour traverser la ville jusqu'à Folger Park. Il trouva une place pour se garer et n'eut aucun mal non plus à découvrir l'adresse qu'il cherchait au fond d'une petite rue jonchée de débris de maçonnerie. Le quartier n'était que bâtiments délabrés visiblement voués à la démolition.

Le studio était un entrepôt aménagé. Une fois à l'intérieur, la plupart des gens oubliaient le quartier. Ce fut le cas pour Farr. Il se présenta à un Adrian James curieux avec qui il avait pris rendez-vous ce matin-là et, tandis que James lui versait une bière fraîche, il s'assit dans un grand fauteuil moderne sans accoudoir, et promena son regard autour de lui. Les hautes fenêtres de l'atelier qui allaient du plancher au plafond ouvraient sur un charmant jardin de style japonais plein d'eau, de dalles, d'allées de graviers et d'arbres nains exotiques. Au fond, le mur sans fenêtre d'un entrepôt était peint en gris clair, ce qui donnait l'impression d'un paysage s'étendant à l'infini, sans horizon. A l'intérieur, derrière lui, une chambre à coucher en loggia : à travers la balustrade il apercevait un très grand matelas au niveau du sol sur lequel on avait jeté une couverture Navajo et une tête de lit ancienne en bois sculpté. Un étroit escalier en spirale permettait d'y accéder, un escalier en fer forgé qui rappelait La Nouvelle-Orléans.

James, un historien d'art attaché à la National Gallery, était aussi peintre et l'œil exercé de Farr, remarqua qu'il ne manquait pas de talent. Il y avait deux toiles accrochées à un grand mur nu, d'autres posées dans un coin et une œuvre inachevée sur un chevalet. Son style, se dit Farr, était un mélange un peu froid d'impressionnisme et cubisme.

« J'aime bien vos toiles, vous exposez beaucoup ?

— J'ai une exposition cet automne à New York. La dernière est à Londres. Et avant cela, San Francisco. » James apporta la bière. Il l'avait servie dans un grand verre de cristal taillé, qui donnait une impression de luxe comme tout ce qui se trouvait dans l'atelier. Comme James lui-même, songea Farr. Il avait tout de suite été frappé de voir à quel point il lui rappelait Harold Volker. De toute évidence, Alexis Volker était attirée par un certain type d'homme. Il se demanda jusqu'à quel point James et le Secrétaire d'Etat se ressemblaient au point de vue du caractère.

James s'assit. Il était grand, les cheveux bruns et le teint hâlé par des heures de tennis. Il était pieds nus et portait un large pantalon de popeline mexicaine, une chemise de cotonnade artisanale et une chaîne autour du cou avec une sorte de médaillon. Farr eut l'impression què c'était une étoile de David. James avait un visage sensible avec des yeux creux, au regard sombre et mélancolique. Mais il avait une grande bouche sensuelle et un sourire agréable. Quand il s'asseyait, on avait l'impression qu'il se drapait sur un meuble : une jambe retombait nonchalamment par-dessus le bras du canapé, l'autre était allongée.

« Je passe pas mal de temps à la National Gallery, dit Farr. C'est un endroit extraordinaire.

— Je suis bien de votre avis, fit James. Mais vous n'êtes pas venu ici pour me parler de la Gallery. Qu'est-ce que je peux faire pour le F.B.I. ? » Il avait posé la carte de Farr sur le buffet. Il y jeta un coup d'œil. « Et sous-directeur adjoint par-dessus le marché. »

Il fonçait droit au but sans traîner, se dit Farr. Presque trop vite pour son goût. Mais toute cette affaire allait trop vite. Il n'aimait pas ça. Depuis son déjeuner avec Virgil Fein, rien ne s'était passé dans les formes de façon routinière. Pas non plus suivant son caractère. Il se sentait pris dans quelque chose qu'il était incapable d'arrêter ou de contrôler. Il était entraîné, que cela lui plût ou non. L'insistance de Fein avec son « imagine seulement » l'avait frappé. Tout comme la remarque de Susan sur la National Security. Il la revoyait, agenouillée auprès de lui sur le divan du living-room dans la lueur grise avant l'aube. Il avait une vague impression de malaise de lui en avoir parlé. C'était la première fois qu'il lui avait jamais révélé des secrets du Bureau.

Hier, il avait brusquement pris sa décision. Elle était en grande partie motivée par le micro que Sandy Muscioni avait découvert dans le bureau d'Alexis Volker. De toute évidence quelqu'un estimait qu'elle pouvait avoir quelque chose à dire. Que ce fût le cas ou non, c'était une autre question et qu'on ne pouvait pas laisser sans réponse. C'était comme quand on était demi d'ouverture, il fallait prendre l'initiative en une fraction de seconde et décider de courir avec le ballon quand on ne trouvait personne à qui le passer. Une fois lancé, il fallait aller jusqu'au bout, sans réserve et sans restriction. Il n'en avait fait qu'une : il n'avait parlé à personne au Bureau. Si les choses tournaient mal, il ne voulait pas avoir l'air idiot et s'exposer à des répercussions possibles. Pour lui et pour Susan il ne pouvait pas se permettre de perdre sa place. Tant qu'il n'aurait pas une preuve concrète pour étayer les soupçons énoncés dans le rapport de Shenson, il n'opérait pas officiellement.

Il regarda James qui attendait sa réaction. « Bon, fit-il. Tout d'abord, permettez-moi de vous remercier de m'avoir reçu. Je suis sûr que vous êtes très occupé. »

James parut un peu surpris de cette courtoisie. Il leva son verre comme pour y rendre hommage. « Je suis certain que vous l'êtes aussi.

— Alors, dit Farr, je vais venir au fait. » Il se déplaça sur le fauteuil, un peu mal à l'aise dans son costume bien qu'il eût ôté sa veste. « En vous rappelant, malheureusement, que notre conversation est confidentielle ». James eut un petit haussement d'épaules. Cela ne voulait dire ni oui ni non.

« J'ai cru comprendre que vous sortiez beaucoup avec Mary Jane Lindley », commença Farr.

James sourit. « C'est de notoriété publique », fit-il d'un ton un peu condescendant.

Farr reprit : « Mrs. Lindley est séparée d'Arthur Lindley. Il est l'adjoint du porte-parole du chef d'état-major de la Maison-Blanche, n'est-ce pas ? Ou bien s'agit-il d'un autre Lindley ?

— Non, non, vous avez raison. Ça a-t-il quelque chose à voir avec la Sécurité ?

— Oui.

— De quelle façon ? fit James en fronçant les sourcils. Mary

Jane ne m'a fait aucune confidence. D'ailleurs elle n'a jamais rien su qu'elle puisse me confier. Lindley et elle étaient séparés avant qu'il aille à la Maison-Blanche. D'ailleurs, elle est totalement apolitique.

— Vous l'appelez M. J. ou Mary Jane ? »

James eut un geste impatient. « Tantôt l'un, tantôt l'autre. La plupart des gens l'appellent M. J. C'est important ?

— Non. Et il ne s'agit pas d'elle.

— Alors, de quoi s'agit-il ? fit James, qui semblait surpris.

— Il s'agit de Mrs. Harold Volker », fit doucement Farr.

Il attendit. Le regard de James devint aussitôt méfiant.

« Alexis ?

— Alexis Sobieski. Oui. Vous avez eu une liaison avec elle. Avant son mariage.

— Ça aussi, c'est de notoriété publique. » James maintenant avait un ton méfiant.

Farr comprit qu'il l'avait désarçonné. Il jeta un coup d'œil autour de lui. « Elle vivait ici avec vous ?

— Une partie du temps, fit James, le rouge de la colère commençant à lui monter aux joues. Mais je ne vois pas en quoi ça peut regarder le F.B.I. »

Farr décida de battre un peu en retraite. « Je vous comprends, dit-il. Cela vous ennuierait-il de me dire si vous continuez à la voir ?

— Oui. Je vais vous répondre. Je ne la vois plus. » James avait un ton presque ricanant. « Alors s'il y a une fuite de son côté, le grand secret d'Etat qu'elle tient de son mari ou ce genre de chose, ça n'est pas venu aussi loin.

— Bien raisonné, dit Farr, mais ce n'est pas pour cela que je suis ici. Je suis ici parce que je veux que vous recommenciez à la voir. »

Un moment il crut que James n'avait pas entendu : il était penché un peu en avant, les bras croisés sur ses genoux. Il ne bougeait pas.

« Alexis ? finit-il par dire. Mais pourquoi donc ? » Une lueur un peu mauvaise apparaissait dans ses yeux. Farr le voyait faire un effort délibéré pour garder un ton tolérant. « Ecoutez, Mr. Farr. Je vous répète que ma vie privée *est* ma vie privée et que cela ne veut certainement pas dire que je vais devenir une sorte de garçon de course pour le F.B.I. si c'est là que vous voulez en venir. Maintenant, si vous permettez, comme vous l'avez vous-même mentionné, j'ai beaucoup à faire. » Farr ignora sa protestation. « Je veux que vous recommenciez à voir Mrs. Volker, dit-il, et je veux que vous vous efforciez de l'amener à vous considérer de nouveau comme un ami sûr, quelqu'un à qui elle puisse se confier. » Il avait décidé de ne pas en demander plus à James cette fois-ci. Il voulait qu'il s'habitue à la situation avant de lui confier une mission plus compliquée.

La réaction de James ne le surprit pas. Il le toisa brièvement et dit :

« Si vous n'avez pas un mandat qui vous autorise à être ici, je vous serais reconnaissant de bien vouloir partir. Tout de suite. »

Il s'approcha de Farr, prit sur la table son verre de bière à demi terminé et le reposa sur le buffet.

Farr jura sous cape. Il avait espéré presque sans espoir que James coopérerait, mais il savait maintenant que l'autre refuserait. Les choses étant ainsi, il allait devoir recourir à des coups bas et toutes les années qu'il avait passées dans le contre-espionnage ne l'avaient jamais totalement endurci à l'emploi de pareilles méthodes. Il allait le faire, non pas parce que le chantage pouvait le moins du monde se justifier, mais parce que, malgré tous ses efforts, il n'avait pas trouvé d'autres moyens. Peut-être les choses auraient-elles été différentes si James se rendait compte du genre de soupçon qui pesait sur Volker, si vaguement que ce fût. Il n'était sans doute pas un supporter de Volker. Mais on ne pouvait rien lui dire.

Les mots sortirent donc, cinglants. « Depuis quelque temps, dit-il, le département des Stupéfiants a l'œil sur le fournisseur en cocaïne de Mary Jane Lindley. On n'a rien fait contre elle parce que le divorce avec son mari n'est pas encore prononcé et qu'on ne tient pas à voir éclater des scandales qui pourraient compromettre un collaborateur de la Maison-Blanche, même si on ne fait que citer son nom. On le fera toutefois s'il le demande. »

James se retourna vers lui, la bouche crispée. « Sale fouille-merde de Noir, dit-il. Elle en achète pour ses invités. La moitié de tous ces politiciens pourris de Washington en prennent. »

L'insulte lui facilita les choses. Farr en était presque reconnaissant.

« Je le sais fort bien, répliqua-t-il. Tout comme je sais que la moitié des hôtesses de Washington en servent avec le café après le dîner, mais elles sont très peu nombreuses à avoir deux jeunes enfants dont elles pourraient perdre la garde. »

Il se redressa, resserra sa cravate et enfila son veston. C'était un geste en partie défensif. En chaussettes, il faisait un mètre quatre-vingt-cinq, il pesait quatre-vingt-cinq kilos et, malgré son âge, tout ça était du muscle et ça se voyait. Il se dit qu'il allait laisser Adrian James voir ce qu'il risquait si jamais il perdait son calme. Il ne tenait pas à voir James aller aussi loin. Ça gâcherait tout le reste.

Curieusement, James n'en fit rien. Au contraire, la rage disparut de son regard. Il eut un petit rire amer, secoua la tête, se versa un autre verre et retourna s'asseoir.

« J'imagine que vous voulez que je couche avec elle ?

— Je n'ai pas dit ça, répondit Farr. J'ai dit que je voulais que vous deveniez son ami. Comment vous vous y prenez, c'est votre affaire. Et la sienne.

— Très bien, fit James. Cela ne va pas être facile, mais je ne vais pas laisser M. J. ni ses enfants en baver à cause de vous ou n'importe qui d'autre, surtout ce pignouf d'Arthur Lindley. Est-ce que je peux vous offrir une autre bière ? »

Le type avait une certaine classe, se dit Farr. Et de l'aplomb.

« Non, merci, dit-il.

— Puis-je vous demander de quoi il s'agit ?

— Désolé, répondit Farr. Pas aujourd'hui, peut-être plus tard.

— Dernière question, poursuivit James, pourquoi moi ? Je n'ai pas été le seul type dans sa vie avant Volker. Enfin, quand je l'ai rencontrée, ce n'était tout de même pas une vierge innocente. Je pourrais vous citer une bonne douzaine de types à Washington avec qui je suis pratiquement sûr qu'elle a couché. Elle aime ça, Alexis. »

Farr trouva que c'était une remarque déplacée. Il se souvint de l'histoire que Susan lui avait racontée à propos de James, de sa chirurgienne orthopédiste et de leur voyage en France avec une petite amie bisexuelle. Il se mit soudain à le trouver antipathique et à se prendre de sympathie au contraire pour Alexis Volker. Il soupçonnait James de l'avoir quittée parce qu'il ne pouvait pas en faire à sa tête. C'était le genre d'homme qui ne pouvait se conduire décemment que lorsqu'il était houspillé et qu'il s'apitoyait sur son propre sort.

« D'après ce que j'ai entendu dire, reprit-il, vous étiez le seul dont elle était amoureuse. Les autres, c'était juste pour s'amuser. Et d'ailleurs aujourd'hui, me semble-t-il, en amour les femmes prennent autant d'initiatives que les hommes. »

James resta un moment songeur. « Vous autres, vous avez réponse à tout, hein ? » On sentait de nouveau l'hostilité dans sa voix. Et l'amertume. Ou bien s'apitoyait-il sur lui-même ? se demanda Farr. « Bon, fit James, j'espère au moins que vous savez ce que vous faites. Quand voulez-vous que je commence ?

— Le plus tôt possible.

— Est-ce que c'est moi qui vous contacte ? Ou vous qui me contactez ?

— L'un et l'autre, répondit Farr. Vous avez mon numéro personnel sur ma carte. Donnez-moi un coup de fil après votre première rencontre, et dites-moi comment ça s'est passé. »

Sur le seuil il se retourna. « Je vous conseille de faire au moins un effort pour que tout aille bien. »

James ne répondit pas. Quand Farr eut refermé la porte derrière lui, il regarda le jardin. Mais il ne le voyait pas. Il voyait Alexis Sobieski. Elle était assise, un verre à la main, toute pâle.

« Je n'arrive pas à comprendre pourquoi si tu m'aimes, Jimmy, tu veux que nous rompions. Pourquoi ? Dis-moi simplement pourquoi. » Et lui qui criait : « Je t'ai dit pourquoi. Parce que je ne peux pas supporter de n'avoir que la moitié de toi. Moins d'une moitié. Un quart. » Il en avait par-dessus la tête de sortir avec une vedette de la télévision, de voir les gens penser à lui comme à Mr. Sobieski.

« Je pourrais quitter la télévision.

— Alexis, je t'en prie. N'insulte pas mon intelligence. Tu es mariée à la télévision.

— Je n'y suis pas obligée, Jimmy. J'ai beaucoup réfléchi.

— Alors, vas-y. Lâche la télé. »

Elle n'en avait rien fait. Et il en avait été ravi. De son côté il ne tenait pas vraiment au mariage. Le mariage, ça voulait dire le poids des enfants et l'écrasante responsabilité de quelqu'un d'autre. Six mois plus tard, elle épousait Volker.

Il jeta un coup d'œil à sa montre. Depuis Alexis, il avait très soigneusement arrangé son existence de façon qu'elle ne fût dérangée par personne. C'était sans problème, c'était sûr et amusant, c'était lui qui décidait. Et voilà qu'en moins d'une heure tout ça avait été flanqué par terre par un seul homme. Pourquoi ? Que diable se passait-il donc ? Qu'est-ce qu'on allait lui demander de faire ensuite ? Il s'affala, accablé, dans un fauteuil. Oh, il allait le découvrir, il se le jurait. Et quand il y serait parvenu, il rendrait la monnaie de sa pièce à ce salaud de Farr. En attendant, il savait qu'il était coincé. L'essentiel était de ne pas perdre son calme et sa patience. Jouer ça au coup par coup et attendre sa chance. Au moins lui ne risquait rien. Personne n'avait rien contre lui personnellement.

Il regarda la toile inachevée sur le chevalet. Il changerait plus tard l'équilibre des couleurs, se dit-il. Le bleu faisait tout basculer. Il décrocha son téléphone et pianota un numéro. Une voix de femme répondit.

« Allô ?

— Salut. J'arrive. »

Elle était agacée. « Où étais-tu ? Tu devais apporter de quoi déjeuner.

— J'ai été retardé. Je t'expliquerai. A tout de suite.

— Attends une minute. Batman.

— Quoi ?

— Apporte aussi du papier pour les joints. Je n'en ai plus. »

Il reposa le combiné, s'assura qu'il avait bien ses clefs, ferma au verrou la porte du jardin et quitta l'atelier. L'idée lui vint que Sandy saurait peut-être quelque chose sur Farr, ou en tout cas pourrait se renseigner sur lui. Le moment venu, il demanderait.

13

Le vol fut rapide. Au-dessous d'eux, Washington mijotait dans la chaleur, les taches claires des immeubles et les surfaces sombres des toits séparées par des arbres comme des îles dans le delta d'un fleuve ourlé d'eau verte. Lorsqu'ils se posèrent à la Maison-Blanche, tout semblait désert. Le Président et sa famille étaient déjà partis pour le week-end à Camp David et il n'y avait que la file habituelle de touristes qui s'engouffraient dans l'aile Est ou qui attendaient patiemment dehors.

Avant l'atterrissage, Alexis repéra sa voiture. On l'avait amenée jusqu'à l'aire d'atterrissage de l'hélicoptère près du portique Sud. Un agent de la Sécurité attendait à côté, reconnaissable à son costume et à ses lunettes de soleil.

Elle ne s'aperçut que c'était Steve Riker que lorsqu'elle eut atterri et qu'elle se dirigeait vers la voiture. C'était une désagréable surprise.

« Bonjour, Mrs. Volker. » Il lui ouvrit la portière, l'air innocent.

Elle hésita, puis s'installa au volant. Il referma la portière et passa de l'autre côté.

« Je n'aurai pas besoin de vous, Mr. Riker. » Elle mit le moteur en marche et passa une vitesse.

« Je suis désolé, Mrs. Volker. J'ai des ordres.

— C'est votre problème. » Elle embraya. Il recula précipitamment. Elle s'engagea dans West Executive, la rue condamnée qui séparait la Maison-Blanche du bâtiment monolithique occupé jadis par le Département d'Etat. Elle franchit la porte surveillée et se dirigea vers la 17e Rue ; en regardant dans son rétroviseur elle vit une limousine gris foncé qui la suivait. Elle appartenait au service de Sécurité. Riker était au volant. Elle éprouva la même fureur qu'à l'aéroport. Tout lui arrivait à la fois et elle frappa violemment le volant du plat de la main. « L'enfant de salaud. J'en ai marre ! » Une semaine qu'elle devait passer seule avec Harold gâchée par les Wilderstein et leur Portugal et maintenant, juste au moment où il était libre, une sorte de geôlier pour gâcher un agréable week-end qu'elle comptait passer seule. En approchant de Georgetown, l'idée la traversa d'essayer de le semer. Ce serait faisable sur Washington Circle. Mais elle n'en fit rien. Où irait-elle ? D'ailleurs, elle savait que cela ne servirait qu'à raviver les déplaisants souvenirs qui subsistaient entre eux. Et au bénéfice de Riker.

Elle remonta l'allée de gravier de la maison de R Street et s'arrêta devant la porte. Lorsqu'il arriva derrière elle, elle descendit de la Lancia et sans lui laisser le temps de quitter la limousine, elle s'approcha de la vitre, se pencha et dit : « Je ne veux être dérangée ce week-end par personne sous aucun prétexte. Surtout pas par vous. Je ne vous trouve pas sympathique. Arrangez-vous pour que je ne vous voie pas. C'est clair ?

— Oui, madame », fit-il avec un sourire poli.

Le sourire l'exaspéra encore davantage. Dans l'entrée, elle déversa sa colère sur Everett. Il lui demanda si elle serait là pour dîner. Elle ne répondit pas. Elle entra dans le salon, se versa un verre et l'emporta dans la tranquillité de son bureau. Sur sa table de travail, pas une lettre n'attendait sa signature. Allison, bien sûr, les avait signées à sa place avant de partir vendredi.

Elle préférait son bureau au formalisme austère et inhospitalier du salon et décida de rester là. Elle ferma la porte, alluma la télévision, se pelotonna sur le canapé avec son verre et se mit à regarder le journal de quatre heures. La première chose qu'elle vit, ce fut sa photo alors qu'elle embrassait son mari pour lui dire au revoir. Elle, Harold, le secrétaire adjoint avec ses airs pincés, les caméras de télé, les journalistes et le grand Boeing 707 bleu SAM 70. Elle changea de chaîne et tomba sur Sesame Street. C'était agréable de regarder une émission enfantine. Elle le faisait souvent. Elle adorait le monde des enfants. Elle pouvait presque sentir auprès d'elle la présence d'un jeune téléspectateur. Souvent, dans les librairies, elle flânait au rayon des livres pour enfants, en s'imaginant qu'elle traînait avec elle de jeunes clients, mourant d'envie d'acheter des livres et de les rapporter à la maison pour les lire elle-même. Elle ne le faisait jamais. Parfois elle se trouvait stupide d'avoir ce genre de pensée et se décourageait, comme si la vendeuse allait deviner que c'était elle qui lirait *Winnie the Pooh*. Parfois aussi elle se disait qu'un livre d'enfant à la maison serait un brutal rappel qu'il n'y avait pas d'enfant là-bas et qu'il n'y en aurait sans doute pas pendant quelque temps.

Lorsque son téléphone sonna, elle fut prise tout à fait au dépourvu. A peu près les seules personnes qui utilisaient cette ligne étaient Harold et parfois Sandy. Elle l'avait fait installer pour éviter Allison.

Ça sonnait toujours. C'était peut-être une erreur. Elle décrocha quand même.

« Allô ?

— Alexis ? Salut. »

Le ton était si familier qu'elle en tressaillit. Mais sur le moment elle n'arrivait pas à situer cette voix. « Qui est-ce ?

— Moi. Jimmy. » D'un ton vaguement indigné, comme s'il l'appelait tous les jours.

« Adrian ?

— Bien sûr. Combien connais-tu de Jimmy ? Comment vas-tu ? »

C'était irréel. « Je... je vais bien. » Sur l'écran de télévision, Oscar émergeait de sa poubelle en se plaignant bruyamment.

« Bon. Parce que dans une heure je passe te prendre pour t'emmener dîner.

— Quoi ?

— Je t'emmène dîner. Alors, commence à réfléchir au restaurant où tu aimerais aller. »

Alexis retrouva sa voix. « Jimmy, attends un instant. » Ça n'était pas possible, songea-t-elle. Autrefois il appelait ainsi quatre ou cinq fois par jour. On aurait dit que quatre années tout simplement ne s'étaient pas écoulées.

« Peut-être un endroit pas loin de Georgetown, disait-il. Il y a un nouveau cuisinier français dans ce restaurant en sous-sol au fond de l'impasse qui donne dans la 34e Rue, tu vois celui que je veux dire ?

— Jimmy, tu as perdu la tête. Je ne peux pas aller dîner avec toi. En tout cas pas comme ça.

— Pourquoi pas ? Harold est parti pour Lisbonne, non ? Je

viens de te voir lui donner un baiser d'adieu à la télé. Ou bien est-ce qu'on envoie des sosies maintenant ?

— Jimmy. » Elle commençait à retrouver la réalité, à reprendre la situation en main. Elle se montra ferme. « Tout d'abord, je suis mariée et je mène une vie publique. Tu te rappelles ? Les journaux racontent tout ce que je fais. Et tu es un ex-flirt bien connu.

— Amant.

— Quoi ?

— Ex-amant. Flirt, ça fait démodé. Quoi d'autre ?

— Eh bien, peut-être que je n'ai pas envie de te voir. As-tu jamais pensé à ça ? Cinq ans se passent et tu téléphones. Comme ça. " Alexis, je t'emmène dîner. " Tu ne me demandes même pas, tu me l'annonces. »

Il éclata de rire. « Aucune de ces deux raisons n'est valable et tu le sais. Mets des lunettes de soleil avec un foulard et sors par une porte de service. »

Elle s'efforça de garder un ton calme et courtois. « Je suis désolée, Adrian James, je suis déjà prise.

— Allons donc.

— Sérieusement, c'est vrai.

— Sérieusement, tu mens comme une arracheuse de dents. Sinon annule ton dîner, j'ai envie de te voir.

— Jimmy, c'est impossible. D'ailleurs, comment as-tu eu ce numéro ?

— J'ai des amis au F.B.I. »

Elle se mit à rire. « Jimmy, écoute...

— Je passerai te prendre à sept heures.

— Jimmy. »

Trop tard. On raccrocha à l'autre bout du fil. Puis ce fut le silence. Alexis contempla le téléphone comme s'il était ensorcelé. C'était extraordinaire. Que diable devait-elle faire ? Elle ne pouvait pas le voir, il n'en était pas question. Elle pourrait le rappeler. Il devait toujours habiter son atelier. Elle essaya de se souvenir du numéro. Autrefois elle téléphonait constamment. Elle chercha l'annuaire. Puis elle décida de ne pas l'appeler. Elle n'allait pas lui faire ce plaisir. Ils s'étaient dit adieu voilà cinq ans. S'il était vraiment assez fou pour venir, elle dirait à Everett de répondre qu'elle n'était pas à la maison. D'ailleurs, que pouvait-il bien vouloir ? Ils n'avaient plus rien en commun. Leurs mondes et leurs amis étaient différents.

Elle quitta son bureau pour passer dans le salon, se prépara un autre verre et monta s'asseoir à sa coiffeuse. L'Alexis Sobieski qui la regardait dans le miroir ancien était-elle différente de celle qui avait jadis fait l'amour à Adrian James ? Elle se mit à se rappeler comment c'était quand ils faisaient l'amour, l'aspect et le contact de son corps à lui et la façon dont il savait jouer avec le sien. Elle chassa aussitôt ce souvenir.

Il dirait : « Tu as changé, Alexis. Tu n'es plus la même.

— J'ai vieilli. »

Il aurait le regard voilé que prend un homme quand la vérité risque d'être vexante et de gâcher ses chances.

« Ça n'est pas ce que je voulais dire.

— C'est vrai. »

Elle s'examina avec attention. Elle avait des rides sur le front, entre les yeux et aux tempes qui n'existaient pas quand elle l'avait connu. Une certaine lassitude aussi.

Elle essaya son sourire de télévision. Il lui fit horreur. Ça ne marchait plus. C'était bon pour une femme plus jeune. Peut-être pas plus jeune en nombre d'années. Mais plus jeune en fatigue. Quelqu'un qui montait comme c'était son cas. D'abord U.B.C. puis Harold Volker. Trop tard pour Adrian James. Même si ce n'était que pour être aimable. Et même si c'était la parfaite riposte à la présence de Riker, des Wilderstein, même au refus glacial d'Harold de l'emmener avec lui à Lisbonne. Qu'il aille au diable. D'ailleurs pour qui se prenait-il ?

Elle se fit couler un bain, se plongea dedans avec son verre et essaya de ne plus penser à lui. Ni à rien, sauf à Harold quelque part au-dessus de l'Atlantique, parlant avec les journalistes et ses collaborateurs, prenant un cocktail, bavardant avec l'équipage.

Ça ne marchait pas. Un sentiment d'excitation commençait à la parcourir qui paralysait toute pensée. Elle éclata de rire tout haut, spontanément et avec une sorte de soulagement qui ne cessait pas. Une pensée était apparue qui chassait toutes les autres dans son esprit.

Oh, mon Dieu, se dit-elle. Nous, les femmes...

Elle s'était surprise à se demander ce qu'elle allait mettre.

14

Adossée à l'oreiller, Sandy fumait en pensant à elle et à Adrian James. Son réveil disait cinq heures vingt. Il s'était levé vers cinq heures, avait rapporté du vin et maintenant il était sous la douche.

Ils avaient passé tout l'après-midi au lit. Mais, songea-t-elle, c'est à ça que servent les lits. C'était fait pour les hommes et les femmes. Les corps nus et affamés de sexe, noués ensemble dans la sueur de l'été et perdus dans un monde à eux où rien ni personne d'autre n'existait. Pour l'instant un lit pour dormir lui semblait sans intérêt. Son corps nu rejetait cette pensée. Elle s'étira en l'attendant, mince, blonde, athlétique et dans la langueur encore d'après l'amour. Le manque de féminité dans son travail, l'effacement et la discrétion qu'il exigeait, le fait de porter une arme, de pratiquer le judo, d'être toujours à l'affût d'une violence soudaine, tout cela lui faisait perdre de vue le fait d'être une femme. Maintenant, elle se sentait femme et c'était bon. Elle ne voulait pas que ça s'arrête.

Quand il était arrivé à une heure et demie, elle avait apporté un peu d'herbe, ils avaient fumé, bu du vin. Il ne lui avait pas dit pourquoi il était en retard ni ce qui s'était passé. Elle n'avait rien demandé. Elle savait que c'était pour une raison importante et qu'il le lui dirait quand il serait prêt. Il s'était déshabillé, l'avait déshabillée puis ils s'étaient mis au lit. Une des choses qu'elle avait faites lorsqu'on l'avait chargée de protéger Alexis, ç'avait été de se renseigner sur sa vie. Quand on protégeait quelqu'un, ça aidait de savoir qui étaient ses amis, passés et présents. Comme ça, il n'y avait jamais de surprise. Ni de gêne à peut-être se montrer désagréable avec la personne qu'il ne fallait pas, surtout au téléphone. Elle avait vu ainsi un tas de gens. James en faisait partie. Elle s'était montrée professionnelle, désinvolte, mais elle avait tout de suite senti la chimie sexuelle. Et lui aussi. Deux jours après leur rencontre, ils avaient couché ensemble.

Tout d'abord, ça ne semblait pas bien du tout mais, au bout d'un moment, ils avaient tous deux réussi à dissocier ce qui se passait entre eux d'Alexis et, lorsqu'ils parlaient d'elle, c'était de façon impersonnelle. Sandy l'avait questionné sur sa liaison avec M. J. Lindley, et il ne lui avait rien caché.

« Mais si tu n'es pas amoureux d'elle, avait-elle demandé, alors pourquoi vis-tu avec elle ?

— Je ne vis pas. Pas vraiment. J'ai quelques affaires là-bas mais, la moitié du temps, je dors à mon atelier. » Il réfléchit un moment. « Elle est commode.

— C'est tout ?

— Socialement parlant. Enfin, peut-être un peu plus, en fait j'ai beaucoup d'affection pour elle. Elle est devenue une habitude. Elle sait recevoir. Nous nous entendons bien. Etre célibataire à Washington n'est pas pratique. On a besoin de quelqu'un. Nos rapports, si tu veux, sont de ceux dans lesquels on s'installe par la force des choses.

— Comment est-elle au lit ?

— Pas extraordinaire, mais ça va. »

Ils parlèrent aussi d'Alexis.

« Elle était formidable, mais impossible. Quand ça n'était pas sa foutue carrière, elle nous rendait dingues tous les deux à chercher quelque chose.

— Comment ça : chercher quelque chose ?

— Je ne sais pas très bien. Elle avait tout le temps l'impression de louper le bateau. Que peut-être la télévision, pour elle, ça n'était pas vraiment son truc. Elle avait le sentiment qu'il y avait autre chose. Mais elle n'arrivait jamais à mettre le doigt dessus.

— Le mariage ?

— Je pense que ça devait être ça.

— Peut-être que tu as eu la frousse quand tu t'es aperçu qu'elle avait jeté son dévolu sur toi, dit-elle en riant.

— Peut-être, avoua-t-il.

— Tu étais amoureux d'elle ? »

Il s'était montré évasif. « Tout le monde dit que je l'aimais.

— Tu l'es encore ?

— Si je le suis, je ne m'en rends pas compte.

— Est-ce parce que tu ne la vois jamais ?

— Ça se pourrait.

— Peut-être que tu ne la vois pas parce que tu as peur de t'apercevoir que tu éprouves toujours les mêmes sentiments pour elle.

— Disons que je ne la vois pas et que je ne m'en porte pas plus mal. Que je trouve tout ce qu'il me faut auprès de M. J.

— Et de moi.

— Très certainement toi. »

Ça fonctionnait dans les deux sens. Chacun apportait quelque chose à l'autre. Leurs relations étaient sexuelles et purement sexuelles, sans aucune autre exigence. Il proclamait souvent qu'elle était la meilleure affaire qu'il ait jamais eue au lit. Elle savait qu'il le pensait et elle était flattée. Ce qu'elle obtenait de lui en retour dépassait toutes ses espérances. Il était sans inhibition, libéré, sensible et plein d'expérience. Il connaissait les besoins sexuels d'une femme aussi bien que les siens et le corps d'une femme aussi bien que son propre corps. Sandy ne lui trouvait en fait pas grand-chose en tant qu'individu, mais lorsqu'ils faisaient l'amour il avait l'art de la projeter de plus en plus loin dans un monde flou de sexualité où ses sensations devenaient si intenses et si prolongées que c'en était presque intolérable. Jamais elle n'avait connu aucun homme qui lui fît cet effet. Elle se demandait parfois si c'était pareil pour toutes les femmes avec qui il couchait. Elle estimait qu'Alexis avait fait un mauvais choix. Sandy n'acceptait pas l'amour comme un élément positif dans les relations humaines. Ça signifiait toujours des ennuis. En ce qui la concernait, en dehors du travail, les hommes n'étaient bons que pour le sexe.

Elle entendit la douche s'arrêter et il sortit de la salle de bains, bronzé, mince et superbe, ruisselant d'eau avec la serviette pendant autour de ses épaules.

Elle le regarda en souriant. « Tu es monté comme un étalon, tu sais ça ? Mon Dieu ! »

Il sourit et vint s'allonger auprès d'elle. « Laisse-moi encore cinq minutes. » Il alluma une cigarette et lança nonchalamment : « J'ai reçu une visite du F.B.I. à mon atelier avant de venir. » Elle réprima la surprise qui aurait pu percer dans sa voix. « Qu'est-ce qu'ils voulaient ?

— Un agent du F.B.I., en fait. Il voulait que je voie Alexis.

— Comment ça : que tu la voies ?

— Que je recommence à la voir.

— Ah ? Pourquoi ? » Sandy se redressa contre la tête de lit.

« Il n'a pas dit. Il m'a simplement demandé de renouer mon amitié avec elle et d'obtenir sa confiance. Tu as des idées là-dessus ? »

Sandy réfléchit. C'était un développement auquel elle ne s'attendait guère. Elle essaya de gagner du temps pour pouvoir réfléchir. « Aucune, répondit-elle. Mais c'est intéressant. Qu'est-ce que tu vas faire ?

— Je n'ai pas le choix.

— Pourquoi donc ?

— Si je ne la vois pas, ils lâchent les flics sur M. J. Cocaïne. »

Elle émit un sifflement. « Qui donc est ce type ?

— Il s'appelle Farr. David Farr. Tu le connais ? »

Elle se leva. « Pas personnellement. Il est noir, hein ?

— Oui. C'est un type important ?

— Oui.

— Important comment ?

— Il est presque tout en haut. Il est marié à une neurochirurgienne. Tu devrais la voir. Elle est beaucoup plus jeune. Elle a failli être Miss Amérique. » Elle se mit à rire. « Tu pourrais peut-être te venger en te présentant. »

Elle passa dans la salle de bains et ouvrit la douche. James la suivit.

« Ça t'ennuie si je la revois ? fit-il d'un ton soucieux.

— Alexis ? » Elle éprouvait une vague irritation. C'était à cause de cette insécurité inattendue chez lui.

« Pourquoi donc ?

— C'est presque de la famille, non ? »

Elle réfléchit. Elle avait eu le temps de mettre de l'ordre dans ses idées. La situation ne lui plaisait pas du tout, mais du diable si elle allait renoncer à lui. Elle allait devoir essayer de jouer avec la plus grande prudence, de sembler attachée sans avoir l'air possessive. Et, en même temps, ne pas paraître trop dure.

« Ecoute, Batman, reprit-elle, ce que tu as avec moi, c'est une chose. Ce que sont tes relations avec elle ou avec qui que ce soit d'autre, c'en est une autre. Je ne suis qu'un élément de ta vie.

— Ça n'est pas si simple, tu ne trouves pas ? demanda-t-il. C'est ta patronne, non ? Et ton amie aussi, enfin un peu. »

Elle ne répondit pas. Elle décida de ne rien dire de plus pour l'instant. Elle se savonna et se rinça, consciente que les yeux de James ne perdaient pas un geste de ses mains le long de son corps. C'était bon signe. Elle resta silencieuse jusqu'à ce qu'elle eût arrêté la douche et pris la serviette qu'il lui tendait. « Cesse de t'inquiéter. » Elle avait adopté un ton amical et se dressa sur la pointe des pieds pour lui effleurer les lèvres de ses lèvres. « Peut-être qu'elle ne voudra pas coucher avec toi.

— L'idée n'est pas de coucher. Mais, au cas où ça t'intéresserait, je n'ai sûrement aucune envie de coucher avec elle.

— C'est ton problème, fit-elle en haussant les épaules. En fait, peut-être que tu devrais. Tu lui ferais peut-être beaucoup plus de bien que Wyndholt. » Elle l'embrassa de nouveau en le frôlant de son corps. « Sérieusement. Je t'aime bien, Batman, je t'aime beaucoup, mais je ne suis pas du genre jaloux. Et ne t'imagine jamais que je pourrais le devenir, d'accord ? J'ai ma vie à menez. »

Elle passa dans le living-room et commença à se rouler un joint. James leur servit du vin. « Il faut que je l'emmène dîner ce soir.

— Très bien. A quelle heure ?

— Sept heures et demie. » Il lui apporta son verre de vin.

Elle savait que le pire était passé. Elle alluma le joint, le lui offrit et passa une main légère sur sa poitrine. « Ça nous donne une bonne heure et demie, n'est-ce pas ? »

Plus tard, alors qu'il s'apprêtait à partir, Sandy demanda : « As-tu trouvé pourquoi ils veulent que tu fasses ami avec elle ?

— Non. Pas vraiment.

— Je croyais que c'était assez évident.

— Pourquoi ?

— Ils doivent chercher une fuite.

— Tu crois ?

— Ecoute, ils ne veulent sûrement pas des renseignements sur moi, sur toi, ni sur M. J. »

Ils éclatèrent de rire tous les deux, mais James avec moins d'entrain. Une vérité avait fini par s'imposer à lui que tout un après-midi passé au lit n'avait pas réussi à dissiper. Il en avait par-dessus la tête dans une histoire où il n'avait aucun contrôle. Avec Sandy, ça allait, mais il lui restait encore à s'arranger d'Alexis. Peut-être pire, à s'arranger de lui-même. Alexis était la seule femme dont il avait jamais été amoureux et rompre avec elle avait été la plus rude expérience qu'il eût jamais connue. La revoir signifierait peut-être que toutes les vieilles blessures allaient se rouvrir. En descendant pour aller prendre sa voiture, il repensa à David Farr et le maudit. Plus qu'il n'avait jamais maudit personne.

15

Deux jours plus tard, ses sentiments n'avaient pas changé. C'était dimanche, neuf heures du matin et il était réveillé depuis quelques minutes, tendant l'oreille aux bruits qui venaient de la cuisine. M. J. préparait le petit déjeuner de ses enfants. Devant la vieille maison victorienne, la modeste rue de banlieue de Foxhall où elle habitait était silencieuse. Le seul bruit que James eût entendu, hormis les oiseaux et la rumeur étouffée d'une télévision au loin, c'était une voiture qui passait lentement. M. J. l'avait éveillé avec douceur une demi-heure plus tôt quand elle s'était levée elle-même. A ce moment-là il était censé se glisser dans la chambre d'ami. Elle tenait à sauvegarder les apparences pour les enfants. Ce matin-là il n'en avait rien fait. Il se sentait totalement détaché. D'ailleurs, songea-t-il, les enfants étaient trop jeunes pour comprendre ce qui se passait. Et puis la barbe. Il s'efforça de ne pas penser à ce qu'il avait à faire une fois debout. Alexis lui avait demandé de venir à Brigham Bay en voiture avec elle. Hier matin, lorsqu'il l'avait appelée pour la remercier du dîner de la veille au soir, elle avait dit que les Wilderstein avaient décidé d'aller dans le Maine pour un mariage, encore que selon elle la vraie raison fût qu'Arnold s'ennuyait. Il n'y avait pas de golf à Brigham Bay. Depuis que Jane avait accepté d'aller là-bas, la tension n'avait cessé de monter en lui. La tension et l'angoisse. Dans une certaine mesure, c'était pire qu'Alexis l'eût accepté et qu'elle voulût le revoir plutôt que si elle l'avait repoussé poliment. Hier soir il s'en était pris à M. J. comme si elle était responsable de tout ça. Il avait trop bu et l'avait injuriée. Elle l'avait abandonné dans le salon et était allée se coucher en pleurs. Ce matin il n'arrivait pas à se rappeler ce qu'il lui avait dit. C'était embêtant.

Il se redressa dans le lit et essaya de remettre de l'ordre dans ses pensées. Il passait prendre Alexis à onze heures. Il ne l'avait pas encore dit à M. J. mais il avait préparé son mensonge. Il attendrait jusqu'au petit déjeuner pour le sortir. Il repensa à Farr. Depuis Farr, tout n'était plus que mensonge. Hier James l'avait appelé chez lui. Il se souvenait que pendant que ça sonnait, il s'était planté devant son chevalet à barbouiller du blanc sur la toile que Farr avait admirée. Rien qu'à cause de ça, il avait envie de la détruire.

Ce fut une femme qui répondit, d'une voix douce, bien élevée. Il demanda Farr en donnant son nom. Il ne sentit aucune réaction chez la femme. Il se dit que ça devait être la femme de Farr et essaya de l'imaginer. Sandy avait dit qu'elle était belle. Quelques instants plus tard, Farr était au bout du fil.

« Comment ça s'est passé ?

— Je l'ai emmenée dîner hier soir. » Il avait du mal à ajouter autre chose. Il bouillonnait de rage intérieurerement.

« Ça a été rapide. Elle a accepté ?

— Vous voulez dire : est-ce qu'elle veut me revoir ?

— Oui.

— Aucun problème. » Il avait dit ça à contrecœur.

« Quand est votre prochain rendez-vous ?

— Demain.

— Déjeuner ?

— Oui.

— Où ça ?

— Brigham Bay. Elle veut me montrer la propriété.

— Parfait. Posez-lui des questions sur le voyage de son mari au Portugal.

— Au Portugal ?

— Si elle en parle, rappelez-vous si elle mentionne un général Figueira.

— Qu'est-ce que je devrai dire ?

— Rien.

— Contentez-vous d'être discret et de me tenir au courant. »

Il ne prit pas la peine de raconter à Farr avec quel soin il avait préparé son premier contact, comment il avait même répété ce qu'il allait dire à Alexis au téléphone. Elle avait sa mentalité à elle. Et son orgueil. Il n'avait pas voulu lui laisser l'occasion de réfléchir. Il avait choisi vendredi après-midi pour son premier coup de téléphone parce qu'il savait que, Volker venant juste de partir, elle aurait le moral plutôt bas. Mais il n'y avait pas moyen d'être sûr que sa méthode marcherait et, lorsqu'il avait raccroché, il avait les paumes en sueur. Plus tard, l'attente devant chez elle lui avait paru interminable. Allait-elle venir ou pas ? Tout ce qu'elle avait dit au téléphone, c'était non.

Enfin la porte s'était ouverte et le suspense était terminé. Elle apparut, fraîche et ravissante dans une légère robe d'été et s'installa silencieusement auprès de lui.

« Bonjour.

— Salut. »

En un instant quatre années disparurent. Ce qui subsistait, c'était un peu de gêne d'avoir été si longtemps séparés. Elle était assise à côté sur la banquette à l'examiner, en attendant qu'il parle. Il trouva vite quelque chose à dire.

« Et ton gorille ? » Elle éclata de rire.

« C'est en général une gorille et elle est divine mais c'est son jour de congé. Elle s'appelle Sandy. J'ai envoyé son remplaçant m'acheter des cigarettes qu'on ne trouve nulle part sauf peut-être à l'ambassade du Portugal. C'est un vrai nazi. »

Il ne s'attendait pas à ce qu'elle parlât si tôt de Sandy. Il démarra, extrêmement mal à l'aise. L'idée lui vint qu'il allait certainement rencontrer Sandy en personne à un moment quand il serait avec Alexis. Cette pensée était presque intolérable. Il se demanda si Sandy avait eu la même réaction.

Ils étaient tous les deux un peu empruntés, comme des gosses à un premier rendez-vous, jusqu'au moment où ils arrivèrent au restaurant. Là, l'atmosphère intime les détendit tous deux. Comme Alexis semblait hésiter à parler d'elle, James la laissa diriger la conversation sur lui et sur M. J. Il lui demanda son avis. Il ne pouvait pas continuer à vivre perpétuellement avec M. J. quand il savait que rien n'en sortirait jamais. Que devrait-il faire ?

« Si tu la plaquais, Jimmy, demanda-t-elle, crois-tu que ça lui ferait très mal ?

— Je n'en suis pas sûr.

— Voyons, est-ce qu'elle t'aime ? »

Alexis, elle, l'avait aimé. Il lisait dans ses yeux le souvenir de cet amour.

« Je crois que oui, reconnut-il. Mais elle aime ses enfants

aussi. Plus que tout. Ils passent toujours d'abord. Je crois qu'elle pourrait survivre en n'aimant qu'eux et personne d'autre.

— Tu ne peux pas passer ta vie à rompre », dit Alexis. Son ton était plus cassant.

« Quinze pour toi, dit-il.

— Pardonne-moi. Ça n'était pas chic, n'est-ce pas ? »

Leurs regards se croisèrent et, de façon tout à fait inattendue, le magnétisme passa, avec toute la violence et la profondeur de sentiments d'autrefois.

Une certaine tristesse s'empara d'Alexis. Elle resta un moment silencieuse. Puis elle reprit : « Je suis contente que tu m'aies appelée. Tu me manquais.

— Tu me manquais aussi. » Il se demanda quoi dire ensuite. Ils s'étaient aventurés sur un terrain dangereux. Il devinait qu'elle pensait de même. Le serveur, arrivant avec un autre plat les sauva. Le moment difficile passa. Ils se mirent à parler politique et, après cela, dans une sorte de trêve tacite, la soirée se passa bien et ils se racontèrent mutuellement quatre ans de vie indépendante.

Il entendit soudain les pas de M. J. dans l'escalier et elle vint s'asseoir au bord du lit avec une tasse de café brûlant et une assiette de toasts beurrés.

Elle portait une chemise de nuit en satin avec un décolleté plongeant, découvrant le sillon de son ample poitrine qui venait tendre le tissu.

Il l'embrassa en souriant et lui dit bonjour. « Je suis désolé pour hier soir », dit-il. Il l'attira contre lui et l'embrassa de nouveau.

« N'y pense plus. C'était hier soir.

— Vrai ?

— Vrai. C'est le prix que je paie pour être amoureuse.

— Tu ne perds pas ton temps.

— J'espère que non. »

Il décida que c'était maintenant ou jamais. Il se redressa avec son assiette de toasts et se mit à débiter son mensonge. Il lui raconta qu'il était obligé d'annuler le déjeuner qu'ils avaient prévu avec des amis. Il devait se rendre à New York pour une réunion au Metropolitan Museum.

« Je sais que j'aurais dû t'en parler hier soir. De toute

évidence, j'étais trop occupé à me montrer salaud pour penser.

— Mais, Jimmy, c'est dimanche. » Elle semblait blessée, désemparée. Il se demanda si elle savait qu'il mentait

« Je sais bien. Mais c'est le seul moment où ce type peut me voir. J'essaierai de rentrer pour dîner. Je suis désolé, Mary Jane. » Il posa le toast de côté et l'attira vers lui, en lui caressant le dos jusqu'aux hanches. Tout d'un coup il avait envie de lui faire l'amour. Pas pour le sexe, mais pour être tout près d'elle. Elle était la sécurité et il en avait besoin. Même si ce n'était que pour quelques minutes.

Elle résista. « Jimmy, les enfants.

— Tu ne peux pas leur donner des jouets ou quelque chose pour une demi-heure ?

— Chéri, tu sais bien que je ne peux pas. »

Une heure plus tard il partit pour son atelier. « Il faut que je mette un costume et que je prenne quelques papiers. »

Une fois là-bas, il enfila des jeans et des baskets, passa une chemise Lacoste délavée, attrapa un vieux chandail au cas où il pleuvrait, décapota sa voiture de sport et se dirigea vers Georgetown. Heureusement qu'Alexis voulait aller à la campagne. S'ils étaient restés à Washington, il aurait toujours couru le risque de tomber sur M. J.

A dix heures pile, il s'arrêta dans Q Street, entre la 28e et la 29e Rue. Il se gara au milieu du bloc et attendit.

A dix heures cinq, Alexis arriva en courant. Sa vue lui coupa le souffle et rendit presque supportable le tissu de mensonges qu'il avait dû inventer. Elle paraissait des années plus jeune que l'autre soir. Elle était vêtue d'une légère jupe de coton avec une ceinture dorée et des espadrilles, et d'un T-shirt avec l'inscription « J'aime les baleines » et pas de soutien-gorge. Elle avait un foulard de soie autour du cou, un fourre-tout en grosse toile et elle avait relevé ses lunettes de soleil sur ses cheveux dorés répandus sur ses épaules. Elle était la femme et le visage dont la moitié de l'Amérique avait été amoureuse, lui y compris.

Elle monta dans sa voiture hors d'haleine.

« Il t'a vue ?

— Non, il était dans le vestibule et il m'a dit bonjour. Je lui ai raconté que j'allais déjeuner au Vieil Alexandrie et je lui ai demandé de m'amener la voiture. Je suis allée dans mon bureau, j'ai allumé la télé et je suis sortie par une fenêtre. » Elle lui montra une égratignure à la jambe et son rire déferla comme une cascade. « En plein dans un buisson de roses. »

Dix minutes plus tard, ils étaient sur la bretelle du Capitole, contournant le sud-ouest de Washington vers le Potomac et le Maryland.

16

Alexis avait le profond désir de partager Brigham Bay avec quelqu'un. Il était tout à fait évident que les Wilderstein ne conservaient la propriété que parce qu'elle représentait un capital. Leur vie était ailleurs. Harold, elle le savait, ne s'y intéressait pas le moins du monde. Il semblait n'avoir aucun attachement, aucun sentiment pour le domaine. A condition qu'il y eût un bon service, il serait aussi heureux dans un hôtel. Etant donné son grand intérêt pour l'histoire, c'était un aspect de lui qu'elle n'arrivait pas à comprendre. Comment pouvait-on être insensible au cadre, ne pas aimer un endroit aussi charmant que la vieille maison avec ses jardins, ses pelouses, ses allées de briques effritées, avec ses ormes imposants et son point de vue sur l'estuaire grouillant d'oiseaux sauvages et de bêtes des marais.

En revoyant Adrian James, elle s'était soudain rendu compte qu'elle avait trouvé quelqu'un qui à n'en pas douter allait tomber amoureux de Brigham Bay comme cela lui était arrivé à elle. Il suffirait de lui montrer la maison. Lorsqu'elle lui avait demandé d'y aller avec elle, elle avait ressenti un petit pincement de culpabilité. Après tout, c'était sa maison et celle d'Harold. D'une certaine manière, elle considérait comme un manque de loyauté que de la partager avec lui.

Dès qu'ils furent arrivés et qu'il fut descendu de voiture, elle oublia ses appréhensions. Le visage de James reflétait la joie qu'elle-même éprouvait. Au bout de quelques minutes elle avait du mal à le suivre tandis qu'il explorait avec entrain tous les recoins de la maison et de l'étable.

« C'est là que sont installés les gorilles ? On aurait mieux fait de laisser les vaches. Ou de transformer le bâtiment en ateliers. »

Ils remplirent des verres de chablis bien frais et allèrent trouver Samuel au vieux hangar à bateaux.

« Mr. Wilderstein disait toujours qu'à l'époque de la prohibition les contrebandiers utilisaient cet endroit.

— Vous avez une clé, Samuel ?

— Je voudrais bien en avoir, Mrs. Wolker, et je n'ai pas la moindre idée non plus de l'endroit où ils la rangent. A la saison des canards, je pourrais utiliser ce chris-craft au lieu de ma vieille barque qui prend l'eau. Mais, depuis le jour où ils sont arrivés, ces gens de la Sécurité l'ont fermé à clé comme tout le reste ici. Il y a des jours où j'ai le sentiment d'être dans une prison ici. »

Ils cherchèrent sans succès. Alexis regagna la maison et aida Missy à préparer un déjeuner de sandwiches pendant que Sam parlait pêche dans les marais et tir aux canards avec James. Le vieil homme se sentait seul parfois faute d'autres hommes avec qui bavarder. Les agents de la Sécurité ne lui prêtaient attention que pour lui donner des ordres. Alexis en avait parlé plusieurs fois à Harold. Samuel méritait mieux que cela.

Ils prirent leur repas sur la terrasse. Samuel et Missy profitèrent de leur présence pour aller en ville voir un film. Ça ne leur arrivait pas souvent. Quand Harold et elle étaient là, on avait besoin d'eux et ils ne laissaient jamais la maison abandonnée.

Après le déjeuner, ils redescendirent vers l'estuaire de la petite plage de sable. Adrian James avait apporté un shaker à cocktails plein de crème de menthe glacée. Elle tendit son verre et il le remplit.

« Je vois double », annonça-t-elle. Ça n'était pas tout à fait vrai, mais quand même, un rocher à quelques mètres du rivage avait des contours résolument flous. Les branches d'un grand chêne s'étendaient au-dessus de l'eau. Elle s'allongea sur le sable et, les yeux mi-clos, regarda à travers les feuilles la lumière ambrée et dansante qui était le soleil.

Pendant le déjeuner, il n'y avait pas eu de moments de gêne ni de pénibles évocations d'un malheur passé comme ç'avait été le cas vendredi. Ils riaient comme des collégiens et parlaient de leurs amis communs, de ce qui leur était arrivé, se racontant où ils étaient maintenant et s'ils avaient toujours la même personne pour partenaire.

Vers la fin du déjeuner, James ne pouvait s'empêcher de penser à Farr, tout surpris de ressentir une certaine fascination à recueillir les renseignements. On commença par le protocole de Washington, le personnel de la Maison-Blanche. Il posa des questions sur des membres du Congrès.

« Quand j'étais au journal télévisé, dit-elle, la plupart d'entre eux n'étaient que des visages et des noms. Je les voyais comme le public les voyait, même quand je les interviewais. Maintenant c'est différent. Le Président est un type qui a un rhume, qui a la gueule de bois, qui s'est disputé avec sa femme. Ou avec moi parce que je l'ai battu au tennis.

— C'est vrai qu'il est très coureur ?

— Je crois que oui. Elle est plutôt froide. Mais il est très discret. »

Au bout d'un moment ils se mirent à parler d'elle. Ce ne fut pas James qui commença, mais Alexis. A contempler son visage mince au type sémite et son regard intense, l'envie l'avait prise soudain de tout lui dire.

« Ce n'est pas Harold, commença-t-elle. Il est la seule chose bien dans mon existence. C'est cette foutue vie que nous menons. Ce n'est pas pour ça que j'ai plaqué la télévision. Je l'ai quittée pour avoir un foyer et des bébés. Je n'ai ni l'un ni l'autre. Harold veut attendre de ne plus être aux Affaires, et s'il continue encore un mandat avec le Président, alors je serai trop vieille. C'est un problème que les hommes n'ont pas. L'âge et la maternité. C'est un cauchemar exclusivement réservé aux femmes.

— Qu'est-ce que tu vas faire ?

— Je ne sais pas », dit-elle. Elle releva les yeux vers le soleil qui scintillait derrière les feuilles et les branches. « L'autre jour j'ai décidé, tant pis pour lui, que j'allais être enceinte. Maintenant je ne suis pas sûre. »

James leur versa de nouveau de la crème de menthe. Alexis but d'un trait et tendit son verre pour qu'il la resserve. Elle commençait à se sentir un peu ivre mais elle s'en moquait. Elle pouvait s'enivrer avec Jimmy, s'enivrer autant qu'elle voulait. Il avait vu tous ses plus mauvais côtés. Elle n'avait pas à faire semblant. Lorsqu'il s'allongea à son tour, en posant la tête sur ses cuisses, elle ne protesta pas. C'était comme autrefois. Elle fit courir ses doigts entre les mèches ébouriffées de James et dit :

« Je ne sais pas si je dois tricher avec Harold et simplement le faire ou bien changer d'avis ou bien tout bonnement renoncer.

— Renoncer comment ?

— Peut-être retourner à la télévision. A mi-temps. Je pourrais revenir à U.B.C., la queue entre les jambes, peut-être. Ou peut-être accepter une offre d'une autre chaîne. Qui sait ? Peut-être qu'on ne voudrait même pas de moi. Sur le petit écran je ne vois pratiquement plus un visage que je connaisse. »

James se souleva sur un coude et se tourna vers elle. « Est-ce que tu ne confonds pas le mariage avec Harold avec le mariage en général ? Peut-être que tu as commis une erreur et que tu as fait le mauvais choix. C'est arrivé à des millions de femmes. Il faut que tu décides ce qui est le plus important pour toi. Ça n'est pas nécessairement Harold ou bien le retour à la télévision. C'est peut-être Harold ou bien quelqu'un d'autre qui est prêt à laver la vaisselle, à avoir des enfants et à accepter tout le bordel qu'ils font dans une maison. »

Elle se mit à rire. « A t'entendre, c'est si épouvantable.

— Les bébés sont épouvantables. »

Il se rallongea et vint passer son bras libre autour d'un des genoux levés d'Alexis, un coude entre ses cuisses, une main sur son genou.

Alexis se sentit frissonner à ce contact. Elle se dit : Je ne devrais pas être ici avec lui. Je devrais lui dire de s'asseoir. L'écarter. Elle essaya de penser à Harold mais sans y parvenir. Que pouvait-il être en train de faire ? C'était comme s'il se trouvait sur une autre planète. Il n'y avait que le soleil qui tremblait au-dessus des arbres et James dont elle savait que bizarrement elle l'aimait toujours. Et en se demandant comment on pouvait aimer deux hommes à la fois.

Elle l'entendit dire : « Es-tu sûre de ne pas confondre ton amour pour Harold avec ton obsession de parvenir à ce que les choses soient comme tu le veux. Tout comme tu étais obsédée à l'idée d'arriver tout en haut à la télévision ?

— Ça n'est pas pareil, fit-elle. Ça, j'en ai vraiment envie, et je n'avais pas vraiment envie de la télévision.

— On dirait *Alice au pays des merveilles,* fit-il. La Reine de Cœur. Il faut courir comme une perdue pour rester à la même place.

— C'est aussi *De l'autre côté du miroir* », dit Alexis. Elle se redressa de nouveau. Elle sentait qu'elle devait défendre

Harold. « D'ailleurs, on ne plaque pas comme ça quelqu'un qu'on aime. Enfin, peut-être pas comme toi tu le fais Adrian James. Pas moi. Pourquoi cela te paraît-il si impossible que je puisse aimer Harold ?

— Je ne trouve pas ça impossible. Simplement improbable. Il n'est pas comme les autres hommes.

— Je ne suis pas mariée aux autres hommes. »

Elle tendit son verre d'un geste furieux. Il le prit, déboucha le shaker et le lui tendit. Elle but directement au goulot. Elle ne voyait plus le rocher près du rivage. Même l'eau semblait brouillée.

« Il est brillant et charmant, déclara-t-elle, il fait très bien l'amour. Je mentirais si je disais le contraire.

— Et, ce qui est encore mieux, il est Secrétaire d'Etat.

— Espèce de salaud. Ça, c'était moche. » Elle essaya de se relever. Il la repoussa doucement.

« Tu as raison. C'était moche. Pardonne-moi. Parlons d'autre chose. »

Elle ne résista pas. Elle en avait soudain par-dessus la tête de même penser à son mariage. Ou a rien d'autre. Elle ne voulait que savourer le poids inattendu de la tête de James sur son ventre, le contact de cette main masculine sur sa cuisse, le sentiment béni d'irresponsabilité que vous donnait le fait d'être grise. Juste à côté d'eux l'eau était peu profonde et on voyait le sable du fond. Une fois de plus elle eut envie de se déshabiller et de se jeter dans la mer, tout comme elle en avait eu envie la dernière fois qu'elle était là. Cette fois elle allait le faire. Missy et Samuel ne reviendraient pas avant des heures. Le soleil s'était légèrement déplacé, et le feuillage le brisait comme se brisaient les rayons d'une roue dorée. Elle avait du mal à parler, elle avait la bouche un peu pâteuse. « Tu sais une chose. Il est vraiment un salaud et je suis vraiment heureuse d'être ici avec toi.

— Tu es ivre, c'est pour ça.

— Ça n'est pas que pour ça et tu le sais bien. »

Il se laissa rouler pour s'allonger auprès d'elle, appuyé sur un coude, scrutant son visage. Elle tourna la tête pour le regarder. Le visage hâlé de James était soudain tout près d'elle et elle n'arrivait même plus à voir ses yeux sombres. Elle comprit qu'il allait l'embrasser.

« Non, Jimmy. Il ne faut pas. »

Mais elle en avait envie. Plus que n'importe quoi. Il se brouilla complètement à ses yeux. Elle sentit la tiédeur de sa peau, de ses lèvres et la fraîcheur de sa bouche ouverte contre la sienne, sa langue si douce contre la sienne, le baiser de jadis qu'elle connaissait si bien et qu'elle avait presque oublié. Et puis la pression légère de ses doigts posés sur un de ses seins.

Elle ferma les yeux. Elle ne voulait pas qu'il s'arrête. Elle restait immobile, sans même respirer. Laissant sa propre bouche commencer à réagir à celle de Jimmy, se laissant emporter par les sensations qu'elle éprouvait.

Elle le sentit qui s'écartait.

« Tu es pire qu'un salaud », fit-elle. Elle le pensait. « Voilà maintenant que tu vas t'en aller et me plaquer encore une fois.

— Il faut bien, non ? Tu es mariée.

— Oh, Seigneur. Quelle ordure ! » Elle essaya encore une fois de se redresser. Il s'empressa de la repousser et l'embrassa violemment, la forçant à réagir. « Ne t'avise pas de bouger, dit-il. Surtout pas. Et ne dis pas non. »

Il se mit à lui ôter son T-shirt et elle vit qu'il avait les yeux sombres et le regard un peu fou.

C'était comme autrefois. Quand il avait envie d'elle, il la prenait. Peu importait où ils étaient. Son cœur se mit à battre. Et une grande faiblesse se répandit dans ses membres. Elle se dit : J'ai trop bu. Je me suis fourrée dans un joli pétrin. Ce n'est plus autrefois, c'est aujourd'hui, je suis mariée à Harold et je l'aime. Tout en elle criait cela. Elle devrait s'arrêter, mais elle savait qu'elle ne le pourrait pas parce qu'elle n'en avait pas envie. Au cours du déjeuner elle avait tout d'un coup voulu plus que bavarder. Elle avait voulu la force et la virilité du corps de Jimmy lui faisant l'amour, l'impression de sécurité qu'elle ressentirait, elle le savait dès l'instant qu'il l'aurait pénétrée. Elle l'avait toujours éprouvé. Tant pis pour après. Elle avait envie de lui.

La main de James était de nouveau sur son sein. Elle la pressa contre elle, sentant la chaleur qui se déversait dans tout son corps, et c'était sa main à elle qui disait oui.

Elle accepta de nouveau sa bouche et quand elle sentit son poids qui pesait sur elle, elle noua les bras autour de son cou en lui embrassant le visage et les cheveux. Rien n'existait que l'envie qu'elle avait de lui. Elle sentit son sexe long et dur contre elle, une main qui se glissait entre ses cuisses. Elle s'acharna aveuglément sur sa ceinture à lui. Elle ne pensait qu'à le sentir totalement en elle.

Plus tard, il aurait le temps d'aller plus doucement, elle pourrait lui faire l'amour. Toutes les choses merveilleuses et tendres qu'une femme pouvait faire à un homme. Ils auraient le temps de se baigner ensemble et de faire de nouveau l'amour sur le sable. Ils pourraient faire l'amour toute la soirée, toute la nuit s'ils en avaient envie. Elle trouverait une excuse pour Missy et pour Samuel. Harold était en voyage et il n'avait pas besoin de rentrer à Washington si elle n'en avait pas envie. Ce moment-là, elle se le devait. Pour le passé et le présent aussi.

17

Juste trois jours plus tard M. J. Lindley reçut une enveloppe postée de façon anonyme et contenant une douzaine de clichés. Elle s'y connaissait pas mal en photographie. Elle avait un bon appareil et prenait d'excellentes photos de ses amis et de sa famille. Après avoir examiné quelques minutes les clichés, elle les plaça avec soin côte à côte sur la table de la salle à manger. C'étaient des tirages 21 × 27 sur papier brillant, les photos étaient très nettes, le moindre détail était distinct. C'était extraordinaire, songea-t-elle, si l'on pensait qu'on avait dû utiliser un téléobjectif de 500 mm. Certaines avaient été prises à travers une fenêtre dans une chambre à demi obscure et sans doute d'un arbre ou d'une autre maison. Le photographe avait dû utiliser du film ultra-rapide.

Elle était sans réaction. Lorsqu'elle avait ouvert l'enveloppe, elle avait d'abord été si surprise de voir ce que c'était qu'elle avait cru que c'était de la pornographie qu'on lui envoyait par erreur. Il lui avait fallu une demi-minute pour se rendre compte que l'homme était Adrian James et ensuite ce fut un tel choc que, bien qu'elle reconnût aussitôt Alexis Volker, elle n'arrivait pas à mettre un nom sur son visage familier.

Ce qu'il y avait de vraiment terrible avec ce genre de photos, se dit-elle, c'était qu'on ne pouvait pas supporter de les regarder et qu'on ne pouvait pas s'en empêcher. Il n'y avait aucun doute sur la date à laquelle elles avaient été prises. Il y avait une photo d'Adrian et d'Alexis devant la voiture de ce dernier pour gagner une charmante vieille maison de campagne. On pouvait clairement lire la plaque minéralogique : elle était de cette année.

Comme les arbres avaient plein de feuilles et qu'Alexis portait une jupe d'été et un T-shirt disant « J'aime les baleines », ce devait être cet été. Cinq des photos avaient été prises dans la chambre et sept sur une petite plage.

Qui était le photographe ? Pourquoi lui avait-on envoyé ces clichés ? Elle avait du mal à respirer. Ce n'était pas tant l'infidélité en elle-même, l'intimité du sexe. C'était l'expression d'évidente extase de leurs visages.

Elle remit les photos dans leur enveloppe. Dans quelques minutes il allait arriver. Elle l'avait appelé tout de suite à son atelier pour lui dire qu'elle avait besoin de le voir, que c'était urgent. Rien de plus. Il avait dit qu'il venait tout de suite. Elle essaya de réfléchir à ce qu'elle allait dire. Elle en était incapable. Elle n'arrivait même pas à penser à ce qu'elle éprouvait. Et pourtant c'était important de reconnaître ses vrais sentiments, de ne pas s'en tenir à des faux-semblants. L'infidélité sexuelle n'était-elle pas pratiquée par presque tout le monde ? Si elle était blessée, était-ce à cause de la personne avec qui il lui était infidèle ? Les photos disaient-elles qu'Alexis avait encore dans la vie d'Adrian la priorité affective ? Elle n'arrivait pas à trouver de réponse. Surtout sur une des photos ils étaient en train de se livrer à une pratique qu'elle avait toujours cru partager exclusivement avec lui. Et voilà que ses illusions maintenant étaient détruites.

Elle avait l'estomac noué. Elle savait qu'elle devrait essayer de se concentrer sur la raison pour laquelle on avait pris les photos et pour laquelle on les lui avait envoyées. Mais elle n'y parvenait pas. Ce que représentaient les photos dominait tout le reste.

Elle entendit la clé d'Adrian tourner dans la serrure. La porte s'ouvrit et se referma, puis ses pas retentirent dans l'entrée.

« Chérie ! »

Il entra dans le salon, appela encore, puis monta les escaliers en courant. Elle l'entendit marcher au-dessus de sa tête, elle perçut sa voix étouffée. Il redescendit, entra dans la cuisine.

« M. J. ! Où es-tu ? »

Il fit irruption dans la salle à manger, et s'arrêta net, surpris de la trouver là.

« Oh, te voilà. Qu'est-ce qui se passe ? Je suis venu aussi vite que j'ai pu. » Comme elle ne parlait pas, l'inquiétude le gagna. « Qu'est-ce qui se passe ? M. J. ? Dis donc ! Ça ne va pas ? »

Elle s'était mise à pleurer. Elle ne pouvait pas s'en empêcher.

Elle sentait les larmes s'amasser en silence et lui brûler les yeux. Elle avait leur goût salé sur ses lèvres. Et elle se sentait petite et boulotte. Alexis, elle, était mince et belle. Ce n'était pas son cas.

« Je t'en prie, parle-moi. C'est un des enfants ? »

Elle lui tendit l'enveloppe et attendit.

« Qu'est-ce que c'est ? » Il la regarda sans rien dire, l'ouvrit et jeta un coup d'œil au contenu. Comme il n'arrivait pas à les voir, d'un geste impatient il arracha les photos en jetant l'enveloppe sur la table.

Il les regarda l'une après l'autre. En silence. Un silence qui semblait ne jamais finir. Le seul bruit qu'on entendît, ce fut à un moment où elle renifla un peu fort, ce qui la rendit furieuse. Elle se conduisait comme une enfant. Son corps tremblait sous l'effort pour ne pas s'effondrer complètement. Elle n'arrivait pas à s'efforcer de le regarder.

Lorsqu'il finit par parler, sa voix vibrait de colère et de peur. « Qui t'a envoyé ça ? »

Elle ne répondit pas.

Un fauteuil grinça sur le parquet. Il remit les photos dans l'enveloppe.

« Je suis désolé, dit-il. Crois-moi, je suis désespérément et profondément désolé. » Au bout d'un moment il ajouta : « Oh, mon Dieu, comme ce doit être affreux pour toi. » Et puis il reprit : « Qui les a envoyées ? Tu ne sais pas ? Les salauds ! »

Elle retrouva sa voix, surprise de son assurance glacée. « Comment veux-tu que je le sache ? Celui qui les a prises, j'imagine. Quand était-ce ? Le week-end dernier, quand tu étais à New York ?

— Quelque chose comme ça. »

Elle se mit à rire. « J'aime les baleines », fit-elle. Et son rire redoubla. Ça faisait du bien, ça détendait.

Il se leva d'un bond et l'empoigna par les épaules. « M. J., écoute ! Ça a été plus fort que nous. Nous avons trop bu et voilà, c'est arrivé. »

Elle se dégagea avec violence et tout d'un coup elle se retrouva en train de hurler : « Lâche-moi. Ne me touche pas. » Ça faisait du bien aussi de crier, de laisser tout ça sortir. Elle continua. « Espèce de salaud. Ne t'avise pas de me toucher.

— M. J. Ça ne veut rien dire. Ça ne recommencera pas. Je te le promets. »

Elle prit l'enveloppe et passa dans le salon de l'autre côté du vestibule. Il la suivit. Elle lança, ayant brusquement retrouvé son calme : « Jimmy, je me moque éperdument que ça recommence ou pas. »

Elle se versa un whisky bien tassé. Ça le mit en colère. Mais il essaya de ne pas perdre patience. « Ecoute, je sais que tu es blessée, c'est normal tu dois me haïr. D'accord. Mais il faut que nous parlions de ça. Qui a pris ces photos et pourquoi ? Pourquoi te les a-t-on envoyées ? Ça pourrait créer des tas de problèmes. »

Elle haussa les épaules et lui tourna le dos.

« M. J., je t'en prie, ne me fais pas la tête. Il faut qu'on parle. »

La fureur revint, violente, mais maîtrisée. Il avait raison. Il y avait quelque part de graves problèmes. Mais ça n'avait pas d'importance. Ce qui comptait, c'était lui et elle aussi. Elle s'entendit lancer : « Je te demande simplement une chose. Fais ta valise. Tout de suite. Je veux que tu sois parti d'ici avant que mes enfants rentrent de leur cours de gym. »

James perdit patience. Il la saisit par le bras et l'obligea à se tourner vers lui. « Ecoute, espèce d'idiote. Oublie toutes ces conneries. Laisse-moi t'expliquer tout d'abord pourquoi je suis allé la voir. Ce n'est pas moi qui en ai eu l'idée. J'y suis allé parce qu'il le fallait. A cause de toi. C'est la seule raison.

— Oh, je t'en prie, fit-elle en se remettant à rire. A cause de moi ? »

Mais quelque chose dans le ton de sa voix la fit s'interrompre et le regarder enfin. Il avait le regard affolé. « C'est vrai, dit-il. Le F.B.I. est venu me trouver et m'a dit de recommencer à la voir. Tu crois que je suis fou ? Après ce que ça m'a coûté de la quitter ? »

M. J. éprouva soudain une accablante lassitude. Ce devait être un mensonge et, dans une certaine mesure, c'était pire que les photos. « Jimmy, tu n'as pas besoin d'inventer des histoires.

— Je n'invente rien du tout. Ils m'ont dit que si je ne le faisais pas, ils prendraient des mesures contre toi à cause de la cocaïne. Ils ont dit que Lindley serait le premier à le savoir. »

M. J. se rassit lentement. C'était la vérité. Personne n'inventerait ça. Elle s'était imaginée que rien ne pouvait être pire que les photos. Et ce n'était pas vrai. La pièce s'immobilisa. Adrian James était figé devant elle. Elle entendait son propre cœur qui battait. Elle entendit Adrian dire : « Quelqu'un a dû parler. »

Et enfin sa voix à elle. Elle posa la question tout haut. Un seul mot. « Qui ?

— Je ne sais pas. Peut-être le type qui te fournit la came ? »

Peut-être. Mais qu'est-ce que ça changeait ? Ses pensées se précipitaient. Elle imaginait des scènes. On sonnait à la porte. La police. Elle était arrêtée. Les photographes. Un tribunal. Un juge. Lindley reprenait les enfants. Les barreaux d'une cellule. Arrêtée pour usage de stupéfiant quand tout le monde à Washington en prenait. Ce n'était pas juste. Mais c'était comme ça.

Elle l'entendit prononcer son nom. De très loin. Elle ne répondit pas. Elle pensa à l'Orégon et à la maison de sa famille à côté de Portland. La police aurait du mal à la faire revenir de là-bas. Mais elle devait se montrer prudente. Elle ne pouvait confier à personne qu'elle partait. Combien de temps lui faudrait-il pour se préparer ? Un jour ? Deux jours ?

« Je m'en vais essayer de me tirer de là, M. J. Franchement. Je m'en vais leur dire que ça ne marche tout simplement pas.

— Ça ne change rien, Jimmy. C'est fait. Je ne veux pas participer à ça. Tu croyais que j'allais le faire ? Ça n'est pas seulement à cause de toi et d'Alexis. Il n'y a pas que ça. C'est ce que tu as fait de ma vie. Un jour, il y a tout ça, la maison, les enfants. Nous. Peut-être le mariage, je ne sais pas. Et le lendemain ce sont des photos pornos qui arrivent par le courrier, et le F.B.I. et moi qui risque d'être arrêtée pour usage de stupéfiant.

— Mais tu ne comprends donc pas que rien de tout ça n'est de ma faute ? »

Elle se mit à rire. Tout d'un coup, il paraissait ridicule. « C'est peut-être la mienne ? interrogea-t-elle. Non ? »

Le regard d'Adrian se voila. « Je vais faire ma valise », dit-il. Il sortit de la salle à manger et elle l'entendit monter l'escalier.

Combien de temps cela lui prendrait-il ? Il n'avait pas grand-chose ici. Quelques objets de toilette. Des jeans, des chemises, du linge, des chaussettes. Il ne s'était jamais vraiment installé. Ils étaient convenus qu'il n'en ferait rien. C'était son idée à elle. Les gens qui venaient dîner fouinaient toujours partout. Elle ne voulait pas s'afficher en public avec James tant que Lindley et elle n'étaient pas officiellement divorcés. Et puis il y avait les enfants. Elle se demanda brièvement si Lindley prenait de la cocaïne aussi, maintenant qu'il était à la Maison-Blanche. Il en utilisait quand ils étaient encore ensemble. Si c'était le cas, elle n'arriverait jamais à le prouver. Et même si elle y parvenait, on le blanchirait.

L'enveloppe était posée sur le buffet, on aurait presque dit une survivance du passé. C'était la drogue maintenant qui primait tout. La drogue et, d'une façon inattendue, Jimmy qui faisait ses valises et qui partait.

Elle ressentit enfin le premier choc. La peur comme un coup de poignard. Ne vaudrait-il pas mieux, peut-être, qu'ils restent ensemble ? Il avait raison. Il fallait trouver qui avait envoyé les photos. Peut-être qu'à eux deux ils pourraient plus facilement le découvrir.

Elle avait de plus en plus mal. Elle passa dans le vestibule et attendit. Peut-être avait-elle eu la mauvaise réaction. Elle l'aimait, elle devait bien se l'avouer. Et si on aimait quelqu'un, on lui pardonnait. Il était désespérément amoureux d'Alexis lorsqu'il l'avait quittée, voilà quatre ans. La revoir, reprendre leurs relations, ç'avait dû être très dur. Et il était faible, elle l'avait toujours su elle-même. Puis de temps en temps tout le monde pouvait avoir un moment de défaillance. Le vrai coupable, c'était celui qui avait pris les photos. Pourquoi quelqu'un ferait-il quelque chose d'aussi horrible ? Pourquoi ?

Il descendit, le visage crispé, une valise à la main et ce qu'il n'avait pas pu mettre dedans jeté sur un bras. Elle essaya de parler mais n'y parvint pas. Elle le revoyait sur les photos. Avec Alexis.

« J'ai dit que j'étais navré. » Il la dévisagea, le regard inquiet. « C'était vrai. Quand tu voudras me parler, fais-le-moi savoir. » Il resta planté là, à attendre. Elle n'avait qu'à tendre les bras. Il l'emmènerait jusqu'au lit et tout s'arrangerait. D'une façon ou d'une autre, à eux deux, ils se débarrasseraient du F.B.I. et de cette histoire de drogue aussi. D'une façon ou d'une autre.

Elle était incapable de faire un mouvement.

« Comme tu voudras, murmura-t-il. Tu m'as à moitié tué, mais c'est ton droit. »

La porte se referma derrière lui. Lorsque, enfin, elle ouvrit les bras, il n'était plus là pour le voir.

Elle s'assit sur une chaise du vestibule et de nouveau éclata en sanglots. Au bout d'un moment elle revint dans le salon, et reprit l'enveloppe de photos. Elle l'emporta dans la cuisine, prit dans un tiroir une paire de gros ciseaux et, très méthodiquement, se mit à découper l'enveloppe et les clichés en tout petits morceaux, qu'elle jeta par poignées dans le vide-ordures.

Il y avait quand même demain. Elle trouverait un moyen de lui faire comprendre que tout était bien.

18

Le jour tombait lentement. Adrian James était assis devant les baies coulissantes qui donnaient sur le jardin de son atelier. Par-delà le paysage symétrique à la japonaise, le mur de brique gris clair de l'entrepôt n'était plus maintenant qu'une tache d'ombre.

Il ne voyait rien de tout cela. Son verre vide se réchauffait peu à peu dans sa main. Ce qu'il voyait, c'était Alexis et lui, nus et brutalement révélés dans le tourbillon de leur étreinte, leurs deux corps pâles, gauches et obscènes, l'opposé de tout ce qu'ils ressentaient. Comment avait-il pu être assez stupide pour laisser cela se produire ? Et qui les avait observés ? Quel triste anonyme avait en ricanant déclenché encore encore et encore l'obturateur d'un appareil photo. Et pourquoi ? Pourquoi prendre des photographies ? Pourquoi les envoyer à M. J. ? En enverrait-on de nouvelles à quelqu'un d'autre ? Et quand ?

Une fois de plus dans sa tête repassa une interminable liste de ses amis et des amis de M. J., en essayant de deviner qui pouvait être un ennemi. Une fois de plus, il n'arriva nulle part. Ce devait être quelqu'un lié à Alexis. Mais là encore, pourquoi faire intervenir M. J. ? Il tournait en rond. Il se retrouva à la case départ.

Il se leva pour ajouter de la glace dans son verre et de la vodka. Ce matin, M. J., tout cela lui semblait vieux d'un siècle. La rage qui l'avait saisi et son accablement, sa stupéfaction à lui et son sentiment de culpabilité. Est-ce que ç'aurait pu être Lindley ? Un détective privé ? Cherchant des preuves pour un procès en garde d'enfants ? Si c'était cela, Lindley avait-il pour lui Sandy ? Ça pouvait être encore pire pour lui, pour Alexis, pour tout le monde.

L'atelier était maintenant presque plongé dans l'obscurité. Il alluma une lampe et frissonna. Peut-être qu'en ce moment même quelqu'un le guettait. Les ombres du jardin là-bas. Il tira les rideaux, mit en marche la chaîne stéréo. De tous les coins de l'atelier se répandit le murmure des *Quatre Saisons* de Vivaldi.

Il devait se ressaisir. Toute la journée il avait remis le moment d'appeler Alexis, mais il fallait la prévenir. Tout de suite. Lui avait-on envoyé des photos aussi ? Elle l'aurait appelé. Et Volker ? S'il recevait les tirages lorsqu'il serait rentré du Portugal. Il fallait prévenir aussi Farr. Dès ce soir. Il redoutait cette perspective, mais il fallait le faire. Tout de suite.

Il se dirigea vers le téléphone, décrocha le combiné, hésita. Peut-être devrait-il appeler d'abord M. J. Les photos étaient trop graves pour qu'ils puissent se permettre de se disputer. Ils devaient faire front tous les deux, réfléchir. Mais il fallait bien calculer l'instant où il l'appellerait. Elle avait besoin d'un moment pour reconsidérer sérieusement la situation, mais pas trop longtemps. S'il attendait trop longtemps, elle lui en voudrait de ne pas avoir appelé plus tôt. S'il le faisait trop tôt, elle aurait encore l'impression qu'elle devait se draper dans son orgueil blessé.

Il hésita encore. Non. Allons, il fallait bien le faire. Maintenant.

Il se mit à composer le numéro. Là-dessus on sonna à la porte. Une fois, deux fois.

Ce bruit le secoua. Il n'attendait personne. Qui était-ce ?

Il se reprit. Ce pouvait être un paquet, une livraison qu'il avait oubliée, un voisin, n'importe quoi. Il alla jusqu'à l'interphone près de la porte d'entrée et demanda qui était là. Pas de réponse. Il y avait deux appartements au-dessus de lui. Quelqu'un avait dû sonner chez lui par erreur.

La sonnette retentit de nouveau. Il traversa l'entrée de l'immeuble, la moquette étouffant le bruit de ses pas, alla jusqu'à la porte de la rue et regarda par le judas. Il ne voyait personne. Il cria : « Qui est-ce ? » Pas de réponse. Il ouvrit la porte toute grande. Devant lui il n'y avait que les marches du perron et plus loin la rue déserte. Sa peur se dissipa d'un coup. Il rit, soulagé. Ils avaient renoncé, ils étaient partis. Ou bien ils s'étaient aperçus que ce n'était pas le bon immeuble. Il essaya la porte pour s'assurer que le verrou était bien mis et regagna son atelier, refermant à clé la porte derrière lui et augmentant un peu le volume de la stéréo.

Lorsque, en se retournant, il vit les deux hommes plantés auprès de son chevalet, la stupéfaction qu'il éprouva à les voir là lui arracha un cri. Ils étaient nu-tête, vêtus de costumes d'été clairs tout à fait banals. L'un avait les cheveux gris. L'autre, plus jeune et plus trapu avait une calvitie naissante. Ils avaient dû passer par le jardin. C'était la seule voie d'accès. Ils avaient détourné son attention en sonnant et s'étaient coulés par l'étroite venelle qui flanquait l'immeuble pour sauter le mur du jardin. Il comprit tout de suite qu'il était dans un sérieux pétrin. Les deux hommes portaient des gants.

Il retrouva sa voix. « Qu'est-ce que vous voulez ? » En même temps il se demandait ce qui pourrait lui servir d'arme. Il y avait bien un pique-feu près de la cheminée, mais le plus jeune des deux était planté à côté. Sous l'avancée du toit en pente se trouvait la kitchenette et un râtelier à couteaux. Mieux encore, il y avait un couperet glissé dans la fente d'une planche à découper. S'il pouvait arriver jusque-là et gagner l'escalier, il y avait un téléphone auprès de son lit. Ce fut alors qu'il vit le revolver, son cylindre rond apparaissant au-dessus des doigts gantés du plus âgé des deux hommes, dont le poing serrait la crosse. Un tube d'acier foncé prolongeait le canon : ce devait être un silencieux.

Il parvint à parler de nouveau. « Voyons, que voulez-vous ? Qui êtes-vous ? » Pas de réponse. Il essaya de prendre un ton dégagé et raisonnable. « Allons, servez-vous. L'argenterie est là-bas, mais elle n'a pas grande valeur. Il y a la chaîne stéréo, je n'ai pas la télévision. » Il tira son portefeuille de sa poche revolver et le lança sur le canapé.

Le plus jeune des deux s'approcha, le prit et en examina le contenu.

« Soixante-quinze dollars, annonça James. C'est tout. Désolé. Et je frôle mon plafond sur ma carte de crédit. »

Le jeune tendit sans un mot le portefeuille à son compagnon plus âgé qui l'ouvrit, jeta un coup d'œil aux diverses cartes de crédit et pour la première fois prit la parole. « Votre nom ?

— James. Adrian James. »

L'homme acquiesça de la tête, et de son revolver désigna le bureau. « Asseyez-vous, je vous prie. » Il avait une voix sans timbre, difficile à situer. Son teint plombé était presque assorti à ses cheveux grisonnants. Pour la première fois James remarqua sa cravate. Elle était de la même couleur. Il transpirait. Les gouttes de sueur perlaient sur son front.

« Bien sûr. Vous ne pouvez pas me dire ce que vous voulez ? »

De nouveau le revolver désigna le bureau.

James s'assit. Les deux hommes vinrent se planter juste derrière lui, un de chaque côté.

Le plus âgé des deux dit : « Vous allez écrire une lettre.

— A qui ? Pour quoi faire ? » Il avait des picotements dans la nuque comme s'il avait l'impression qu'on allait l'assommer. Il se pencha en avant.

« Ecrivez simplement ce que nous allons vous dire. Prenez du papier. »

James prit une feuille dans une petite niche au-dessus du bureau.

« Un stylo. »

Il trouva un stylo à bille dans son plateau à crayons. L'aîné des deux hommes tira de sa poche un petit carnet, l'ouvrit et s'apprêta à lire.

« Vous allez écrire le texte suivant : “ Ma chérie. ” Allez-y. Ecrivez. » James obéit. « J'aimerais quand même bien que vous m'expliquiez à quoi tout ça rime.

— “ Ma chérie. Je suis profondément désolé de ce que j'ai fait mais je ne pouvais pas faire autrement. ” »

Il attendit. James écrivit. L'homme reprit :

« “ Je t'en prie essaie de me pardonner. Embrasse les enfants et prend soin de toi. Je t'aime, Jimmy. ” »

James finit d'écrire et attendit de nouveau.

« Une enveloppe. »

Il en trouva une.

« Ecrivez dessus : “ Pour M. J. Lindley. ”

— C'est tout ?

— Juste ça. Maintenant mettez la lettre dedans. »

Une fois de plus il obéit.

« Et maintenant, levez-vous, je vous prie. » Il essaya de parler mais il n'y parvint pas. Une sourde terreur commençait à monter en lui, étouffant tous les bruits. Il fit ce qu'on lui disait, les jambes si faibles qu'il ne croyait pas pouvoir y arriver.

« Vos mains derrière le dos. »

Du coin de l'œil, il vit le jeune homme tirer de sa poche un foulard et s'avancer derrière lui. Il sentit que des mains expertes nouaient le tissu autour de ses poignets et serraient.

« Maintenant montez, ordonna le plus âgé des deux. N'appelez pas. Pas de bêtise. Je n'ai pas envie d'être obligé de vous abattre. »

Le revolver surgit tout près de son visage, le silencieux appuyé contre sa joue, le forçant à tourner la tête. Il pivota, sentit quelque chose qui s'enfonçait dans son dos. Etait-ce le même revolver ? Ou un autre ?

« Avancez. »

Il se dirigea vers l'escalier et se mit à monter les marches vers la loggia. L'escalier en spirale était abrupt et il avait du mal à avancer avec les mains derrière le dos. Il trébuchait. Des mains le retenaient avec fermeté, le poussant vers le haut. Ils allaient le laisser là pendant qu'ils s'enfuiraient. Il n'arriverait pas à descendre tout seul, pas ligoté comme il était.

Lorsqu'il arriva en haut, le plus âgé des deux remit le revolver à son cadet. Il montra à James un mouchoir plié. « Je m'en vais vous bâillonner. Nous ne pouvons pas vous laisser appeler. Vous comprenez ? »

Il n'eut même pas l'occasion de hocher la tête. Le revolver était plaqué contre sa nuque. « C'est un petit peu inconfortable. Ne résistez pas. Ce serait encore pire. » Ce devait être juste un cambriolage. Il se cramponna à cette idée. Ça ne pouvait pas être plus que cela. De simples voleurs. Mais pourquoi la lettre à M. J. ? Il était incapable de penser plus loin. La terreur était comme une barrière silencieuse.

« Ouvrez la bouche. » Le tissu sec du mouchoir lui donna un haut-le-cœur. Il essaya de se dégager et pour la première fois il comprit qu'ils pouvaient faire ce qu'ils voulaient de lui. Une main plongea entre ses jambes, lui empoignant les testicules. L'autre pressa un nerf juste sous sa mâchoire. La douleur l'engourdit. On le souleva sur la pointe des pieds.

La voix du plus âgé des deux hommes était sèche. « Ne vous débattez pas. »

Il s'efforça de garder son équilibre, sans bouger. On lui passa un foulard devant le visage pour maintenir le mouchoir en place dans sa bouche. De nouveau il eut un haut-le-cœur, cria. Le son s'étouffa avant même de parvenir à ses lèvres. On lui tirait sur les chevilles. Il baissa les yeux. Le plus jeune était en train de lui lier les pieds ensemble. Si seulement ils pouvaient l'allonger sur le lit, le laisser se reposer.

Maintenant c'était la nausée qui le prenait. En vagues brûlantes. Il avait envie de vomir. Puis quelque chose de léger et d'étroit vint lui entourer la tête, s'arrêtant sur ses épaules. Des mains le firent tourner pour qu'il se trouve face à la balustrade de la loggia. Et il vit la cordelette de nylon. Le plus jeune n'avait pas été assez rapide, le temps d'en fixer une extrémité au radiateur du coin.

Il vit et en même temps il comprit. L'affolement le prit, la violence de la panique. Il se mit à sauter, à ruer et à s'agiter en tous sens. Il fallait se libérer. Il fallait.

Des bras l'immobilisèrent.

« Fais vite. » C'était comme un sifflement. La voix du plus âgé.

« Seigneur Dieu, non, non. » Il se débattit, tomba, l'homme aux cheveux gris s'abattant sur lui. « Non, non, non. »

Il entendit les hurlements, comme des cris de bête déformés par le bâillon. Il avait un voile noir devant les yeux.

Les hurlements continuèrent.

Soudain il y eut deux visages tout près du sien, le jeune en avait fini avec la corde.

« Ses jambes. Vite. »

Un visage disparut. Celui du plus âgé. Il sentit ses jambes se dérober sous lui, puis remonter, tout son corps se soulever. Et sembler basculer par-dessus la balustrade. Il vit le plancher de l'atelier sous lui, le divan et la toile sur le chevalet.

Tout cela sauta vers lui. Il sentit un choc terrible sur son cou, puis ce fut le noir.

19

Ce fut une femme de ménage qui découvrit son corps le lendemain matin, pendu par le cou à la balustrade de la loggia où se trouvait la chambre, les pieds à quelques centimètres au-dessus du sol. La mort avait été instantanée. La seconde et la troisième vertèbres cervicales étaient brisées, l'atlas à moitié arraché du crâne. Et, par-dessus le marché, la cordelette de nylon avait profondément entamé la chair, broyant le larynx et enfonçant en même temps la trachée et la carotide.

Les mains pendaient mollement le long des cuisses, le visage avait bleui, la langue saillait. Une flaque de sang, d'urine et de matières fécales s'étalait sur le parquet ciré de l'atelier, et séchait lentement.

La Brigade criminelle de la Police métropolitaine prit l'affaire en main. Des spécialistes de la médecine légale s'affairèrent. On photographia tout. Bien qu'il n'y eût aucun signe d'effraction, aucune trace de lutte et bien qu'on acceptât aussitôt le suicide comme explication du décès de James, par habitude on releva toutes les empreintes qui pouvaient se trouver dans l'atelier. La lettre adressée à M. J. Lindley fut vite découverte là où on l'avait laissée, sur le bureau de James. La jeune femme fut interrogée le jour même et ensuite, jusqu'à l'enterrement, fut placée sous surveillance médicale. Le coroner s'empressa de publier un communiqué précisant que le défunt s'était suicidé dans une crise de dépression nerveuse.

La police procéda aussi à un bref interrogatoire d'Alexis Volker, la femme du Secrétaire d'Etat. Lorsqu'elle n'était encore qu'Alexis Sobieski, elle avait jadis pratiquement vécu avec le disparu et on l'avait vue en sa compagnie lors du précédent week-end. Elle n'annula aucun rendez-vous officiel et dîna le lendemain soir à la Maison-Blanche. Son secrétariat personnel publia un communiqué déclarant qu'elle était profondément peinée par cette tragédie. Rien de plus. Le week-end suivant, elle assista à la représentation d'une pièce de Tennessee Williams au centre Kennedy en compagnie d'amis du Département d'Etat et se rendit ensuite à une soirée donnée en l'honneur de l'auteur.

Tels étaient les principaux renseignements recueillis par Susan Farr d'après le *Washington Post* et le *New York Times.* Des coupures des deux journaux étaient étalées sur la table basse et la moquette de son salon. Ça n'était pas grand-chose. James n'était pas connu du public, il y a chaque semaine des suicides par dizaines dans les grandes villes d'Amérique et ses relations avec Alexis étaient trop obscures pour mériter un grand article. Susan avait parcouru aussi un exemplaire du rapport du coroner que son mari avait rapporté à la maison.

La soirée était déjà bien avancée, elle avait lu tout cela en rentrant de son travail, laissant son mari préparer le dîner : depuis lors, elle s'était contentée de rester assise en essayant de le soulager de ses angoisses et du sentiment de culpabilité que de toute évidence il éprouvait. Elle se demandait si personne jamais au F.B.I. voyait ce côté-là de lui. Elle en doutait. Cela faisait deux heures qu'il arpentait le living-room. Comme un animal en cage, bouillonnant de frustration.

David Farr n'acceptait pas la version du suicide de James. Il déclara tout net à Susan qu'Adrian James avait été assassiné. « On l'a ligoté, bâillonné, on lui a passé la corde au cou, dit-il, puis on l'a fait basculer depuis la loggia. Ils ont dû utiliser des foulards pour l'attacher. Des foulards en soie sans doute, pour qu'il n'y ait pas de marque. Et comme bâillon un tissu qui ne laisse pas d'effilochures qui nous permettraient de l'identifier.

— Mais il n'y a pas eu lutte.

— C'est l'histoire du lapin et du serpent, répliqua Farr. Dès l'instant où ils sont entrés, il a été comme hypnotisé. »

Susan était bouleversée par l'horreur de la chose, et pourtant comme médecin elle avait l'habitude de la mort violente.

« Tu veux du café, David ?

— Non, merci. Je n'arriverais jamais à dormir.

— Tu veux boire quelque chose ? »

Il interrompit ses allées et venues pour jeter un coup d'œil à sa montre. Tout juste minuit passé. Il eut un sourire amer. « Il est trop tôt dans la journée.

— Bon, alors un verre de lait, et ne dis pas non.

— D'accord. »

Elle passa dans la cuisine et lui versa un grand verre de lait en se disant qu'elle avait de la chance de l'avoir. C'était un homme qui se donnait à ce qu'il faisait ; quand il s'engageait, c'était à fond, sans réserve aucune. Il n'y en avait pas beaucoup comme ça. Elle lui apporta le lait et resta plantée près de lui pendant qu'il le buvait, en lui massant doucement le dos d'une main. Il était si grand, songea-t-elle. Elle ne lui arrivait qu'à l'épaule. Elle se demandait toujours comment un homme comme lui, dans la passion aveugle de l'amour, ne semblait jamais perdre son contrôle et faire mal à une femme avec son poids et sa force. Elle aurait bien aimé qu'il lui fasse l'amour ce soir, ça ne leur était pas arrivé depuis des semaines maintenant, mais elle savait qu'il n'en ferait rien. Il était encore trop plongé dans l'affaire Volker. Elle devait prendre garde à la façon dont elle le maniait et ne pas ajouter à son angoisse.

« Merci, dit-il. C'était bon. » Il lui rendit le verre et se laissa tomber sur le canapé, les bras autour des genoux, la tête reposant sur ses mains nouées. Susan devinait qu'une partie de sa tension commençait à se dissiper. Elle resta tout près de lui pour lui masser la nuque.

« David, je comprends quel coup ça t'a fait, mais il faut que tu cesses.

— Comment veux-tu ? C'est moi qui ai lancé ce pauvre type là-dedans.

— Rectification. Si j'ai bien lu les journaux, c'était un homme dont le style de vie de toute façon le conduisait droit à la catastrophe. Tu n'as été que l'instrument. As-tu parlé à Fein ?

— Je pense bien. Ça l'a fichtrement secoué.

— A son avis, qui a fait le coup ?

— Il a la même idée que moi.

— Tu es sûr ?

— Non. Mais il faut bien supposer que c'est le K.G.B., non ? Pour des questions de sécurité. Nous devons le supposer tout comme nous devons supposer que, d'une façon ou d'une autre, ils ont fait le rapprochement entre James et moi et qu'ils étaient sûrs que tôt ou tard il risquait de me passer des renseignements qu'ils ne veulent pas que je connaisse.

— Par exemple, des preuves pour appuyer le mémorandum ?

— Ça se pourrait. » Il secoua la tête. « Avec cette histoire, ça a de moins en moins l'air d'une blague, tu ne trouves pas ? »

Susan frissonna. Elle avait repensé à James. Comment ne pas le faire ? Ligoté, bâillonné, projeté par-dessus la balustrade. S'était-il rendu compte de ce qui se passait ?

Elle entendit son mari qui reprenait :

« J'ai tout foutu en l'air, Susan, et pas seulement Adrian James. J'ai foutu en l'air un tas d'autres choses. Pour commencer, j'ai foutu en l'air la possibilité d'avoir un accès direct à Volker. » Comme elle protestait, il l'arrêta de la main. « Non, c'est vrai. Tu as raison, m'apitoyer sur mes erreurs n'avance à rien, il faut agir. Et tout de suite. Je ne sais pas très bien comment ni dans quelle direction, mais c'est ce qu'il faut que je fasse.

— Tu vas en parler au directeur ?

— A Dieu ? » dit Farr en riant. Le directeur n'avait qu'une formation au niveau du maintien de l'ordre. Ses seules qualifications pour le poste qu'il occupait, c'étaient des relations personnelles avec la Maison-Blanche et des amis influents à la Commission sénatoriale qui avait approuvé sa nomination. Il dépendait totalement des professionnels du Bureau pour l'empêcher de se ridiculiser et bien peu d'entre eux le respectaient. « Il va bien falloir, non ? reprit Farr. Entre autres choses, il faut penser à Alexis Volker. Imagine qu'ils décident que j'ai un contact avec elle aussi.

— Ils n'oseraient pas, fit Susan en ouvrant de grands yeux.

— Tu crois ça ? fit-il avec une grimace cynique. Un " suicide " pour James. Que dirais-tu d'un " accident de voiture " pour elle ? » Il se leva. « Je vais me coucher. Tu viens ? » Elle lui donna un baiser rapide. « J'ai envie de regarder la télé : on repasse un vieux film. »

Il eut un regard soucieux. « Tu n'opères pas demain matin ?

— Si, une tumeur au cerveau à la base du lobe droit. Une femme. Oh, ça ira. Je travaille mieux les yeux fermés. »

Il éclata de rire et sortit. Susan se sentait déprimée. Elle aurait voulu parler encore. Il restait tant de questions sans réponse. Comment le K.G.B., s'il était vraiment dans le coup, avait-il fait le rapprochement entre James et le F.B.I., par exemple ? James avait-il parlé à quelqu'un alors qu'il n'aurait pas dû ? Mais elle connaissait assez bien David Farr pour ne pas pousser plus avant. Il ne voulait plus parler. Quand il en aurait envie, il lui dirait.

Elle se sentait très lasse et elle espérait qu'il s'endormirait vite pour qu'elle puisse aller se coucher aussi. Elle n'avait veillé que pour l'aider à se détendre.

Elle alluma la télévision, se pelotonna sur le canapé et essaya de ne plus penser à James et de se concentrer sur le film. Ça n'était pas facile. Malgré la chaleur de la nuit, elle frissonnait et elle serra les mains autour de ses épaules nues. Quelque chose qui avait commencé de façon si nébuleuse était soudain devenu très réel et très horrible. Elle avait la vague impression que ça allait devenir encore pire.

20

A huit heures ce matin-là, David Farr se rendit dans le centre de Washington. Mais au lieu d'aller jusqu'au Hoover Building, il s'arrêta au West Executive Office Building, qui jadis abritait le Département d'Etat. Il montra son laissez-passer à l'entrée et attendit patiemment pendant qu'on le vérifiait sur un ordinateur.

Le garde désigna une longue file de voitures garées contre le trottoir. « Vous trouverez une place environ à mi-chemin, monsieur.

— Merci. »

La barrière se souleva. Farr entra, se gara et se présenta à la porte Est du bâtiment principal. Il montra de nouveau son laissez-passer et attendit le temps d'une nouvelle vérification avant d'entrer. Il avait rendez-vous au premier étage et il avait cinq minutes d'avance. Il traversa une des cours du bâtiment, gravit un large escalier de marbre et s'engagea dans un long couloir très haut de plafond. L'architecture était un des plus beaux exemples du style victorien de Washington. Ça ne manquait pas d'allure, se dit Farr : Adrian James avait dû apprécier.

Au bout du couloir, il parvint à une grande porte en chêne massif surmontée d'un linteau de bois sculpté. Il frappa. Pas de réponse. Il ouvrit la porte et pénétra dans ce qui avait été jadis la bibliothèque du Département d'Etat et qui était la pièce où maintenant se réunissait souvent le National Security Council. La salle était relativement petite pour de telles réunions, mais bien proportionnée : on voyait surtout la longue table de conférence au milieu et une double rangée de gradins qui abritaient rayon après rayon des livres magnifiquement reliés.

Farr alla s'asseoir au bout de la table. Quelles décisions avaient dû être prises là, combien d'importants personnages du gouvernement avaient dû grimper sur les marches étroites donnant accès à ces stalles pour aller chercher de la documentation. Perdu dans ses pensées, il ne s'aperçut de la présence de Sandy Muscioni que lorsqu'elle tira le fauteuil près du sien.

« Salut, fit-elle, l'air pressée et essoufflée. Désolée de vous avoir fait attendre. »

Il lui dit bonjour à son tour. « Où vous êtes-vous garée?

— Du côté Est », et elle ajouta en souriant : « J'ai fait quelques virevoltes dans la circulation. A tout hasard. »

Farr acquiesça de la tête. Il ne voulait pas courir le moindre risque qu'on les vît ensemble. Depuis le jour, voilà cinq mois, où il avait pour la première fois simulé des coups de téléphone menaçants à Alexis Volker pour introduire Sandy auprès d'elle, tout contact entre eux s'était fait avec la plus grande prudence. Lorsqu'elle téléphonait pour dire qu'elle voulait le voir, il était entendu qu'ils se garaient à des heures et à des endroits différents. Sandy était censée arriver la première. Pour passer de l'aile Est au bâtiment principal, elle avait dû traverser les jardins de la Maison-Blanche. Il était peu probable qu'un œil ennemi l'eût vue venir le rejoindre.

« Bon, dit-il. De quoi s'agit-il? »

Au téléphone, elle lui avait seulement dit qu'elle avait des renseignements concernant le suicide de James.

Elle resta un moment songeuse, puis elle dit : « Eh bien, l'idée m'est venue que, s'il y avait quelque chose de suspect à propos de la mort de James, je pourrais bien en être la raison. » Elle attendit, soutenant sans sourciller son regard.

Farr réfléchit. C'était déjà une révélation qu'elle lui faisait là. Il reprit avec prudence : « Dites-moi d'abord ce qui vous a paru suspect.

— Il n'était pas du genre à se tuer, voilà. Certainement pas pour Alexis Volker et encore plus certainement pas pour M. J. Lindley. On l'a tué. »

Farr sourit. « J'en conclus donc que vous le connaissiez. Comment est-ce arrivé?

— Quand vous m'avez chargée de cette mission, expliqua-t-elle, la première chose que j'ai faite, ça a été de passer au peigne fin tous les gens qu'Alexis avait connus, du moins durant les cinq dernières années. J'ai fait cela pour deux raisons. Tout d'abord, je voulais avoir une idée complète de sa vie, ensuite, ce qui était plus important, parce que c'était pour ça que vous m'aviez confié cette mission, je voulais voir s'il n'y avait pas quelqu'un à un moment qui s'était trouvé dans sa vie et qui avait réapparu récemment. »

Farr hocha la tête. « Au cas où le K.G.B. aurait fait ce que je voulais faire avec James : de l'infiltration mondaine ?

— Tout juste.

— Et alors ?

— Je n'ai trouvé personne. Quand Alexis a quitté la télévision, elle a vraiment tout quitté. Elle n'a pas revu un seul de ses amis de cette époque. Personne n'est réapparu dans sa vie.

— Ce qui veut dire, si le rapport de Munich est exact et qu'il y a bien quelqu'un sur place, que ce doit être absolument un membre du personnel des services de Sécurité.

— Exactement. Ce qui correspondrait aussi avec la découverte que j'ai faite du micro. Vous en avez sans doute entendu parler. Je l'ai remis au directeur de la Sécurité.

— Il l'a envoyé à notre labo, dit Farr en souriant.

— Mon patron pense que c'est Nasciemento qui a fait le coup.

— C'est votre avis ?

— Je n'ai pas essayé de lui dire qu'il se trompait.

— Se doute-t-il que vous travaillez pour nous ?

— Non, dit-elle en ne souriant pas le moins du monde.

— Bon. Continuez. »

Sandy, songea Farr, parut soudain gênée. Elle reprit : « Ce que je vais vous dire ne va sans doute pas vous plaire. Vous allez trouver cela très peu professionnel. Etant donné les circonstances, ce n'est pas mon avis, parce qu'à l'époque je ne me doutais pas le moins du monde que vous alliez jamais vous servir de James. Pourquoi l'idée m'en serait-elle venue ? Pour ce qui est d'Alexis, il aurait aussi pu être en Chine. » Elle prit une profonde inspiration et continua. « Lorsqu'il m'a raconté que vous l'aviez contacté, ça m'a vraiment flanqué un coup. Ça m'a paru une coïncidence fantastique.

— Ah, dit Farr qui avait enfin compris.

— Je suis navrée. Je n'y voyais franchement rien de mal. Je veux dire : en quoi ça pouvait-il avoir le moindre effet sur mon travail. Il n'avait pas vu Alexis depuis des années. Il était célibataire. Moi aussi et ça collait plutôt bien entre nous deux. »

Farr jura sous cape. Malgré tout, il fallait être juste. C'était vrai, elle n'avait aucune raison de se douter et chacun avait droit à sa vie privée. Même les gens qui faisaient son métier. Le fait qu'elle fût un agent du contre-espionnage ne changeait rien, et surtout pas la nature humaine.

« Bon, fit-il. Ça peut arriver. Ça aurait été mieux si vous m'en aviez parlé tout de suite, mais je comprends pourquoi vous n'en avez pas éprouvé le besoin. En attendant, nous avons dû tous les deux en arriver à la même conclusion et faire le rapprochement entre James et moi. Si c'est le cas, le K.G.B. ne pouvait pas permettre de considérer vos rapports avec lui comme innocents. D'ailleurs, dans notre métier, les gens n'ont pas tendance à voir les choses comme ça. Comme il vous voyait en dehors de chez les Volker, on a dû supposer que peut-être il travaillait pour nous. » Il s'interrompit, l'air soucieux. « Ça ne me plaît pas pour vous, Sandy. »

Elle eut un petit sourire. « Moi non plus, pas beaucoup.

— Il va falloir vous retirer de là. »

Elle secoua la tête. « Non, trop tard.

— Pourquoi ?

— Parce que ça grillerait tous les autres que vous avez mis dans le coup, non ? Je veux dire, me retirer de là maintenant, serait en fait avouer que je travaillais pour vous, alors quiconque me remplacerait deviendrait instantanément suspect. »

Farr savait qu'elle avait raison. Il ajouta : « Pardonnez-moi de vous poser cette question, mais croyez-vous que James ait couché avec Mrs. Volker ? »

Elle réfléchit un moment. « Je ne sais pas. J'aurais tendance à croire que oui. » Elle sourit. « Ça ne fait rien, vous savez, nous n'étions pas si proches. Je ne voudrais pas trop vous choquer avec des attitudes style " libération de la femme ", mais franchement entre nous c'était simplement physique. Rien de plus. »

Farr décida de ne pas faire de commentaires. Il pensa d'abord au monde de mensonges et de demi-mensonges où vivait Sandy, un monde où presque n'importe quoi semblait moral. Puis il pensa à Susan. Avait-elle jamais dit cela à un autre homme à propos de lui ? Il songea à leur vie ensemble, à la tendre compassion et au tact dont elle avait fait montre à propos de sa récente défaillance sexuelle et il eut la certitude qu'elle ne l'avait jamais fait. Il demanda à Sandy : « Quand il vous a parlé de moi, est-ce qu'il semblait perturbé ?

— Je crois que oui. Un peu.

— Il vous a raconté quel genre de persuasion j'ai utilisé ?

— La cocaïne ? Oui. Mais ce n'était pas ça, en fait. C'était un type plutôt cool. Il était surtout perturbé parce qu'il avait peur de revoir Alexis. Il lui a fallu longtemps pour se remettre de leur histoire.

— J'avais toujours cru que c'était lui qui avait tout foutu en l'air.

— Oui. Mais c'était de l'autodéfense. Il était follement amoureux d'elle. Simplement elle était en pleine crise d'identité et il n'a pas pu le supporter.

— Je comprends. Comment a-t-elle réagi à tout cela ?

— En surface, calme. Alexis est quelqu'un de costaud. Mais je crois qu'elle a vraiment été salement touchée. Elle ne m'en a pas parlé, mais ça n'a rien d'extraordinaire. Je crois que la plupart du temps elle s'efforce de garder ses confidences vraiment personnelles pour le docteur Wyndholt.

— Croyez-vous que James lui ait parlé de lui et de vous ?

— Non. Je ne pense pas. » Elle sourit. Mais il y avait un peu de peine dans son regard. « Nous évoluions dans des mondes différents. Je ne pense pas qu'il aurait parlé de moi à personne. »

Autant pour le côté simplement physique, se dit Farr. Ça ne pouvait jamais être ça à cent pour cent. Que ça leur plaise ou non, les gens s'attachaient.

Sandy se leva brusquement. « Je dois retrouver Alexis. Elle veut aller faire des courses. »

Il l'accompagna jusqu'à la porte. « Je ne sais pas ce que vous en pensez, Sandy, mais si j'avais une aventure avec vous, je me baladerais avec un panonceau de trois mètres pour l'annoncer au monde entier. »

Elle leva les yeux vers lui, l'air surpris. « Merci, patron. Ça me fait plaisir.

— Faites attention à vous, dit-il. Vous êtes quelqu'un d'important. » Elle lui posa une main sur le bras et disparut.

Farr attendit quelques minutes pour lui laisser le temps de sortir de l'immeuble pour regagner l'aile Est. Puis il se dirigea vers sa voiture.

21

Il faisait une chaleur épouvantable. La rue de banlieue baignait dans un silence oppressant, les arbres et les buissons racornis par le soleil. M. J. regardait les hommes en sueur transporter le divan jusqu'au camion de déménagement et songea que ce soir elle dormirait pour la dernière fois à Washington, chez une amie. Les enfants étaient là-bas depuis la veille et l'avion qui les emmènerait à Portland décollait à neuf heures et demie du matin.

Elle avait pris sa décision au cours de l'enterrement. Lorsqu'elle avait téléphoné à son père, il lui avait proposé la villa familiale près de Cape Lookout, une grande baraque séparée de la mer par des pins tordus par le vent et qui donnait vers le sud sur la Côte sauvage. Elle avait raconté aux voisins qu'elle s'installait à Arlington et demandé à l'entreprise de déménagement de dire la même chose si on les questionnait. Elle n'avait parlé à personne d'autre. Si Arthur Lindley apprenait qu'elle s'en allait si loin, il pourrait essayer de l'empêcher d'emmener les enfants. Par contre, étant donné sa situation, elle ne pensait pas qu'il ferait quelque chose une fois qu'elle serait là-bas.

Adrian James était mort depuis moins de dix jours. Elle se sentait loin de tout ce qui s'était passé. Elle se demandait parfois pourquoi elle n'avait pas plus de chagrin. A l'enterrement, un déclic s'était déclenché en elle. Le sombre désespoir qu'elle avait connu quand on lui avait annoncé qu'il était mort avait miraculeusement disparu et elle se retrouvait avec un étrange sentiment de soulagement. Etait-ce parce qu'elle ne l'avait jamais vraiment aimé, mais seulement cru qu'elle l'aimait ? Ou bien était-ce parce que sa mort juste après ces épouvantables photos était si horrible que dans une certaine mesure elle le rendait indésirable ? Ou bien était-ce à cause de la cocaïne ? Jimmy avait dû être trop affolé pour raconter un mensonge. Elle se souvenait encore de son regard. Personne du F.B.I. n'était encore venu la voir. Allaient-ils le faire ? Et si oui, quand serait-ce ?

Elle entra dans la salle à manger et la traversa pour aller jusqu'à la cuisine. Les meubles enlevés, la maison semblait plus vaste. Le bruit de ses pas résonnait sur le sol nu. Dans la cuisine, il y avait des restes de provision que l'agent immobilier emporterait. Elle se prépara une tasse de café soluble et s'assit à la table de cuisine, en attendant que les hommes aient terminé de charger le camion.

Au bout de dix minutes, l'un d'eux arriva avec des papiers à signer et le camion démarra. Elle inspecta une dernière fois la maison et partit à son tour. Elle avait loué une voiture ; elle avait vendu la sienne la veille. Elle ne se retourna même pas. Ça n'avait jamais été sa maison, juste un endroit où les enfants et elle dormaient et où Adrian James avait quelques affaires de rechange.

Tout en roulant dans la banlieue de Washington, elle sentait son impatience monter en elle. Chaque fois qu'elle s'arrêtait à un feu rouge, ce qu'elle s'apprêtait à faire lui semblait plus impossible. Mais elle portait un fardeau qu'elle ne parvenait plus à supporter seule. Elle devait le partager et cela, il n'y avait qu'une personne avec qui elle pouvait le faire.

Elle entra dans Georgetown et remonta Oak Hill jusqu'à R Street et la maison des Volker ; là elle se gara à l'ombre derrière un élégant cabriolet Lancia bleu. Une ravissante jeune femme blonde en tenue de tennis était appuyée à une aile. Elle donnait de grands coups de raquette sur l'herbe de la pelouse. « Salut », fit-elle. Elle avait un sourire chaleureux. M. J. lui rendit son salut et monta les marches du perron pour sonner à la porte. Les jeunes gens bien bronzés l'agaçaient. Ils lui donnaient l'impression d'être bien plus vieille qu'elle n'était.

Quand la porte s'ouvrit, elle se trouva devant le visage impassible d'un maître d'hôtel.

« Je suis Mrs. Lindley. J'ai rendez-vous avec Mrs. Volker.

— Je crois que Madame est dans son bureau. Un instant, on va venir vous chercher. » Il décrocha un téléphone pour l'annoncer. M. J. fut surprise de la rapidité avec laquelle une secrétaire apparut. Elle s'était retournée pour examiner un tableau représentant Venise, en se demandant si c'était un vrai Canaletto ou une copie, lorsqu'elle entendit s'ouvrir une porte. Elle pivota sur ses talons et vit une grande et séduisante jeune femme qui lui souriait.

« Mrs. Lindley ? Je suis Allison Palmer. Voudriez-vous me suivre ? »

Elle s'engagea dans un couloir recouvert de moquette. Allison faisait la conversation. « Vous n'avez pas eu de mal à nous trouver ? C'est le cas pour tant de gens. Ils s'attendent toujours à ce que le Secrétaire d'Etat habite un grand bâtiment officiel. »

M. J. dit qu'elle n'avait eu aucun mal. Elles arrivèrent dans ce qui de toute évidence était le bureau d'Allison.

« Puis-je vous offrir du thé glacé ?

— Avec plaisir. »

Allison frappa et poussa une porte donnant sur une autre pièce bien plus grande et plus luxueuse et dit : « Mrs. Lindley.

— Merci, Allison. Pas d'appel, je vous prie. » Alexis arriva de derrière son bureau, les mains tendues, le sourire avenant. Elle avait l'air plus jeune que M. J. ne s'y attendait. Et plus belle. Elle essaya de ne pas penser aux photographies. L'impudeur de la femme sur les clichés ne correspondait pas du tout à l'élégante dignité de la femme qu'elle avait devant elle.

Elles s'installèrent confortablement sur le divan et, pour dissimuler la gêne qu'il y avait entre elles, elles parlèrent du départ de M. J. pour l'Oregon. Alexis était la seule personne à qui elle en avait parlé. Allison arriva avec le thé. Alexis leva son verre et dit : « Eh bien, à votre santé. Je suis absolument navrée, vous avez dû connaître de sales moments.

— Merci. » M. J. estima que le moment était venu d'en arriver au fait. « Ecoutez, fit-elle, vous aimiez beaucoup Jimmy et il y a des détails concernant sa mort qu'à mon avis vous devez connaître. Cela me gênerait beaucoup de quitter Washington sans vous en avoir parlé. » Comme Alexis esquissait un geste de protestation, elle reprit : « Croyez-moi, je vous en prie, je ne suis pas l'épouse offensée ni rien de pareil. Bizarrement, je ne crois pas que j'aime encore Jimmy. Dieu sait pourtant que je l'ai aimé. Je suis simplement inquiète. »

Elle vit quelque chose dans le regard d'Alexis. Une attente, peut-être un peu d'angoisse. Elle se rend compte que je dois être au courant, pensa-t-elle. Elle va croire qu'il m'a tout raconté.

« Vous avez passé un après-midi avec lui, poursuivit-elle, peu avant sa mort. A Brigham Bay. » Elle s'empressa de continuer. « Non, non. Ça n'a pas d'importance. Quand on a eu le genre de liaison que vous avez eue avec Jimmy, ça ne s'enterre pas du jour au lendemain. Pas même en se mariant. Je comprends cela. Mais à cause de cela, il est arrivé quelque chose d'absolument épouvantable. A-t-il eu l'occasion de vous le dire ?

— Non, fit Alexis d'une petite voix tremblante. Quoi donc ?

— Les photos.

— Quelles photos ? »

M. J. lui expliqua. C'était dur. Dur pour elle d'y penser, dur d'expliquer à Alexis à quel point elles étaient pénibles sans la gêner au point de la rendre muette. Elle continuait donc avec obstination, luttant contre l'abominable idée qu'Alexis allait peut-être croire qu'elle était un maître chanteur. Alexis la regardait avec de grands yeux, et elle était pâle comme la mort.

« Je les ai détruites, dit M. J. Et, bien évidemment, je n'en ai pas parlé à la police. Je ne sais pas qui les a prises. Ni qui détient les négatifs. Il n'y avait pas de lettre. Rien que les photos. »

Elle se sentait moins nerveuse maintenant. Le pire, ç'avait été de commencer. « J'ai perdu la tête avec Jimmy, continua-t-elle. Nous avons eu une scène terrible. Je lui ai dit que je ne voulais plus jamais le revoir. C'est ce à quoi faisait allusion le mot qu'il a laissé. »

Alexis porta à sa gorge une main fine. M. J. soudain éprouva pour elle une profonde compassion. Ces derniers jours, elle s'était demandé quel effet cela pouvait faire si quelqu'un qu'on aimait mourait et si on n'avait personne à qui en parler ni vers qui se tourner pour se faire consoler. Alexis était peut-être amoureuse de Harold Volker, mais son visage révélait qu'elle aimait encore Adrian James.

« Ça n'est pas tout, dit-elle. Jimmy vous aimait encore beaucoup et ne voulait absolument pas vous revoir parce qu'il savait que vous revoir serait une expérience pénible. Pour tous les deux.

— Alors, pourquoi l'a-t-il fait ? fit Alexis d'une voix rauque.

— Parce que le F.B.I. l'y a forcé », dit M. J. Elle attendit qu'Alexis eût encaissé le choc. Puis elle reprit : « Vous faire l'amour, c'était autre chose. On ne lui avait pas demandé cela. Il ne l'avait certainement pas prévu.

— Le F.B.I. l'a forcé ? éclata Alexis. Forcé comment ? »

M. J. lui expliqua l'histoire de la cocaïne. Alexis se leva. « Je ne sais pas ce que vous en pensez, dit-elle, mais moi je prendrai bien un verre. » Elle pressa le bouton de l'interphone d'une main tremblante. « Allison, nous aimerions de la vodka, s'il vous plaît. Tout de suite. »

Elle revint s'asseoir. Elle avait retrouvé quelque couleur. « Pardonnez-moi. Ça fait beaucoup d'un seul coup. A qui d'autre avez-vous raconté cela ?

— A personne, répondit M. J. Absolument à personne. » Maintenant qu'elle avait à peu près vidé son sac, elle se sentait épuisée.

« Mais que veut donc le F.B.I. ? interrogea Alexis. Ceux-là ! Seigneur ! Est-ce qu'Adrian l'a dit ? » Il y avait de la colère maintenant dans son regard.

« Il n'a pas été précis là-dessus, répondit M. J. On lui a dit de gagner votre confiance. Il croyait que cela concernait un collaborateur de votre mari. Qu'il y avait peut-être une fuite. On a parlé du Portugal.

— C'est dément. S'ils croient qu'il y a eu une fuite, pourquoi s'adresser à Jimmy ? Il n'était vraiment guère qualifié pour déterrer ce genre de chose. Et l'utiliser pour moucharder sur mon compte, c'est méprisable. Vraiment. »

En entendant parler du F.B.I., Alexis ne s'était plus sentie sur la défensive. Elle n'était plus une femme adultère prise au piège par les photographies obscènes. Elle était de nouveau l'épouse du Secrétaire d'Etat et elle n'avait pas à se laisser marcher sur les pieds.

« Vous allez vérifier tout cela ? demanda M. J.

— Oui, répliqua Alexis. Ne vous inquiétez pas. Je le ferai d'une façon qui ne vous compromettra pas. » Elle eut un pâle sourire. « Après tout, Jimmy aurait pu me parler de tout cela. Au fond je regrette qu'il ne l'ait pas fait.

— Soyez prudente », fit M. J. Elle prit une profonde inspiration, pour se préparer à dire ce à quoi elle voulait en venir. Elle y avait beaucoup réfléchi hier soir. En se retrouvant seule dans la maison vide sans même la réconfortante présence des enfants, elle avait eu peur. « Jimmy est mort, n'est-ce pas ? » demanda-t-elle d'un ton sarcastique.

Voilà, se dit-elle, toute cette peur qu'elle avait supportée seule, maintenant étalée au grand jour. Elle éprouvait une merveilleuse sensation de soulagement.

« Oh, fit Alexis, son regard se durcissant. Ça veut dire que vous ne croyez pas que Jimmy se soit suicidé.

— Et vous ? demanda M. J.

— Non. Je ne le crois pas, répondit calmement Alexis. Je ne l'ai jamais cru. Ça n'était pas son genre. Et il ne se serait certainement pas suicidé à cause d'une femme. De n'importe quelle femme. Jimmy ? Seigneur ! » Elle eut un petit sourire et dit : « Ça nous laisse donc avec une bien sale affaire, n'est-ce pas ? »

M. J. acquiesça en frissonnant. « Oui, fit-elle. Celui qui l'a tué a sans doute pris les photos. Le mot qu'il a laissé était sans doute destiné à faire croire qu'elles expliquaient son suicide. Les photos et la scène que nous avions eue.

— Croyez-vous qu'il y ait un lien entre le F.B.I. et sa mort ?

— Je ne sais pas. J'y ai tellement réfléchi que je n'y vois plus clair. Mais je pense que oui. »

Allison Palmer frappa et entra avec les verres, du tonic et de la vodka russe. « J'ai pensé que je vous épargnerais Everett, fit-elle.

— Merci. »

Allison posa le plateau, lança un rapide coup d'œil à M. J. et ressortit. Alexis leur servit à boire sans un mot. Puis elle reprit : « Je n'aime pas ça, Mary Jane. Pas du tout. C'est pour ça aussi que vous partez ? Je veux dire en plus de l'histoire de cocaïne ?

— Oui.

— Alors, fit Alexis, partez avec une pensée à l'esprit. » Elle serra avec chaleur la main de M. J. « Je m'en vais être prudente. Très prudente. Pour nous deux. Je ne veux pas que vous vous inquiétiez à l'idée que je pourrais tout flanquer par terre. »

Il n'y avait plus rien à dire. Elles restèrent assises à boire tranquillement, en se faisant la conversation.

Dix minutes plus tard, Alexis raccompagnait M. J. jusqu'au perron. Elle se sentait triste. Il y avait entre elles un lien impossible à rompre, une tragédie et une vie partagées. Pendant quelques minutes, elle s'était demandé si M. J., bizarrement, ne s'était pas déchargée de son fardeau pour se venger. Mais elle avait chassé cette idée. M. J. était quelqu'un de trop droit. Et elle avait eu raison de traiter Jimmy de salaud. Il l'était. Pourquoi tant de femmes étaient-elles si souvent attirées par ce genre d'homme ?

Sandy attendait auprès de la Lancia, en bavardant avec un

autre agent. Alexis lui lança : « Pardonnez-moi. Je serai prête dans dix minutes. »

Sandy agita la main : message reçu.

De retour dans son bureau, Alexis décrocha aussitôt le téléphone de sa ligne directe. Elle feuilleta son carnet et composa un numéro.

— Quand on répondit, elle déclara : « Ici Alexis Volker. Je voudrais parler à William Rupert, s'il vous plaît. »

William Rupert était le directeur du F.B.I. et Alexis le connaissait depuis plus de six ans. Son mari aussi. Rupert était garçon d'honneur à leur mariage.

22

Moins de vingt-quatre heures plus tard elle était assise dans le bureau de William Rupert et faisait front non seulement à ce dernier mais aussi à David Farr.

Le soleil entrait à flots dans la vaste pièce. La pointe du monument à Washington qu'on apercevait tout juste derrière la tour de l'ancien bâtiment des Postes semblait à David Farr une intrusion aussi incongrue et aussi irréelle que William Rupert lui-même. Le directeur était extrêmement nerveux. Il avait le sentiment de s'être compromis et il s'efforçait de ne pas le montrer.

Sa tension se voyait à la façon dont il roulait machinalement un crayon entre son pouce et son index. Dans la façon aussi dont il s'agitait dans son fauteuil chaque fois qu'il parlait ou lorsque Farr disait quelque chose qui le mettait encore plus mal à l'aise qu'il ne l'était déjà. Cela se voyait dans son regard aussi. Un regard fuyant. David Farr se demanda si Alexis Volker s'en rendait compte ou si elle était trop prise par la fureur de son attaque pour le remarquer.

Il se surprit à contempler les jambes minces et bronzées d'Alexis, croisées l'une par-dessus l'autre. Elles étaient comme celles de Susan, mais plus claires. Il avait le sentiment qu'à certains égards elles avaient un peu le même caractère. Elles avaient en tout cas le même sens des vêtements. Ç'aurait très bien pu être Susan qui était là, dans un élégant tailleur de lin, avec une jupe bien serrée à la taille, le corsage de soie orange pâle nonchalamment ouvert sur sa gorge. Et ç'aurait fort bien pu être le sac Gucci en toile et cuir accroché de façon désinvolte au dossier du fauteuil et son léger parfum de chez Givenchy qui emplissait le bureau.

Il se força à écouter ce qu'Alexis disait à Rupert.

« Mais, bonté divine, Bill, pourquoi tant de secrets ? » Sa colère s'était un peu calmée. Elle avait seulement l'air indignée maintenant. « Encore une fois, pourquoi ne pas nous avoir prévenus, Harold ou moi ? Après tout, vous parlez de gens qui travaillent pour nous. »

Farr décida que le moment était venu pour lui de parler. Jusque-là, Rupert avait évité de se lancer dans des explications, mais il commençait à s'énerver. C'était déjà assez embêtant d'être obligé d'avouer qu'ils s'étaient servis de James parce qu'ils ne savaient pas à quel point elle était au courant et qu'ils ne pouvaient pas prendre le risque de la voir nier tout en bloc. Ils ne pouvaient en aucune façon la laisser découvrir que c'était à son mari qu'ils en avaient. Ce qu'il fallait, c'était l'égarer. Il fallait lui donner l'impression qu'elle pouvait les mener quelque part sans qu'elle devine où. Ça n'était pas facile. Tous deux savaient pertinemment qu'ils avaient affaire à une femme qui pendant des années avait été journaliste.

Il lança tout net : « Mrs. Volker, il y a un point que j'aimerais éclaircir. »

Elle se tourna vers lui, surprise. A part les premières présentations, il n'avait pratiquement pas ouvert la bouche depuis son arrivée. Rupert avait expliqué qu'ils pensaient qu'un des collaborateurs de Volker avait donné des renseignements confidentiels à un membre de la presse étrangère. Notamment à un quotidien de Lisbonne. Farr savait qu'elle n'y croyait pas vraiment. Ce genre de fuite aurait été un problème relevant de la Sécurité du Département d'Etat et pas vraiment du ressort du F.B.I.

Il poursuivit : « J'ai commis une erreur avec James. Depuis le début. On m'a mal renseigné à son sujet et je ne savais absolument pas que vous et lui aviez jadis été très proches. Il n'y a fait aucune allusion quand je suis allé le voir. Il m'a simplement dit que vous aviez été vaguement amis. »

Il lut dans le regard d'Alexis qu'elle ne croyait pas tout à fait cela non plus. Il s'empressa de poursuivre. « Je sais ce que vous pensez, dit-il. Tout d'abord pourquoi James ? »

Elle répondit d'un ton glacé : « Je présume que vous aviez quelque chose contre lui et qu'il n'a pas pu faire autrement.

— Vous présumez à tort », répondit-il. Mais il sourit intérieurement. Elle savait sans doute que c'était le cas. Mais peut-être ne savait-elle pas de façon précise de quoi il s'agissait. « James, continua-t-il, travaillait de temps en temps pour nous. Il avait des contacts utiles.

— Adrian? dit-elle avec une stupéfaction qui n'était pas feinte. J'ai du mal à le croire. Il détestait la police. Et c'est ce que vous êtes, n'est-ce pas ? » D'un geste elle désigna tout le luxe du bureau de Rupert : « Si l'on oublie tout cela. »

Farr haussa les épaules. Il l'aimait bien. Plus il lui parlait, plus il la trouvait sympathique. « C'est vrai, dit-il, et James n'avait pas très haute opinion de nous. Mais il avait de sérieux problèmes avec le fisc. Nous étions sa planche de salut. »

Ce mensonge agaça Rupert. L'accusation de trafic d'influence entre le F.B.I. et le fisc pouvait se retourner contre son auteur. Il roula encore plus furieusement le crayon entre ses doigts. Mais il resta silencieux. Il ne trouvait même rien à dire.

Farr comprit qu'il était mal à l'aise, mais peu lui importait. Il songeait à quel point les choses auraient pu mal tourner si son jeune assistant n'avait pas fait irruption dans son bureau à cinq heures hier soir avec les photocopies d'une demi-douzaine de lettres.

« Le courrier de Volker. »

Par routine, Farr avait demandé qu'on intercepte les lettres personnelles adressées par Volker à l'étranger. Une correspondance entre Volker et Gunter Schaeffer, l'amant de la défunte Joanna Volker, était ainsi apparue voilà dix jours, mais, la première excitation passée, la suite avait été décevante. Les spécialistes du chiffre du Bureau n'avaient rien découvert. Le contenu des lettres était ce qu'il semblait être, les deux correspondants réglant apparemment les détails de la succession de la morte, dont ils étaient tous deux les exécuteurs testamentaires.

« Une autre fois. » Farr n'était pas d'humeur à s'intéresser à quoi que ce fût concernant Volker. Il savait qu'il avait de bonnes chances de se faire virer. William Rupert et Harold Volker étaient amis et Rupert, qui n'avait que trop conscience de ses propres limites, pouvait se montrer rancunier lorsqu'il éprouvait le besoin de justifier sa position.

« Mais, monsieur, ils ont fini par trouver quelque chose. »

Farr prit les lettres. « J'espère que ça vaut le coup », dit-il.

Ça valait le coup. Les dates des lettres, aussi bien celles de

Volker que celles de Schaeffer, ne correspondaient pas aux cachets de la poste sur les enveloppes. Des lettres postées en juillet et en août étaient datées à l'intérieur de janvier et de mars. Le service du Chiffre ne pouvait rien en tirer. C'était juste une preuve assez concrète pour donner quelque poids au rapport de Shenson, à la déclaration du transfuge, au meurtre de Nasciemento et à la certitude qu'il avait que James avait été tué.

Le directeur avait capitulé avec une surprenante rapidité. Les implications de ce sur quoi Farr risquait d'être tombé l'effrayaient au point de chasser de son esprit toute autre préoccupation. Comme Virgil Fein, comme David Farr avant lui l'avaient fait, il cédait devant l'idée de « et si c'était vrai ». Il lui fallut aussi moins d'une minute pour décider que la façon la plus sûre de régler cette sale affaire ce serait de passer la main. Il avait déjà pris un rendez-vous au Bureau ovale pour le lendemain et il allait emmener Farr avec lui pour donner les explications.

Alexis disait : « Pouvez-vous me dire simplement ce qu'Adrian était censé faire? Et pourquoi lui, mon Dieu? Pourquoi pas un de vos agents de la Sécurité, par exemple? »

Elle avait un ton nerveux. Elle n'aime pas perdre, songea Farr. Il savait que le moment était venu où il fallait lui laisser croire qu'il lui livrait des renseignements confidentiels. C'était risqué, mais pas aussi risqué que de faire de l'obstruction.

« D'après certaines informations qui nous sont parvenues, commença-t-il prudemment, il se pourrait que quelqu'un qui travaille pour vous ou pour le général Volker ne soit pas ce qu'il prétend être. »

Elle le dévisagea un moment, et s'écria : « Mon Dieu, vous voulez parler d'une taupe.

— Nous espérons que non, répondit Farr, mais on n'est jamais certain. Bref, c'est pourquoi nous ne pouvions utiliser aucun membre du personnel existant. Et un agent du contre-espionnage remplaçant n'importe lequel d'entre eux aurait été aussitôt suspect.

— Mais Adrian n'était guère entraîné pour ce genre de choses. Et il n'habitait pas R Street. »

Farr haussa les épaules.

« J'en conviens. Ses activités auraient été limitées. Nous voulions qu'il photographie tous les employés pour que nous puissions les étudier ici au Bureau. Nous lui avions confié un appareil spécial : gros comme ça, fit-il en brandissant le pouce et l'index. C'est tout ce que nous voulions.

— Alors quelqu'un s'est méfié quand même, et adieu Adrian », fit Alexis d'un ton neutre.

William Rupert fut pris au dépourvu. Mais pas Farr. Il s'y attendait. Depuis le tout début, il pensait qu'elle était au courant.

« Je ne vous suis pas, fit-il en essayant de bluffer.

— Vous ne pensez tout de même pas, fit Alexis avec un froid sourire, que Jimmy s'est suicidé.

— Compte tenu du rapport du médecin légiste, aurais-je des raisons de croire autre chose ? » Ça n'était pas très convaincant, mais s'il parvenait à tenir le coup un peu plus longtemps, avouer qu'il bluffait paraîtrait plus sincère.

« Mr. Farr, reprit Alexis, jusqu'à maintenant vous vous en étiez bien tiré. Mais j'ai vécu avec lui autrefois, vous vous rappelez ? »

Bill Rupert s'agita de nouveau sur son fauteuil. « Alexis, le bureau du médecin légiste... »

Il n'alla pas plus loin. Elle avait les yeux qui flamboyaient. « Oh, je vous en prie, Bill, épargnez-moi ça. »

Farr décida que le moment était venu. « Bon, Mrs. Volker, je suis d'accord. Je ne crois pas non plus qu'il se soit suicidé. Où est-ce que cela nous mène ?

— Cela nous mène au fait, dit-elle, que Jimmy a été tué parce qu'il travaillait pour vous et qu'il projetait d'espionner les collaborateurs de mon mari, ou les miens. De toute évidence, quelqu'un ne voulait pas le laisser faire ça. Ça nous mène au fait que quelqu'un qui travaille pour Harold ou pour moi est en train de faire quelque chose d'assez terrible pour le conduire à tuer afin d'éviter que cela soit découvert. Voilà où ça nous mène. »

Elle décrocha son sac à main du dossier de la chaise et se leva.

Farr n'était pas à l'aise : il avait le sentiment qu'elle en savait plus sur la mort de James qu'elle ne le disait et il se demandait quoi. « Si vous avez raison, Mrs. Volker, dit-il avec prudence, et je ne dis pas que ce soit le cas, je vous serais reconnaissant de ne faire allusion devant personne à cette rencontre.

— Vous en demandez beaucoup, vous ne trouvez pas ? »

Il choisit ses mots avec le plus grand soin. « Non, je ne trouve pas. Si vous avez raison en ce qui concerne les motifs de la mort d'Adrian James, je ne voudrais pas que la personne qui l'a tué décide que vous aussi étiez en trop bons termes avec nous. Ce qui est précisément pourquoi nous n'avons jamais au début discuté avec vous ou avec le général Volker de ce qui nous préoccupe. »

Il attendait une réaction de peur. Elle ne vint pas. Au contraire, il eut droit à un léger sourire. « J'aimerais vous concéder ce coup-là, Mr. Farr, dit-elle. C'était bien joué, mais pour être honnête j'y ai déjà pensé. »

Farr se serait donné un coup de pied pour ne s'être pas rendu compte que bien entendu elle avait dû y réfléchir. Il s'inclina : « D'accord, je suis certain que vous y avez pensé.

— Alors, demanda-t-elle, que faisons-nous maintenant ?

— Rien, répondit-il. Nous laissons les choses se calmer. Si nous nous lançons dans une chasse à la taupe, c'est au cœur du K.G.B. lui-même que nous tendrons nos pièges. Nous avons nos taupes aussi. En ce qui vous concerne, vous avez votre garde du corps. D'après ce qu'on m'a dit, c'est une fille remarquable. Si quoi que ce soit vous inquiète ou si vous voulez me parler, je serai à votre disposition. J'aimerais penser que je suis quelqu'un que vous pouvez appeler si l'envie vous en prend. Et réciproquement. »

Son visage s'éclaira. Elle lui serra la main d'une poigne énergique. « Merci, Mr. Farr », dit-elle.

Rupert se leva en émettant quelques grognements polis. Il semblait soulagé. Il dit qu'il espérait que tout était plus clair maintenant. Alexis trouva quelques réponses polies. A un moment son regard croisa celui de Farr et celui-ci eut l'impression qu'elle esquissait un clin d'œil. Il se souvint que Volker devait rentrer du Portugal dans quelques heures. Il savait qu'elle se rendrait à la base d'Andrews pour l'accueillir. Sans doute avait-il appris la mort de James et devait-il savoir que James et sa femme avaient jadis été amants. Qu'allait-elle lui dire ?

Elle sortit avec Rupert. La porte se referma derrière eux. Puis elle réapparut soudain, laissant Rupert dans le bureau de la secrétaire. Elle lui lança précipitamment et à voix basse : « M. J. Lindley. Cocaïne. Je vous serais personnellement reconnaissante, Mr. Farr, si vous pouviez arranger cela.

— Comptez-y », fit-il en hochant la tête.

Elle le dévisagea un instant, sourit et repartit aussi vite qu'elle était entrée.

Une femme habile, se dit Farr. Elle avait retenu ça pendant

tout l'entretien, sans projeter de s'en servir à moins d'y être contrainte. Cela l'amena à se demander combien de temps elle mettrait à se rendre compte que c'était après Volker lui-même qu'ils en avaient vraiment. Car, il n'y avait aucun doute dans son esprit, elle s'en apercevrait.

Quand Rupert revint, il resta quelques instants avec lui. Puis regagna son bureau, demanda du café et fit le bilan de la situation. Comment découvrir maintenant si Harold Volker était bien d'une certaine façon compromis était plus problématique que jamais. Ça, c'était l'aspect négatif. Il devrait compter sur la C.I.A. pour ce qu'ils pourraient déterrer au Portugal et ça pouvait prendre Dieu sait combien de temps. Il allait devoir recommencer à enquêter sur tous les détails depuis le rapport original jusqu'à de nouvelles recherches sur tous ceux qui avaient jamais joué un rôle dans la vie de Volker, y compris le défunt James et M. J. Lindley. De la routine de police. Assommante, interminable. Et tout cela avait déjà été fait. Peut-être son meilleur espoir était-il que les gens du chiffre allaient avoir une illumination.

Le côté positif, c'était qu'il n'avait plus besoin de faire ça en douce. Il pouvait ouvertement utiliser toutes les ressources du Bureau. C'était quand même commode de faire les choses officiellement.

A moins, bien sûr, que le Président ne dise non. C'était, évidemment, une possibilité non négligeable. L'histoire moderne était pleine de noms de traîtres et de transfuges qui avaient occupé des postes importants. Elle était marquée aussi par la trahison de gens dont on n'avait jamais prononcé le nom parce que le poste qu'ils occupaient était si important que révéler leur trahison pourrait se traduire par un désastre politique. Tel pourrait bien être le cas du poste de Secrétaire d'Etat.

23

La Lancia sortit du garage du Hoover Building. Elle prit à gauche sur Pennsylvania Avenue, contourna le Capitole par la 3ᵉ Rue et s'engagea sur Independence Avenue. C'était Sandy qui conduisait.

Alexis consulta sa montre. « On va y arriver ?

— Pas de problème. Si vous étiez restée là cinq minutes de plus, j'aurais déclenché une guerre entre les services pour vous faire sortir. »

Alexis découvrait que c'était la façon pour Sandy d'essayer de savoir pourquoi elle était allée voir William Rupert. « Bill Rupert aime bien parler, dit-elle. Je lui ai demandé de me rendre un service pour M. J. Lindley qui est venue me voir hier. Pour le privilège de l'entendre me dire oui, j'ai dû écouter toutes ses prétendues histoires drôles.

— Comment Mrs. Lindley a-t-elle eu affaire avec le F.B.I. ?

— Pas avec le F.B.I., répondit Alexis. C'était la brigade des Stupéfiants. Je ne connais personne là-bas, mais Rupert si.

— Oh. » L'expression de Sandy laissait entendre que de plus amples renseignements ne la regardaient pas. Quarante-cinq minutes plus tard, elles franchissaient la grille d'entrée de la base d'Andrews.

Le retour à Washington d'Harold Volker fut encore plus discret que son départ. Les médias n'avaient toujours pas choisi de donner au Portugal une place de choix dans la conscience du public américain. Lorsqu'il descendit de l'avion, il retrouva Alexis avec une chaleur qui n'avait plus besoin de retenue. Il esquiva rapidement les questions de routine des quelques journalistes présents, puis l'entraîna à l'écart des officiels pour qu'ils puissent être seuls quelques minutes. Il arborait sans vergogne des jeans, des bottes et un vieux blouson par-dessus une chemise à col ouvert. Il était très bronzé.

Il l'embrassa avec fougue. « Tu m'as vraiment manqué à ce voyage-ci. J'aurais dû te laisser venir.

— Tu as l'air en pleine forme. Tu es allé sur la plage ?

— Deux heures chaque après-midi pendant qu'ils cuvaient tous le vin qu'ils avaient bu en trop grande quantité au déjeuner. »

Dix minutes plus tard, ils partaient dans une limousine officielle. Les agents de la Sécurité et des collaborateurs suivaient dans une autre voiture. Ils se tenaient la main, et lui avait un bras posé sur le haut de la banquette et par-dessus son épaule il jouait avec ses cheveux. « Au risque de devoir demander le divorce, déclara-t-il soudain, j'ai une réunion ce soir. »

Alexis dissimula sa déception. Elle évoqua de vieux amis qu'elle avait invités à dîner, un général d'aviation en retraite et sa femme, un couple d'artistes new-yorkais. C'étaient des gens qu'il aimait bien et avec lesquels il pouvait se détendre.

« Je suis désolé, dit-il, j'aurais dû téléphoner de l'avion. Tu peux assumer ce dîner toute seule ?

— Bien sûr. »

Il l'attira près de lui. « C'est cet emmerdeur d'ambassadeur du Portugal, expliqua-t-il. J'en aurai fini avec lui vers onze heures.

— Au Département d'Etat ou à l'ambassade du Portugal ?

— Au Département. »

Alexis lança : « En fait, tu essaies simplement d'échapper un jour de plus à Everett.

— Tu as raison », dit-il en riant.

Lorsqu'ils s'arrêtèrent dans la cour du Département d'Etat, il fit signe au chauffeur de ne pas ouvrir tout de suite la portière. Il était songeur, puis il dit : « Alexis, il paraît qu'Adrian James s'est tué.

— Oui, c'est vrai. » Prise au dépourvu, elle se crispa intérieurement.

« Je suis désolé. Ça t'a beaucoup secouée ? »

Elle étudia le regard de son mari : un regard tendre et préoccupé. Elle lui caressa la joue. « Ça a été un choc, mais ne t'inquiète pas.

— Tu l'avais vu ?

— Il m'avait appelée. Il avait de terribles problèmes avec M. J. Lindley, la femme avec qui il vivait. Je l'ai emmené à Brigham Bay et nous avons pique-niqué. Il était assez désespéré, le pauvre chou.

— Je te verrai plus tard, dit-il en souriant. Ne t'endors pas. »

Lorsqu'il disparut dans le bâtiment, Alexis dit au chauffeur de la raccompagner chez elle. Elle s'en voulait d'avoir menti. Ce qui était pire, c'était la tristesse sourde et poignante qu'elle ne cessait d'éprouver et qu'elle devait cacher à tous. La seule compagnie qu'elle avait trouvée dans son chagrin, la seule personne à être au courant, à partager sa peine, c'était M. J. Quelle cruelle ironie ! A l'enterrement, elle portait un voile noir et se tenait en retrait. Elle se sentait complètement seule. On aurait dit que tout son passé avait cessé d'exister et en même temps ce sentiment de sécurité qu'elle y avait toujours puisé. James avait été un dernier lien avec cette époque.

De retour à R Street, elle se jeta dans la routine quotidienne de ses occupations. Elle eut une conférence avec la Commission nationale des Femmes artistes, dicta un peu de courrier, prit des dispositions pour la maison et donna quelques coups de téléphone. Depuis le moment où elle s'était levée ce matin-là, le retour imminent de son mari lui avait paru irréel, comme une intrusion. Elle s'était efforcée de voir les choses autrement. Elle avait essayé encore plus fort de ne pas penser à Adrian James. C'était impossible. Le souvenir de leur merveilleux après-midi d'amour venait empiéter sur le remords lancinant que ce souvenir même lui inspirait. Et puis il y avait les photos, ces horribles photos. Quelqu'un avait les négatifs. Où et quand allaient-elles resurgir ?

Au dîner, malgré ses invités, elle ne cessait de repenser à son rendez-vous avec Farr et Rupert. Malgré tous les efforts qu'elle avait déployés, c'était Farr qui avait pris l'initiative dès l'instant où elle était entrée dans le bureau de Rupert. On ne sait comment, il avait orienté leur conversation dans la direction qu'il souhaitait, répondant à ses questions de façon toujours indirecte. Plus elle y réfléchissait, plus elle avait la certitude de s'être fait manœuvrer. Et pourquoi ? Il y avait quelque chose qui sonnait faux, mais elle n'arrivait pas à mettre le doigt dessus. Pourquoi tout ce déploiement d'espionnage pour débusquer une taupe qu'on soupçonnait ? Pourquoi la présence inexplicable d'Adrian James dans un complot qui englobait même la pauvre M. J. ? Pourquoi ne pas tout simplement congédier tout le personnel et recommencer à zéro ? Et s'il y avait vraiment une taupe, pourquoi s'inquiéter du personnel de la maison alors que ceux qui pouvaient être dangereux étaient tous au Département d'Etat ?

Finalement il y avait la question cruciale : une source d'information sur la diplomatie d'Harold valait-elle qu'on assassinât alors qu'il était connu pour révéler la plupart de ses plans au dernier moment possible ?

Elle servait le café, jouant l'hôtesse avec la moitié de son esprit et s'efforçant de ne pas réfléchir du tout avec l'autre moitié lorsque Everett apparut. On la demandait au téléphone. Elle s'excusa et alla prendre la communication dans la bibliothèque.

C'était quelqu'un qui s'appelait Francisco Catarino. Son nom et son accent étaient portugais. C'était un colonel et, disait-il, un aide de camp du général Figueira. Alexis fouilla aussitôt ses souvenirs et se rappela que Figueira était le chef d'état-major de l'armée. Le général Nasciemento qui était venu dîner était aussi un de ses aides de camp.

« Savez-vous où je peux joindre votre mari, Senhora ? Je dois le retrouver dans une demi-heure. J'arrive de Lisbonne, l'avion avait du retard et je suis encore à l'aéroport.

— Il est au Département d'Etat. C'est là qu'il a rendez-vous ce soir même avec votre ambassadeur.

— Ah ? Mais notre ambassadeur est encore à Lisbonne.

— A Lisbonne ? Vous êtes sûr ?

— Oh, oui. Le général Figueira et moi avons pris le petit déjeuner là-bas avec lui aujourd'hui. »

Alexis réfléchit rapidement. De toute évidence Harold ou l'un de ses collaborateurs avait commis une erreur. C'était plus probablement Harold. Les communications officielles lui arrivaient à son domicile par un téléphone spécial sur lequel veillait constamment un agent de la Sécurité. Le fait que Catarino l'appelait sur cette ligne directe signifiait qu'Harold avait donné ce numéro qui ne figurait pas dans l'annuaire. Personne d'autre ne l'aurait fait.

Elle se répandit en excuses. « Je crains qu'il n'y ait eu une erreur quelque part, dit-elle. Je vous conseille d'appeler d'abord au Département d'Etat. Si on vous dit qu'il est sur le chemin du retour pour rentrer ici, y a-t-il un endroit où il puisse vous atteindre ? Parfois il ne répond pas au téléphone qui est dans sa voiture. »

Le colonel hésita, puis lui donna un numéro. « Merci beaucoup, Senhora, et pardonnez-moi de vous avoir dérangée.

— Je vous en prie. »

Alexis rejoignit ses invités et organisa un bridge. Ils jouèrent trois robs, et elle s'apprêtait à aller se coucher quand Harold finit par rentrer. Ils allèrent tous deux dans la cuisine et elle lui prépara quelque chose à manger car il n'avait pas dîné. Elle faillit oublier l'appel téléphonique.

« Oh, Harold, un certain colonel Catarino a appelé. Sur notre ligne directe.

— Il a réussi à me joindre.

— Il m'a dit que l'ambassadeur était toujours au Portugal.

— Je sais. Ils se sont emmêlé les pinceaux au bureau. Après tout, j'aurais pu dîner à la maison avec toi. Mais le temps que je m'en aperçoive, il était tard, et le Service des Opérations avait un tas de dossiers sur lesquels je devais prendre des décisions. On croyait que ça bougeait du côté des otages des Libyens, mais ça s'est révélé comme d'habitude être une impasse. »

Ils dînèrent puis elle leur prépara un whisky et ils remontèrent, lui la tenant par la taille.

« Tu dois être très fatigué, dit Alexis.

— Je ne me suis jamais senti mieux. »

Il adore cela, songea-t-elle. Faire la navette d'une capitale à une autre, dormir dans un avion, dépenser tant d'énergie nerveuse à manœuvrer un chef d'Etat contre un autre, les intrigues politiques qui faisaient toujours rage entre le Congrès et la Maison-Blanche.

Sur le chemin de leur chambre, il s'arrêta pour l'embrasser.

« Cela fait exactement quatorze jours que je n'ai pas fait cela convenablement. »

En dépit de tout, elle sentit monter en elle une vague de romantisme. Lorsque plus tard ils firent l'amour, elle cessa quelques instants d'avoir des remords à propos d'Adrian James. Ça n'avait été qu'un de ces incidents comme il peut en arriver. Elle oublia David Farr et toute l'angoisse qu'il représentait. Elle aimait Harold. Et pendant quelques précieux instants elle oublia aussi le fait qu'il venait de lui mentir. Mais lorsqu'il s'endormit, que la chambre se trouva plongée dans l'obscurité, à part un faible rayon de lumière en travers du plafond venant d'un lampadaire de R Street, elle ne put chasser plus longtemps les pensées qui l'obsédaient. Pendant des années elle avait appris à percevoir la moindre nuance, la plus petite ombre derrière laquelle les gens dissimulaient la vérité. C'était devenu une habitude chez elle d'écarter les ombres. Le colonel Catarino, elle s'en souvenait, avait été tout à fait catégorique à propos de son rendez-vous avec Harold et il était assez inconcevable qu'Harold pût être mal renseigné et qu'il n'eût pas su que l'ambassadeur était toujours à Lisbonne. Cela signifiait donc que quand Harold lui avait dit ce matin qu'il voyait l'ambassadeur, il savait que ce n'était pas vrai. Il savait que c'était Catarino qu'il devait voir.

Pourquoi le cacher ? Pourquoi ce mensonge ? Y en avait-il d'autres ? De vagues contradictions inexpliquées lui revinrent en mémoire, des détails à propos de politique et de manœuvres qui ne concordaient pas tout à fait. Sur le moment elle les avait ignorés. Ils semblaient totalement dénués d'importance. Mais maintenant, elle ne pouvait pas. Ils commençaient à dessiner un ensemble qui venait s'intégrer à tous ses autres soucis.

De tout cela une pensée émergea, qui n'avait cessé de rôder au fond de son esprit et qu'elle avait choisi de repousser.

Elle était sur le dos, Harold couché sur le flanc à côté d'elle, une jambe sur ses hanches à elle, sa tête appuyée contre l'épaule d'Alexis. Elle se dégagea très doucement et se redressa. Il faisait chaud dans la chambre, mais elle tira le drap sur elle comme pour se protéger. L'idée, tout d'abord diffuse, était maintenant très claire. Cela lui crispa l'estomac d'une crainte qu'elle n'arrivait pas à contrôler car elle savait que cela pouvait expliquer le meurtre d'Adrian James et toute la recherche compliquée d'une prétendue taupe. Et pourquoi Farr l'avait remise à sa place.

La personne sur laquelle on enquêtait vraiment pourrait bien être son mari et James aurait été un choix idéal pour l'amener à révéler ce qu'elle pourrait savoir des affaires d'Harold.

Son cœur battait très fort. Auprès d'elle, Harold marmonnait dans son sommeil. Cela signifiait qu'il allait s'éveiller dans quelques minutes. Chaque fois qu'il s'éveillait peu après avoir fait l'amour il avait toujours envie de recommencer. Et, en général, elle aussi. Cette fois elle savait qu'elle en était incapable.

Le montant du lit était dur contre son dos nu et elle avait l'impression qu'un lourd épieu l'avait transpercée, la clouant au bois.

24

Ç'avait été une rude journée, se dit David Farr. Il n'était pas rentré chez lui avant dix heures du soir. Maintenant il était onze heures. Il faisait encore près de trente degrés et même la lueur rouge sombre qui montait de Washington dans le ciel ne parvenait pas à faire pâlir la pleine lune de l'été.

Il était allongé dans sa piscine derrière la maison, avec une bière à la main et les deux coudes posés sur la margelle, jetant de temps en temps un coup d'œil à la lune, bavardant avec Susan et s'arrêtant lorsqu'elle plongeait sous l'eau pour mieux regarder son corps nu et svelte passer comme une ombre au-dessus des lumières du fond avant de refaire surface avec à peine une éclaboussure. En l'attendant il aspirait à plein pour mieux sentir l'odeur des roses et du jasmin qu'ils avaient plantés voilà deux ans lorsqu'ils avaient acheté la maison.

Ils parlaient à voix basse pour que leurs voisins n'entendent pas.

« Mais comment était-il personnellement ? demanda-t-elle. Je veux dire qu'à part le fait qu'il soit Président, théoriquement c'est aussi un être humain. Et ce n'est pas à la télévision que ça se voit. »

Farr éclata de rire. Sa journée avait commencé à sept heures et demie par un rendez-vous d'une heure dans le Bureau ovale. A part lui et Rupert, assistaient à la réunion le chef d'état-major de la Maison-Blanche, Lanard Duke Chancery, et le conseiller à la Sécurité nationale, Bernard Kornovsky. Et, bien entendu, le Président.

« Tu dis quelque chose et il ne réagit pas. Alors on ne sait jamais vraiment ce qu'il pense.

— Pas de réaction du tout ?

— Aucune. Impassible comme un joueur de poker. Il se contente de te dévisager. Ou de regarder autre chose. Et puis il dit quelque chose qui n'a aucun rapport. Ça peut vraiment te démonter.

— Qui a parlé surtout ?

— Eh bien, tout d'abord le “ Duke ”. Rupert lui a fait son rapport hier et il en a résumé l'essentiel. Ensuite le Président s'est tourné vers moi et m'a demandé si je me rendais compte de la gravité de la situation. Quand j'ai dit que oui, il m'a demandé de préciser ce qui m'avait lancé sur cette affaire. Il a voulu savoir exactement quelles preuves j'avais découvertes depuis. Et aussi mes sentiments profonds sur le dénouement.

— As-tu été surpris par sa décision ?

— Non. C'est un type bizarre, Susan, mais il a de la poigne. Il est très fort.

— Et les autres ?

— Kornovsky a failli avoir une dépression nerveuse.

— Il était d'avis d'étouffer tout cela ?

— Lui et le “ Duke ”. Ils voulaient enterrer toute cette histoire. Depuis le début. Tout le monde garde le silence, y compris Fein et moi. Qu'on détruise tous les exemplaires du mémorandum, le grand jeu. Et qu'on trouve un moyen de se débarrasser de Volker. Qu'on lui découvre une raison de démissionner avec grâce. » Il marqua un temps, se rappelant leur panique, puis reprit : « Le vieux a attendu sans rien dire qu'ils aient fini. Puis il m'a dit de continuer ce que je faisais. Il a ajouté : “ Et s'il y a des retombées, je m'en fous. ” Ce sont ses propres termes. Il a dit qu'il ne voulait pas de Watergate dans son Administration.

— Mais Volker, en attendant ?

— Il reste. On a décidé de le garder là où il est jusqu'à ce qu'on puisse trouver quelque chose. Le Président a dit que si jamais la nouvelle se répandait des raisons pour laquelle il a été contraint de démissionner et que nous n'ayons pas de preuve, la répercussion coulerait le Parti. Volker a des amis puissants.

— Wilderstein.

— Entre autres.

— C'est prendre un risque terrible, David, non ? Je veux dire que si tes soupçons se révèlent exacts, il pourrait vraiment faire du mal avant que tu ne le démasques.

— Je pense que le Président a tenu compte de ça. »

Susan but une gorgée de sa bière. « Et après ?

— Comment ça : et après ? » Il agita les pieds, déclenchant des tourbillons de bulles argentées.

« Tu as passé une heure dans le Bureau ovale, tu es rentré depuis trente minutes. Ça veut dire treize heures et demie à expliquer.

— Docteur Farr, je n'ai pas envie d'en parler.

— Eh bien, c'est pourtant ce que tu vas faire.

— Oh, Seigneur. Je rentre chez moi crevé, je me prépare un verre, saute dans la piscine pour retrouver une splendide femme nue et voilà qu'une emmerdeuse de médecin veut que je lui raconte ma vie.

— Et elle t'accorde quinze secondes pour t'y mettre. » Susan plongea sous l'eau et nagea lentement devant les lumières du fond. Elle remonta et se planta d'un air provocant devant lui, les avant-bras appuyés sur les cuisses de son mari. « J'écoute. »

Il capitula. « On repart de zéro, dit-il. L'idée de trouver des dames qui racontent des choses sur leur mari, c'est fini. Maintenant c'est le tour des flics aux pieds plats. »

Il fallut du temps et il ne raconta pas tout. Il y avait des choses qu'on ne disait même pas à sa propre femme. Sandy Muscioni, par exemple. Au beau milieu de son récit, comme ça faisait longtemps qu'ils marinaient dans la piscine, elle l'enroula dans une serviette de bain et l'emmena dans la cuisine où elle lui fit cuire un steak, lui prépara une salade verte et lui versa un verre de bourgogne.

On l'avait chargé de l'enquête sur Volker, expliqua-t-il à Susan, et sa première mesure avait été de classer comme top-secret tout ce qui concernait le Secrétaire d'Etat. Ensuite, il avait formé plusieurs équipes spéciales pour mener des enquêtes précises. L'une allait vérifier le passé de tous les gens qui travaillaient chez les Volker, agents de la Sécurité aussi bien que secrétaires et domestiques. Quelque part un aspect jusque-là négligé de la vie de quelqu'un les conduirait peut-être jusqu'à une taupe. Et peut-être pourrait-on forcer la taupe à les conduire jusqu'à de plus gros gibiers.

Fein était venu passer une heure avec lui. Fein se chargea d'étudier l'aspect politique portugais en insistant sur le général

Figueira. On créa aussi une équipe composée d'agents du F.B.I. et de la C.I.A. qui travailleraient en étroite liaison avec le B.K.A., le Bundes Kriminal Amt, l'équivalent ouest-allemand du F.B.I., et qui essaierait de nouveau, par des agents en Allemagne de l'Est, de trouver une nouvelle piste qui permettrait de préciser si Schaeffer était ou n'était pas le Horst Melkine disparu. On avait prié le service de Renseignements de l'Armée de convoquer le capitaine Shenson à Washington par le premier vol militaire disponible pour prêter son concours.

Au début de l'après-midi, Farr avait rencontré les inspecteurs de la Brigade criminelle de la Police. Ils avaient discuté la mort de James en considérant qu'il s'agissait d'un meurtre et on avait décidé une exhumation secrète des restes de James pour une nouvelle autopsie. On avait doublé le personnel du service du Chiffre et prié le laboratoire de faire tous ses efforts pour retrouver la trace des émetteurs que Sandy avait découverts au domicile de Volker.

Enfin, Farr avait expédié trois agents à Francfort pour se livrer à une enquête détaillée sur le passé de Volker avant son arrivée aux Etats-Unis. Ils devaient agir indépendamment de l'enquête sur Schaeffer et aborder des aspects de la vie de Volker déjà étudiés non seulement par la C.I.A. et par eux-mêmes mais aussi par la Commission sénatoriale qui avait confirmé la nomination de Volker.

Il s'était lui-même attelé à une étude approfondie de tout ce qu'avait fait Volker en matière de politique étrangère. Quelque part dans la masse de correspondance, d'enregistrements de réunion, de témoignages, de discours et de rapports des médias qui accompagnaient deux ans de négociations diplomatiques aussi bien secrètes que publiques, il y avait peut-être un indice désignant des mésaventures habilement préparées.

Longtemps après que la plupart des bureaux du Hoover Building eurent plongé dans le silence de la nuit, il était encore à sa table de travail. La dernière chose qu'il avait faite avant de partir, ç'avait été d'introduire une feuille de papier sur la machine à écrire de sa secrétaire et de taper avec soin un premier rapport qui, dès le matin, se trouverait sur le bureau du Président. Chaque jour désormais il y en aurait un adressé à la Maison-Blanche.

Quand Susan et lui furent enfin couchés, allongés tout près l'un de l'autre, l'air de la nuit agitant les rideaux de leur chambre et caressant doucement leur peau nue, il éprouva une fois de plus la poignante humiliation de la décevoir. Une fois encore il ne parvint pas à se débarrasser des soucis de la journée. C'était sur ses épaules maintenant que reposait officiellement la charge de prouver qu'un Secrétaire d'Etat des Etats-Unis était coupable ou non de trahison. Une erreur et sa carrière serait terminée.

Mais combien de temps son mariage supporterait-il ses défaillances ? Il devait absolument se reprendre. Démissionner n'avancerait à rien. Il y avait la fin des études de médecine de Susan à payer et, à son âge, se réinstaller comme avocat indépendant risquait d'être une tâche bien longue.

Il repensa à Alexis Volker. Bizarrement ils étaient devenus complices. Elle avait eu le temps de réfléchir à sa réunion avec Rupert et lui, de faire le bilan de tout ça et de décider qu'on ne lui avait pas dit la vérité. Elle avait eu le temps de se rendre compte que c'était après Volker lui-même qu'il en avait.

Farr se demanda combien cela prendrait pour que la journaliste qu'il y avait chez elle l'emportât sur la femme amoureuse de son mari.

25

En regardant Andrew Taylor installé derrière son bureau encombré de notes et de rapports au siège de Washington de l'U.B.C., Alexis trouva qu'il avait l'air désespérément las. Et que ces dernières années il avait beaucoup vieilli. Ses cheveux n'étaient plus gris mais blancs. Son visage rond était marqué de rides et il avait des cernes sombres sous les yeux. Elle savait que c'était un peu sa faute à elle et elle se sentait coupable. Il avait compté sur elle et elle lui avait fait défaut.

Peu après le départ d'Alexis et dans un grand tintamarre publicitaire, il avait découvert une autre jeune protégée : Valerie McCullough était la responsable du bulletin météo, née dans la ville natale de Taylor, Grand Island dans le Nebraska. Elle était jeune, rousse et elle avait une personnalité dynamique en accord avec sa beauté. En fait, songea Alexis, elle était exactement ce qu'elle-même avait été à l'époque où arriver tout en haut de l'U.B.C. était sa préoccupation dominante. Mais elle savait aussi que pour Taylor, même si Valerie était bonne, ce n'était pas la même chose qu'Alexis Sobieski. La façon dont il l'accueillit quand elle entra dans son bureau le disait assez. Il avait les larmes aux yeux lorsque sans un mot il se leva de derrière sa vieille machine à écrire pour prendre les deux mains d'Alexis dans les siennes et simplement la regarder et la regarder encore. Lorsqu'il finit par parler, ce fut pour dire à sa secrétaire abasourdie qu'on ne devait le déranger qu'en cas de guerre nucléaire ou d'assassinat du Président. Il prépara un verre à Alexis, s'assura qu'elle était bien installée dans un fauteuil profond et but chaque parole qu'elle prononçait.

Elle lui raconta tout, depuis les inquiétudes que lui inspiraient son mariage et ses séances chez le docteur Wyndholt jusqu'à son après-midi à Brigham Bay avec Adrian James. « J'étais ivre, raconta-t-elle, et j'ai fait de Jim une sorte de mari de remplacement qui allait me donner ce que je voulais, Brigham Bay, des enfants. » Elle lui parla de M. J. Lindley, des photographies, du F.B.I. et de Farr. Elle lui fit part de ses appréhensions à propos de la politique de son mari, dont elle ne s'était pas rendu compte avant de l'avoir surpris en train de lui mentir.

« Mais je n'arrive pas à croire qu'Harold soit impliqué dans une affaire où il ne devrait pas être, protesta-t-elle.

— Et si c'était le cas ?

— Je ne sais pas, répondit-elle. Il faudrait que j'affronte la réalité, n'est-ce pas ? Mais ce que je sais, c'est que je ne peux pas continuer comme ça..., dans l'ignorance. »

Le visage vieillissant d'Andrew Taylor trahissait un débat intérieur. Il resta un moment silencieux puis il reprit : « Ma chère enfant, je ne peux pas vous dire quoi faire. Ni même vous conseiller. Ce n'est pas mon métier et, si ça l'était, je ne suis pas sûr que j'en aurais envie. Je suis trop vieux maintenant pour me trouver confronté au genre de souffrances que peuvent entraîner les décisions que vous aurez à prendre. »

Il marqua de nouveau un temps, pour réfléchir. Alexis attendait. Il poursuivit : « Mais je m'en vais vous aider à vous aider vous-même. Et il va falloir me faire confiance.

— Bien sûr.

— Aveuglément ? Ça va faire mal. »

Alexis acquiesça de la tête. Que voulait-il dire ?

Il l'examina. « Très bien », dit-il. Il pressa un bouton de l'interphone. « Demandez à Valerie de venir dans mon bureau, voulez-vous. Tout de suite. »

Alexis en resta sans voix. Depuis quatre ans elle évitait avec soin de rencontrer Valerie McCullough et c'était certainement la dernière personne qu'elle avait envie de voir maintenant.

Andrew Taylor lut dans ses pensées et sourit. « Calmez-vous, Alexis. Vous aviez dit que vous me feriez confiance. Il va falloir m'écouter. » Il braqua un doigt vers elle. « Et, que ça lui plaise ou non, elle aussi va devoir vous faire confiance. Je ne crois d'ailleurs pas qu'elle en ait envie, mais à mon avis elle va décider de se fier à vous. »

Quelques instants plus tard, Valerie arrivait, si vite qu'Alexis était certaine qu'il avait arrangé tout cela d'avance.

Un coup bref, la porte s'ouvrit brusquement et elle apparut sur le seuil, plus petite qu'Alexis ne l'imaginait, plus mince aussi, et avec un air étrangement fragile et presque touchant malgré l'assurance qu'elle s'efforçait d'afficher.

Elle a aussi peur que moi, se dit Alexis. Leurs regards se croisèrent et Alexis lut dans les yeux de sa cadette tout ce qu'elle savait qu'elle éprouverait elle-même si elle s'était trouvée dans la même situation. Tout était là, l'émerveillement et l'admiration devant le personnage légendaire d'Alexis Sobieski, la jalousie et la rancœur aussi car elle savait que jamais elle ne pourrait remplacer Alexis ni dans l'affection d'Andrew Taylor ni dans celle de toute une nation de téléspectateurs. Et avec tout cela il y avait aussi un soupçon de triomphe vengeur devant quelque chose dont elle savait qu'Alexis l'ignorait. Toutes ces émotions contradictoires ne s'exprimèrent qu'une seconde, puis disparurent derrière un rideau de parfaite domination de soi. Valerie McCullough entra dans le bureau en souriant, la main tendue.

Andrew Taylor la laissa accueillir Alexis avec chaleur et attendit patiemment qu'elles en eussent terminé avec leur bref échange de politesses avant qu'il n'en vînt droit au fait.

« Valerie, commença-t-il, pour un certain nombre de raisons, je vous serais reconnaissant, tout comme Alexis, si vous vouliez bien lui parler du principal projet sur lequel vous travaillez actuellement. Que vous lui racontiez tout, absolument tout. »

Si Valerie McCullough s'attendait à quelque chose, ce n'était pas à cela. Elle fut aussi prise au dépourvu qu'Alexis. Elle perdit tout son calme. Elle parut retenir son souffle. Elle tourna vers Alexis de grands yeux où on lisait une réelle angoisse. Andrew Taylor leva une main apaisante. « Comprenez bien, ma chère. Rien ne vous oblige à le faire, rien du tout. »

Il sourit doucement. Dans le silence qui suivit, Alexis comprit qu'il comptait sur le besoin qu'aurait Valerie de se révéler une digne héritière. C'était habile. Cela faisait peur aussi. Si Valérie avait quelque chose à dire qui la mît sur un pied d'égalité avec son illustre devancière, il faudrait que ce soit impressionnant.

Alexis attendait, se rendant compte que son sourire était figé.

Valerie McCullough tomba droit dans le piège que lui tendait Taylor. « Bien sûr », dit-elle enfin. Et s'adressant à Alexis : « Je crois malheureusement que ça ne va pas être agréable pour vous, j'en suis désolée. »

Alexis hocha la tête. Ses craintes grandissaient.

« Cela concerne le général Volker, dit Andrew Taylor en guise d'introduction. Valerie est tombée sur quelque chose grâce à ses contacts au F.B.I. » Il se tourna vers cette dernière. « Alexis a récemment rencontré Bill Rupert et David Farr pour protester contre la façon dont ils se sont servis d'Adrian James pour obtenir des renseignements sur ce qui, selon eux, pourrait être une " fuite " dont serait responsable un collaborateur du général Volker.

— J'ai eu l'impression qu'il y avait plus que cela, dit Alexis.

— Beaucoup plus », souligna Taylor. Valerie et lui échangèrent un long regard.

Valerie se lança. « Bon, autant que je vous le dise tout de suite. Ce n'est pas tant sur ses collaborateurs qu'ils enquêtent, Alexis, c'est sur votre mari. »

Alexis éprouva le même choc que lorsqu'on lui avait annoncé la mort de James et l'existence des photos. Ses craintes les plus sombres de l'autre nuit se trouvaient confirmées. Ce que Valerie lui expliqua lui ôta tout espoir. Elle l'entendit expliquer le contenu d'un rapport du service de Renseignements de l'Armée qui envisageait l'hypothèse d'un lien entre son mari et le K.G.B.

« Je dois bien souligner, insista Valerie, sur le fait qu'ils n'ont aucune preuve concrète. Rien que des soupçons. Et si leurs soupçons se révèlent justifiés, ils ne savent toujours pas de quoi il s'agit, si c'est une question d'argent, de chantage ou quoi. Bien sûr, reprit-elle, ils ont plus que ce simple rapport. » Et elle parla à Alexis du dossier du transfuge.

Alexis ne dit pas qu'elle avait entendu parler de l'existence possible d'une taupe. « Mais pourquoi le fait qu'on soupçonne l'existence d'une taupe confirme-t-il les soupçons ? demanda-t-elle.

— Parce que, dit Valerie, ils pensent que c'est un " berger ". C'est une taupe qui n'est pas là pour espionner mais comme alliée ou comme contrôle. » Elle en arriva aux divergences de dates sur les lettres interceptées, au meurtre de Nasciemento, à la crainte qu'on avait de voir les choses tourner mal au Portugal.

« Ils croient qu'il pourrait y avoir un lien entre de nombreux succès diplomatiques passés qui se sont par la suite transformés en échecs », expliqua-t-elle. Alexis prit une profonde inspiration.

« Ça fait beaucoup de renseignements provenant d'un informateur, dit-elle à Valerie. Il pourrait se retrouver en prison pour ce qu'il vous a dit. Pourquoi l'a-t-il fait ?

— Mon informateur est une informatrice. » Un léger sourire passa dans les yeux de Valerie et disparut aussitôt. « Et elle m'est redevable d'un grand service. »

Alexis resta un moment silencieuse. Elle se rappelait les marchés avec certains de ses informateurs. Sans doute Valerie était-elle assez intelligente pour avoir vérifié ces renseignements. En la regardant, l'idée lui traversa l'esprit qu'elle pourrait bien être lesbienne. Si c'était le cas, elle espérait qu'Andrew Taylor ne le découvrirait jamais. Elle demanda si elle avait un exemplaire du mémo.

« Malheureusement non, dit Valérie. Mais j'en ai vu un. Je ne pense pas que ce soit tellement son contenu qui ait déclenché l'enquête que l'idée du pétrin dans lequel ils risqueraient de se trouver si ces soupçons se révélaient jamais bien fondés et qu'ils n'avaient rien fait. » Elle sourit. « Je pense que tous les trois nous aurions fait la même chose. Au fond c'est comme ça que nous déterrons un tas d'histoires, n'est-ce pas ? »

Le téléphone sonna. C'était pour Valerie. Elle dit quelques mots, raccrocha et demanda si elle pouvait partir, puis s'excusa.

Alexis se leva et la remercia. Pour la première fois elle trouva une vraie chaleur dans le regard de son interlocutrice. « Je sais que ça a été dur pour vous, dit Valerie. Je vous en prie, si je peux vous aider en quoi que ce soit, vous n'avez qu'à m'appeler. Je laisserai tout tomber. »

Alexis savait qu'elle le pensait. Cela la réconforta. Elle resta encore quelques minutes avec Taylor. Elle lui dit que Valerie McCullough était formidable, qu'il ne s'était pas trompé. Ils parlèrent du bon vieux temps. Lorsqu'elle l'embrassa pour lui dire adieu, il demanda : « Qu'allez-vous faire ?

— Je ne peux pas, répondit-elle, vivre avec un homme à propos duquel on ne cesse de me poser des questions, vous ne trouvez pas ?

— Je pense que c'est ce qui a plus ou moins poussé David Farr, dit-il. Il mène l'enquête maintenant. »

En redescendant par l'ascenseur, elle pensa à Farr. Il était fort, bon et intelligent. Il ne se serait pas lancé sur une affaire de ce genre s'il n'avait pas un mobile puissant. Il n'était plus question pour elle de tourner le dos à la vérité.

Dans une certaine mesure, cela l'aidait. Maintenant elle savait exactement ce qu'elle avait à faire. Elle devait découvrir toute seule si Harold était coupable ou non. Le fait que dans l'affirmative sa vie risquât de perdre tout son sens était un point qu'il lui faudrait bien franchir lorsqu'il se présenterait.

26

Quelques matins plus tard, David Farr se rendit à Langley pour voir Virgil Fein. Fein avait proposé de lui faire faire un exposé par des spécialistes de la C.I.A. sur le Portugal et ses problèmes politiques actuels. Farr avait décidé d'accepter cette offre, se disant que la C.I.A. qui avait une importante antenne à Lisbonne était sans doute plus au fait de ce qui se passait au Portugal que le F.B.I.

Il pleuvait mais l'heure de pointe était passée et la circulation n'était pas trop dense. Farr s'était levé tard. Susan l'avait appelé la veille au soir pour dire qu'elle devait peut-être passer la nuit à l'hôpital et elle n'était pas rentrée. Il avait pris son café tout seul, sans bien se rendre compte à quel point elle lui manquait. A neuf heures et demie le téléphone sonna et c'était elle qui voulait lui dire bonjour. Il se sentit tout de suite mieux, appela sa secrétaire pour voir si elle avait des messages pour lui puis sortit sa voiture du garage. Le trajet depuis Chevy Chase ne lui prit que vingt minutes.

Fein était déjà en manches de chemise, sa cravate desserrée quand Farr arriva. Il se leva pour présenter une mince jeune femme aux cheveux bruns « Helen Carson, dit-il. Helen est chargée de la synthèse des informations politiques pour ce service. »

Farr hocha la tête. Cela signifiait qu'on lui donnait une pile de documentation à condenser en un rapport concis et lisible. Il aurait préféré rencontrer des spécialistes de la recherche eux-mêmes et qu'ils le mettent au courant verbalement. Il l'examina : cheveux raides, pas de maquillage, une poitrine bien faite et libre de tout soutien-gorge, un corps de sportive et, sur son visage un peu d'agressivité. Il connaissait le genre. On les trouvait jolies et elles vous traitaient de sexistes. Il ôta sa veste et s'affala confortablement sur un canapé. Une secrétaire leur apporta du café, puis les laissa seuls. Histoire de commencer, il raconta son entrevue la veille avec le capitaine Shenson, tout juste arrivé à Washington et qui, après avoir été interrogé par l'Armée, s'était présenté dans son bureau. Il avait passé une heure avec lui. Son avancement confirmé, le capitaine s'était montré fort loquace.

« De quoi a-t-il l'air ? demanda Fein. Qu'est-ce qu'il a dit ?

— Les pieds plats. Le dos voûté. A peu près la taille de De Gaulle, sauf qu'on pourrait le rencontrer deux fois sans se souvenir de lui. Il m'a raconté que leur agent allemand qui a été abattu était extrêmement efficace et fiable à cent pour cent. L'agent était convaincu que Schaeffer est Melkine. C'était un type, ne l'oubliez pas, qui apparemment connaissait le K.G.B. comme sa poche.

— Shenson n'a pas réussi à rien retrouver des effets personnels de l'agent ? Un carnet ou quelque chose ?

— Rien. Quelqu'un est arrivé avant nous dans sa chambre. Shenson a essayé de découvrir une famille, une femme, n'importe quoi. Rien de ce côté-là non plus. »

Fein secoua la tête. « Sans doute que la seule façon de jamais arriver quelque part, ce serait d'avoir les confidences de Schaeffer.

— Eh bien, pourquoi pas ? » demanda Helen Carson. C'était la première fois qu'elle parlait.

Fein éclata de rire. « Vous voulez dire faire parler Schaeffer ? Avez-vous pensé aux conséquences politiques si jamais on apprenait que la C.I.A. avait " interrogé " un universitaire allemand ? Pour éviter une bavure, il faudrait le liquider et ça pourrait être encore plus risqué.

— Passons au Portugal », dit Farr. Fein n'avait jamais évoqué ce que ce meurtre pourrait avoir d'immoral, il en avait seulement souligné le côté peu pratique. Le renseignement, nota Farr, faisait vraiment perdre à trop de gens toute perspective.

Il prit le rapport de douze pages qu'elle lui tendait. Elle en garda un exemplaire.

« Je crois que vous trouverez là tout ce que vous voulez, dit-elle. Sinon, je peux répondre à toute question que vous pourriez avoir à poser. Vous connaissez sans doute l'essentiel de tout cela. » Elle parcourut les premières pages. « Le Portugal, comme vous le savez, a été une dictature et un Etat policier pendant presque cinquante ans jusqu'à 1974, quand l'armée s'est révoltée, a organisé des élections libres et fait voter une Constitution et un système de gouvernement parlementaire avec une Assemblée nationale. Tout cela se trouve dans les pages un à quatre. De la page cinq à la page sept, j'ai résumé l'économie du pays. »

Farr feuilleta rapidement.

« En gros, reprit Helen Carson, le Nord un peu montagneux se partage entre les propriétaires terriens et l'industrie ; le Sud est plat avec de grands domaines où travaille une paysannerie à moitié affamée. Le Nord est modéré ou légèrement socialiste et le restera ainsi quelque temps. Si la récession n'affecte pas trop les ouvriers des usines. Le Sud est à prédominance communiste. »

Farre décida de lui faire ralentir le train. « Pourquoi ? interrogea-t-il.

— Parce que, dit-elle en haussant les épaules, de nos jours des gens qui ont faim et qui sont désespérés sont en général communistes. »

Bon, songea Farr, d'accord, je suis un idiot.

Elle poursuivit : « Après la révolution, toutes les grandes propriétés ont été confisquées et distribuées aux paysans, mais par lots si petits que personne ne pouvait vivre de la terre. Alors les paysans les ont refusés. Ils voulaient des communes. Le gouvernement possède encore la terre et tout paysan qui n'était pas déjà communiste l'est devenu.

— Et l'armée ? demanda Farr.

— L'armée a un rôle très important. Elle est extrêmement politisée et joue un rôle de chien de garde. Si les choses tournent mal, il y a toujours le risque de la voir intervenir. En 1975, l'armée a failli devenir communiste, mais aujourd'hui elle est plutôt modérée. »

Farr parcourut encore quelques pages.

Elle l'imita. « Les pages sept à douze concernent la crise actuelle, dit-elle. J'ai essayé de l'exposer le plus simplement possible.

— Je m'en rends fort bien compte », répliqua Farr. Tout d'un coup il en avait assez de ses grands airs. Il savait maintenant, et sans aucun doute, d'où provenaient les premiers soupçons qui pesaient sur Volker. Il se demandait comment elle-même rédigerait son propre scénario sur la situation au Portugal. Son rapport ne faisait aucune prédiction. Il ne faisait qu'exposer la situation existante, en précisant que le président portugais avec le plein accord des Etats-Unis avait désigné un Premier ministre extrêmement populaire et que la coalition socialo-communiste avait lourdement chuté aux dernières élections. Le récent et discret voyage de Volker à Lisbonne semblait avoir été exactement ce qu'il prétendait être, un appui très efficace à la modération.

« Compte tenu de vos récentes recherches, dit-il, comment voyez-vous le proche avenir du Portugal ?

— Les communistes, répondit-elle, sont bien près d'obtenir ce qu'ils veulent et je ne les vois guère y renonçant facilement. Pas plus, ajouta-t-elle d'un ton acide que notre ami au Département d'Etat.

— L'armée est contrôlée par un général de droite, Figueira, riposta Farr. Est-ce que cela n'éliminerait pas pratiquement un coup d'Etat communiste ?

— Pas s'il existait des éléments clandestins dont nous ne saurions rien, fit-elle avec obstination.

— Quelle sorte d'éléments ?

— Je ne sais », répondit-elle. De toute évidence elle n'aimait pas cette façon d'être provoquée et ne prenait même pas la peine de dissimuler son agacement. « J'ignore, par exemple, quelles pressions les communistes portugais subissent de la part de Moscou.

— Si, interrogea Farr, se produisait un coup d'Etat communiste réussi, croyez-vous que nous aurions la flotte russe à Lisbonne ? »

Elle haussa les épaules et lui adressa un sourire condescendant. « Le parti communiste portugais n'est pas comme le reste des euro-communistes. Il suit strictement la ligne de Moscou. »

Farr se maîtrisa. C'était une chose de lancer des accusations et de faire naître des soupçons, une autre d'essayer de les prouver. Il y avait trop de femmes comme Helen Carson en ce bas monde.

Elle se leva brusquement. « Maintenant, si vous voulez bien m'excuser, j'ai une autre réunion. Virgil, si vous avez besoin d'autre chose, vous savez où je suis. » Fein avait l'air un peu gêné.

Farr se dit qu'il devait coucher avec elle, mais ce n'était pas comme ça qu'elle avait prise sur lui. C'était à cause de son agressivité. Par bonté d'âme il passa encore quelques minutes avec Fein pour lui permettre d'avoir l'air de diriger les opérations. Comme il prenait congé, Fein lui demanda s'il faisait surveiller Alexis.

« Disons que nous l'avons à l'œil, bien sûr.

— Sais-tu que le lendemain du jour où tu l'as vue au bureau, elle est allée voir Andrew Taylor à l'U.B.C. ? »

Farr jura sous cape. Il s'était fait piéger. Voilà ce que c'était que de vouloir être gentil avec Helen Carson. Sandy ne lui avait rien dit, Alexis avait dû aller là-bas quand Sandy n'était pas de service. C'était ça ou alors elle lui avait menti. Ou peut-être Sandy n'avait-elle pas compris l'importance de sa démarche.

Il garda un visage impassible. « Comment l'as-tu su ?

— Par la même source qui m'a révélé que tu avais une fuite au Bureau, fit doucement Fein. Mon ami, reprit-il, Valerie McCullough sait pratiquement tout ce que tu fais. Peut-être plus. »

Cette fois Farr ne put dissimuler ses sentiments. C'était à la fois de la surprise, de la colère et de l'inquiétude. « Merci. C'est maintenant que tu me le dis. »

Fein haussa les épaules. « Tu aurais mieux aimé que je te le dise il y a une demi-heure et que je te gâche ton café. Qu'est-ce que ça change ? Je ne l'ai appris qu'hier soir.

— Quelle est ta source ?

— Un des producteurs d'actualité à U.B.C. Helen le connaît. Il semble que McCullough et lui aient eu une aventure, mais lui dit qu'elle s'intéresse aussi aux filles et qu'elle a une amie gouine dont le mari travaille pour le Bureau. » Il sourit. « Oublie tes sensibilités victoriennes, David, s'il t'en reste. Nous sommes dans les années 80 et Washington est une petite ville. La moitié des types que nous connaissons ont des histoires ou ne sont pas cent pour cent hétérosexuels. Pourquoi les femmes seraient-elles différentes ? »

Mêlé au flot de voitures rentrant à Washington, Farr remâchait tout cela. C'était embêtant. Si McCullough racontait ce qu'elle savait à l'antenne, l'Administration serait dans un joli pétrin. Des têtes tomberaient dont la sienne. Il espérait qu'Andrew Taylor contrôlait encore bien la situation. Il en savait assez pour ne rien laisser filtrer. Mais ça vous fichait la frousse de devoir compter sur l'intelligence d'un autre.

Et d'où venait la fuite? Il essaya de se demander quelle épouse d'un de ses agents pouvait être la coupable. Il les connaissait toutes et n'en imaginait aucune dans une aventure lesbienne, même fugitive. Ni en train de fournir des renseignements. D'ailleurs aucun de ses agents ne connaissait vraiment l'ensemble du tableau. Rien que le fragment qui les concernait.

Il laissa sa voiture au garage du Hoover Building et monta jusqu'à son bureau. Il allait le savoir, quel qu'en fût le prix. Il le fallait.

Il était dans l'ascenseur quand l'illumination lui vint. Sa secrétaire crut qu'il était malade et le suivit jusque dans son bureau. Il lui dit qu'il allait très bien et qu'il ne voulait pas être dérangé. Il ferma sa porte et s'assit à sa table en essayant de découvrir un moyen de ne pas se trouver confronté à cette évidence. Mais il n'y parvint pas. Les faits étaient là et refusaient de se laisser oublier. L'épouse d'un agent du F.B.I. qui était le mieux placé pour être au courant de l'enquête de Volker, c'était Susan. Elle était belle, jeune et passionnée et elle avait des rapports faciles avec les gens. Elle connaissait tout d'Adrian James et elle était amie d'une des filles qu'il avait emmenées avec lui.

Dans ce petit monde, connaître un personnage clef vous amenait à en connaître d'autres.

Farr se contraignit à plonger dans les sombres détours de sa mémoire. Ce n'était pas que récemment qu'il ne s'était pas montré à la hauteur avec elle. C'était arrivé d'autres fois. Il y avait eu des moments aussi où il avait eu l'impression qu'elle se sentait enchaînée à ces calmes soirées de banlieue avec un homme fatigué de dix-sept ans son aîné. Des moments où il avait eu le sentiment qu'elle avait désespérément envie de se libérer, de voler de ses propres ailes à elle. Il songea à la veille au soir où elle avait téléphoné pour dire qu'elle devait rester à l'hôpital. Il y avait eu d'autres nuits où elle avait appelé pour dire la même chose. Il ne cessait de se répéter qu'il n'avait pas de preuve, rien que des soupçons. Ça ne l'avançait à rien.

Au bout d'un moment, cela devint trop pénible de continuer à y penser et il se remit lentement à son travail. Plus rien ne serait jamais pareil.

27

A Brigham Bay, on dînait sur la terrasse. Le crépuscule s'étendait sur l'eau calme de l'estuaire, d'abord pourpre et mauve, dans de douces tonalités d'un noir velouté. La pelouse sentait l'herbe fraîchement coupée, l'air était tiède. Il n'y avait pas de lune. Les flammes des bougies dansaient à peine, leur lueur se reflétant sur les feuilles des bouleaux et des ormes.

Alexis avait groupé ses invités par table de six, mettant le ministre des Affaires étrangères portugais avec son mari à une table, elle-même avec le général Figueira à une autre et Arnold Wilderstein pour présider la troisième.

On servit les cocktails sur la pelouse. Everett était venu de R Street avec deux femmes de chambre car le général Figueira et sa femme restaient pour la nuit. La présence du maître d'hôtel faisait à Alexis l'effet d'une parodie. Par deux fois elle avait dû lui reprocher la grossièreté dont il faisait montre envers Missy et Sam. Il y avait également toute une cohorte d'agents dans la grange. Elle avait proposé à Sandy de prendre son week-end pour échapper à ce dîner, mais Sandy avait dit qu'elle voulait être là. Une voiture de police était garée à l'embranchement de l'allée et de la route départementale et deux vedettes de la police étaient ancrées discrètement dans l'estuaire.

Ils prirent place à table à huit heures et quart. Alexis se donnait beaucoup de mal pour ne pas laisser paraître ses émotions. Partout elle sentait la présence d'Adrian James et elle éprouvait en même temps un mélange de tristesse et de remords. Et aussi, depuis qu'elle avait vu Andrew Taylor et qu'elle avait parlé à Valerie McCullough, elle avait l'impression d'avoir un peu retrouvé son ancienne existence de journaliste et le protocole qui était devenu plus dur que jamais à supporter.

Figueira était un homme grisonnant au regard froid derrière ses lunettes à monture d'acier. Il était venu sous le prétexte de négocier un achat d'armes, mais en réalité pour bien donner aux Portugais l'impression que leur gouvernement était solidement soutenu par les Etats-Unis.

Alexis avait beaucoup de mal à lui faire la conversation. Une fois le dîner terminé, il commença à incarner pour elle tout le ressentiment que lui inspirait ses devoirs d'épouse du Secrétaire d'Etat et dont elle se rendait compte qu'elle l'éprouvait depuis longtemps et qu'elle l'avait à demi enterré. Il lui semblait qu'elle n'était guère plus qu'un accessoire. Mais, en jetant un coup d'œil à son mari, lancé dans une conversation animée à la table voisine, une partie de ce ressentiment se dissipa. Elle se prit à se demander si ses sentiments ne pourraient pas être exagérés en raison des soupçons qui pesaient sur lui. Elle fit tous ses efforts pour reprendre son rôle de bonne hôtesse.

Toutefois sa rancœur connut une nouvelle flambée lorsque, après le dîner, Harold annonça inopinément que les hommes allaient se retirer dans son cabinet pour fumer le cigare devant un verre de cognac et qu'elle resta pour servir le café aux épouses dans la bibliothèque. Il avait promis de ne jamais faire cela. Un moment, en écoutant de banales inanités concernant les différences de langues, les impressions des Portugais sur l'Amérique, Alexis eut le sentiment d'être au XIXe siècle.

Un ensemble à cordes des Marines s'installait dans le salon. Elle laissa les femmes un moment pour parler au chef d'orchestre, puis revint pour entendre la jeune épouse du président de la Commission sénatoriale des Affaires étrangères poser une question qu'elle n'aurait jamais osé hasarder si elle avait été plus âgée et si elle avait eu plus d'expérience. Les femmes de diplomate ne discutaient jamais politique sauf à des réunions très privées.

« Est-ce que les communistes vont vraiment être une menace pour vos élections ? »

Cela s'adressait à l'épouse du ministre des Affaires étrangères, une dona hautaine d'une cinquantaine d'années qui se força à sourire. « Bien sûr que non. Ils ne représentent absolument aucune menace, répliqua-t-elle. Surtout pas depuis le récent voyage du général Volker à Lisbonne. »

La jeune femme se rendit compte qu'elle aurait mieux fait de se taire et tenta de battre en retraite. « Nous avions entendu dire qu'ils étaient si bien organisés, reprit-elle. Mais nos médias ne donnent jamais d'informations justes. »

Nettie Wilderstein n'avait ni ce tact ni cette intelligence. « Le communisme, déclara-t-elle de sa voix un peu nasillarde, est toujours une menace. Qu'il soit organisé ou non. »

Elle en appelait à la femme du ministre des Affaires étrangères, mais ce fut l'épouse du général Figueira qui répondit. C'était une petite femme fragile aux traits menus et avec un sourire supérieur. « Cela dépend du pays, dit-elle d'un ton dépourvu d'humilité. Nos communistes sont nombreux, certes, et peut-être cela a-t-il été mal interprété. Ils sont nombreux mais ils n'ont pas la force. Après tout, ce ne sont que des ouvriers et des paysans. La plupart d'entre eux ne savent ni lire ni écrire.

— Des animaux », acquiesça la dona dans un murmure.

La femme du général haussa un peu le ton. « Il faut voir la façon dont ils vivent. Des sols en terre battue. Ils font la cuisine dehors sur des feux de charbon de bois. Les installations sanitaires ? Ils ne savent même pas que cela existe. Certains n'ont même pas de bœufs. Qui tire la charrue ? Les femmes, dit-elle en riant. Voilà nos communistes portugais. Le XIe siècle. Nous ne les laissons pas nous inquiéter. D'ailleurs l'armée ne supporterait pas leurs absurdités, si jamais cela devenait sérieux. »

Alexis fut surprise. Ce n'était pas une attitude qu'elle avait jamais rencontrée parmi les Portugaises plus modernes et plus libérées qu'elle connaissait. Elle s'interrogea sur la véhémence de cette femme. Plus tard, durant le concert, elle se souvint du colonel Catarino qui avait appelé Harold le soir où il était rentré du Portugal. Elle s'était abstenue d'interroger de nouveau Harold à son propos, ne voulant pas se rappeler le désarroi que le mensonge de son mari avait provoqué chez elle. La senhora Figueira était assise auprès d'elle, et entre deux morceaux, elle lança nonchalamment le nom du colonel dans la conversation. La réaction qu'elle obtint ne la surprit pas moins. La femme du général parut un moment déconcertée. Puis ses yeux se baissèrent : « Un colonel Catarino ? A Washington ?

— Il a téléphoné un soir à mon mari. Il a dit qu'il faisait partie de l'état-major de votre mari.

— Ça doit être une erreur. Je n'ai jamais entendu parler de

lui. » La senhora Figueira avait retrouvé son assurance et se mit à rire. « Je crois malheureusement que notre armée est bourrée de colonels, tous ambitieux et prétendant avoir une importance qu'ils sont loin d'avoir. »

Comme elle s'apprêtait à se coucher, Alexis décida de parler de cette femme avec Harold. Elle était assise à sa coiffeuse en train de se démaquiller. « De quel milieu est la femme de Figueira ? »

Il arriva de la salle de bains où il se lavait les dents. « Riche. A millions. Son père était le second propriétaire terrien du Portugal. Il possédait la moitié de l'Alentejo. Du blé, du bétail. La propriété était dans la famille depuis sept générations. »

Alexis connaissait la région dont il parlait. Une vaste plaine brûlante au sud-ouest de Lisbonne, plantée de chênes-lièges et de pins, un vaste grenier calciné. Il y avait bien peu de villes ou même de villages et depuis des siècles les paysans vivaient là dans un état de virtuel servage.

« La plupart des grands domaines, dit-il, ont été confisqués après la révolution. » Il drapa sa serviette autour de ses épaules et vint s'installer auprès d'elle devant la coiffeuse. « T'a-t-elle dit à quel point les paysans sont des animaux ?

— Elle m'a raconté que c'étaient les femmes qui tiraient les charrues.

— Je peux t'assurer qu'elle ne l'a jamais fait. Elle avait une femme de chambre pour l'habiller et la déshabiller et elle est allée dans un pensionnat en Suisse. Elle faisait du ski à Saint-Moritz, jouait chaque soir à Monte-Carlo le salaire annuel de cinquante hommes.

— On dirait que tu ne l'aimes pas non plus, dit-elle en riant.

— Je ne peux pas la supporter. » Il y avait de la colère dans sa voix. Alexis avait déjà entendu ses accents de rage et d'amertume en face du cynisme sceptique de ceux qui ne croyaient à aucun espoir de soulager la misère du tiers monde. Mais en même temps il accueillait à bras ouverts Arnold Wilderstein et ses amis banquiers qui, s'ils ne s'enrichissaient pas à proprement parler de la misère des moins fortunés, préféraient ne pas voir leur désespoir.

« Il y a une chose que je ne comprends pas, reprit-elle. S'ils étaient d'aussi gros propriétaires terriens, comment Figueira a-t-il survécu à la révolution ? Pourquoi ne s'est-il pas exilé ? La plupart de ses amis l'ont fait et j'ai toujours entendu dire qu'il était le plus à droite de tous.

— C'est vrai. Et je crois qu'il a bien failli le faire. Surtout quand les communistes dominaient l'armée en 1975. Mais il a pour lui la loyauté de plusieurs divisions clefs et on n'a pas voulu courir le risque de les aliéner. En même temps il est resté très discret et a évité de marcher sur les pieds de qui que ce soit. Figueira a toujours été un pragmatiste. Il ne se ferait pas tuer pour un idéal politique. La position et la fortune viennent d'abord. »

Sans se retourner, Alexis l'observait dans son miroir. Il était détendu et, dans l'éclairage tamisé de la chambre, elle se sentit soudain très proche de lui. Elle aurait voulu se lever de sa coiffeuse et l'entraîner jusqu'au lit et faire l'amour. Mais elle en était incapable. Le golfe qui les séparait était trop large. Connaître la vérité était devenu un besoin. Elle devait savoir. Elle se mit à se brosser les cheveux et trouva soudain le courage de demander ce que Catarino venait faire dans tout cela.

« Catarino ? fit-il en la regardant d'un air étonné.

Un peu trop étonné, se dit-elle. Pourquoi ? Pourquoi n'avait-il pas l'air de se rappeler le nom ?

« L'homme qui t'a appelé le soir où tu rentrais de Lisbonne.

— Oh, oui.

— J'ai demandé à la femme du général Figueira et elle n'avait jamais entendu parler de lui.

— Ça n'a rien d'étonnant. Il n'est pas important. Un simple courrier. Il m'apportait un message du nouveau Premier ministre. Il est reparti le lendemain matin. »

Alexis réprima une vague de brusque colère. L'homme qui lui avait parlé au téléphone n'était pas un simple courrier. Les courriers ne prenaient pas leur petit déjeuner avec des ambassadeurs. Que répondrait Harold si elle l'interrogeait. C'était le bon moment. Il n'était pas sur ses gardes.

Elle formulait les questions dans son esprit lorsqu'il se leva, passa son peignoir et se mit à fouiller dans son porte-documents. Trop tard. Ce sentiment d'intimité qui lui avait donné l'impression qu'elle pouvait le questionner avait disparu.

« Tu as perdu quelque chose ?

— Ma *Revue de Heidelberg*. J'avais envie de descendre en lire quelques pages. Ça t'ennuie ?

— Bien sûr que non. »

Elle se leva de derrière sa coiffeuse pour l'aider à chercher et trouva le magazine dans le compartiment du dessus de sa valise. Il l'embrassa et s'en alla, sa revue sous le bras, avec l'air, trouva-t-elle, d'un petit garçon qui a retrouvé sa bande dessinée favorite. Cela la surprenait parfois qu'il pût la lire. C'était en allemand et elle se rappelait alors qu'il était allemand. Qu'il l'avait été. C'étaient à peu près les seules occasions qui le lui rappelaient.

Elle alla se coucher et éteignit la lumière. Une demi-heure plus tard elle se releva. Il fallait qu'elle lui parle. Elle ne pouvait plus attendre. Elle allait descendre dans le calme de son cabinet, s'asseoir auprès de son fauteuil et lui raconter tout ce qui se passait. Elle l'aimait, elle était sa femme. Quelles que fussent les affaires dans lesquelles il était impliqué, il devait partager tout cela avec elle. C'était le moment. Maintenant, avant qu'il ne prenne des mesures irrévocables. Peut-être n'y aurait-il jamais d'autre chance.

Elle s'arrêta en peignoir sur le palier devant leur chambre, tendant l'oreille. La maison était silencieuse. Ils étaient tous couchés. Au loin elle entendit quelques bruits étouffés d'activité. Une porte claqua. Sans doute les agents dans la grange ou les domestiques. La fenêtre du palier donnait sur l'estuaire. Des lumières brillaient sur une des vedettes de sécurité ancrées non loin de la rive, se reflétant sur l'eau calme.

Il pouvait donner sa démission, se dit-elle. Changer de cap. N'importe quoi. Mais il fallait le faire avant que Valerie McCullough ou le F.B.I. ne découvre des preuves qui rendraient tout impossible.

Elle descendit à pas de loup l'escalier sans allumer aucune lumière et traversa le couloir sombre. On n'entendait que le tic tac méthodique de la vieille horloge. Il y avait de la lumière sous la porte du cabinet de travail. Elle tendit la main vers la poignée puis s'immobilisa. Elle entendait des voix : celle de son mari et puis elle reconnut l'autre. C'était le général Figueira.

Elle remonta lentement. Ce qu'elle voulait dire à Harold devrait attendre. Le moment était passé.

28

« J'ai réussi à avoir une des petites salles de projection, dit Valerie. Ça nous évitera d'attraper des crampes à nous pencher sur une Moviola.

— C'est merveilleux », dit Alexis. Ravalant son orgueil, elle avait appelé Valerie McCullough pour lui demander de l'aide. A sa surprise, elle n'éprouvait envers la nouvelle jeune protégée d'Andrew Taylor plus rien du ressentiment de leur première rencontre. Valerie avait été charmante et s'était mise en quatre pour l'aider. Lorsque Alexis arriva au milieu de l'après-midi, la jeune femme lui montra une photo d'agence 21 × 27.

« Francisco José Catarino », dit-elle.

Alexis se prit à regarder le visage rude et carré d'un soldat à la coiffure coupée en brosse, prématurément gris, et qui n'avait pas plus d'une trentaine d'années. La bouche était large et décidée, la mâchoire énergique, les yeux sombres et au regard intense.

« Il commande une division blindée, expliqua Valerie, et je vous parie qu'il a une petite amie dans chaque garnison du Portugal. » Elle éclata de rire. « Je suis à sa disposition quand il le veut. Sa biographie est au verso. »

Alexis la parcourut. Un mot ressortait parmi tous les autres. Communiste. C'était un militant du Parti et en 1975, il avait été un des principaux meneurs dans le coup d'Etat communiste avorté. Elle retrouva la vieille excitation que tout journaliste ressent lorsqu'il tombe sur quelque chose d'important. Autant pour le courrier anonyme, se dit-elle.

Valerie lui tendit un tas d'autres photos. « Tous les hommes politiques sur lesquels nous avons un dossier, fit-elle, et la moitié de l'armée. »

Elles passèrent une heure à se familiariser avec ces visages et à rafraîchir leurs connaissances sur la révolution de 1974 au Portugal en utilisant un bref résumé fourni par le service des Actualités. Puis elles quittèrent le bureau de Valerie pour descendre à la salle de projection. Ce fut un long voyage dans le couloir en sortant de l'ascenseur : les gens ne cessaient de reconnaître Alexis et de l'arrêter, des correspondants, des journalistes, des cameramen. Une ou deux fois, Alexis se trouva au bord des larmes. Elle fut soulagée quand les portes de l'ascenseur se refermèrent et qu'elle put en riant demander à Valerie un kleenex pour s'essuyer les yeux et se moucher.

Elle s'excusa. « Je suis désolée. Je ne m'attendais pas à ça.

— Allons donc. Soyez contente.

— J'ai l'impression de me retrouver chez moi. »

La salle de projection avait une douzaine de confortables fauteuils, chacun avec son téléphone pour appeler l'extérieur ou la cabine. Lorsqu'elles entrèrent, le projectionniste arriva. C'était un gros homme d'un certain âge à l'air autoritaire. Il était à l'U.B.C. depuis plus de trente ans. « J'ai toutes les foutues archives là-dedans, miss McCullough. Il n'y a pas assez de place pour un nain portugais, encore moins pour moi. » Il lui tendit une liste dactylographiée des films, puis reconnut soudain Alexis. « Bonté Divine, regardez qui est là ! »

Alexis se trouva de nouveau accueillie et fêtée. C'était agréable, mais ce qui était l'était encore davantage, c'était de voir à quel point l'homme aimait bien celle qui lui avait succédé. La position et l'autorité de Valerie rendaient plus supportable ce qu'elles étaient en train de faire. Le côté professionnel venait un peu atténuer ce que leurs investigations avaient de déplaisant.

« J'ai demandé qu'on me sorte toutes les bandes d'actualité que nous avons sur l'armée portugaise, expliqua Valerie, ainsi que ce dont nous disposons sur la révolution. En remontant jusqu'à 1974. Il doit y en avoir pour environ trois heures d'affilée. Je ne pensais pas que vous vouliez remonter plus loin. ». Elle jeta un coup d'œil à la liste. « Par où commençons-nous ? Par le premier jour ?

— Ça me paraît bien. »

Valerie rendit la liste au projectionniste. « Ça doit être le 25 avril 1974. Bobine 43.

— D'accord. La 43, ça marche. Si vous voulez que j'arrête, vous n'avez qu'à décrocher le téléphone. »

La porte de la cabine se referma derrière lui. Alexis et Valerie s'installèrent. Les lumières baissèrent. L'écran s'illumina. Des chiffres passèrent, sept, six, cinq, quatre, puis ce fut Lisbonne sous le soleil. Une mer humaine emplissait les rues et les places, célébrant dans la joie la libération inattendue après cinquante ans d'une dictature de fer. Il y avait des soldats qui riaient et souriaient, par milliers, dans des chars, des voitures blindées, à pied et partout entourés de gens qui les acclamaient. Des œillets rouges fleurissaient au canon des fusils. Sur les murs, où depuis longtemps aucune inscription ne s'était lue du rouge fleurissait en toutes sortes de symboles politiques avec le mot « Liberdad » qui dominait tout le reste.

« Stop. » C'était Valerie qui appelait le projectionniste. « Revenez un peu en arrière. Le plan du balcon. »

Le film tremblota, repartit en arrière, s'arrêta, cadré sur la junta révolutionnaire, une demi-douzaine d'officiers de haut rang qui contemplaient une vaste plazza encombrée de gens qui les acclamaient.

« Voilà Figueira, dit Valerie.

— Vous avez raison. » Alexis l'avait manqué. Elle se promit d'être plus attentive. « Il n'a pas beaucoup changé.

— C'est le type tout à fait à droite, dit Valerie au projectionniste. Celui avec les cheveux gris et les lunettes à monture d'acier. »

La voix du projectionniste retentit dans un haut-parleur. « On dirait un des copains de Hitler.

— Je crois que ça ne lui aurait pas déplu de l'être. Si vous le revoyez, voudriez-vous arrêter ?

— Bien sûr.

— Nous cherchons aussi un officier beaucoup plus jeune, dit Alexis. Il devrait apparaître d'ici une bobine ou deux. Il a les cheveux prématurément gris, coiffés en brosse et l'air vraiment pas commode. Il devrait être avec des chars et véhicules blindés, et peut-être aussi des réunions communistes.

— On va vous le trouver. »

Le film repartit. Les scènes campagnardes avec des soldats armés à des barrages routiers, des places de village encombrées de paysans en liesse, l'aviation passant en rugissant dans le ciel, des navires dans la rade de Lisbonne. Des personnages publics s'adressant à des batteries de micros ou sortant de réunions de crises. Et puis il y avait les vaincus, la police secrète abhorrée et leurs informateurs, les tyranneaux de l'Administration du dictateur emplissant maintenant les prisons qu'ils avaient fréquentées jadis dans un tout autre rôle.

Ils revirent par deux fois Figueira, toujours avec des officiers de grade plus élevé et toujours à l'arrière-plan. Puis Catarino finit par apparaître, une bobine plus tard, comme Alexis l'avait deviné. C'était au début de 1975, lorsque les communistes avaient commencé à sérieusement dominer l'armée.

« Le voilà », dit-elle. Le film s'arrêta, cadré sur cinq jeunes officiers devant le quartier général d'une division blindée à Lisbonne. L'un d'eux était Catarino. Ils repassèrent la bobine. Le commentaire faisait état de divisions de plus en plus accentuées dans l'armée à mesure qu'elle penchait davantage vers le communisme. Les officiers étaient des « jeunes turcs » prêts à soutenir les communistes si ceux-ci tentaient un coup d'Etat. On était en janvier 1975.

Des scènes politiques agitées suivirent. Des foules encore envahissant les grandes avenues de Lisbonne. Des masses de drapeaux rouges déferlant dans les rues comme des ruisseaux de sang. La faucille et le marteau dominaient parmi les graffiti. Dans la campagne il y avait des scènes d'émeutes et parfois des fusillades : le pays connaissait un long et inquiétant été. Mais, peu à peu, neuf siècles de bon sens national finissaient par l'emporter. La résistance des catholiques et des modérés au communisme grandissait. Dans l'armée des esprits plus sains, horrifiés par l'imminence d'une guerre civile, brisaient la domination communiste.

On n'avait pas à se poser de questions sur la position de Catarino. Dans une scène après l'autre, il apparaissait à des réunions communistes ou avec des officiers qui dirigeaient la mainmise communiste sur l'armée.

Mais ce fut seulement bien plus tard que la neuvième bobine qu'on projetait montra la scène choc que l'instinct d'Alexis lui disait qu'elle allait sans doute trouver mais dont elle espérait qu'elle n'existait pas. C'était dans l'Alentejo, les plaines desséchées du Sud. Deux ans plus tard. Une colonne blindée bloquait arbitrairement le trafic des touristes se dirigeant au sud vers les plages de l'Algarve. De jeunes officiers, arrogants et amusés, ignoraient les réclamations de Français, d'Allemands et d'Anglais inquiets qui sortaient de leurs voitures chargées du matériel de plage. Sur un char s'étalaient à la peinture rouge la faucille et le marteau. A l'arrière-plan, une limousine de l'armée apparut et s'arrêta. Deux officiers supérieurs en descendirent. Bien que la caméra filmât surtout les touristes, on voyait clairement qui étaient les officiers. L'un était le colonel Catarino, l'autre le général Figueira.

« Pouvez-vous ralentir ? »

La scène passa plus lentement. Figueira attendait auprès de la limousine. Catarino vint serrer cordialement la main du commandant de la colonne. Ils discutèrent un moment et Catarino donna l'ordre au commandant de déplacer ses véhicules. Il rejoignit alors Figueira.

Le film montrait ensuite la colonne blindée qui dégageait la route. Les véhicules des touristes repartaient. Dans un dernier plan, on voyait la limousine s'en aller.

« Bon, fit Alexis. C'est tout ce qu'il me faut. »

Plus tard, dans le bureau de Valerie, devant une tasse de café elles discutèrent des rapports entre les deux hommes.

« Un communiste et un néo-fasciste », soupira Valerie. Elle eut un sifflement étonné. « Deux compagnons peu vraisemblables et, d'après ce que vous me dites, qui de toute évidence gardent encore un étroit contact. Que croyez-vous que cela signifie ?

— Je voudrais bien le savoir », répondit Alexis. Mais elle le savait très bien. Un ultime sursaut de loyauté envers Harold était tout ce qui l'empêchait de raconter de Figueira ce qu'il lui avait dit le dernier week-end. De jeunes communistes mus par un fanatisme quasi religieux ne se vendaient pas. Ils préféraient la mort. Mais un vieux général prêt à tous les compromis, qui aimait la richesse et sa position plus que les idéaux et qui ne voulait pas laisser filer la fortune de sa femme, pourrait fort bien conclure un marché qui lui donnerait accès à cette fortune. Figueira devait bientôt prendre sa retraite. Il contrôlait des divisions clefs dans l'armée. C'était sa dernière chance d'utiliser ce moyen de pression. Les communistes à leur tour étaient sur le point de perdre leur dernière chance de s'emparer du gouvernement et de tourner ainsi le flanc sud de l'O.T.A.N. La situation au Portugal se retournait contre eux et, grâce à la taupe qu'ils avaient installée chez Alexis, ils pourraient bien se rendre compte aussi qu'ils ne pouvaient plus compter pour très longtemps sur l'aide de son mari.

Tous les éléments étaient là. Il ne restait qu'à voir comment ils devaient se mêler. Et quand ?

Le Président portugais était attendu pour la fin de la semaine. Sa visite avait été soigneusement orchestrée pour avoir le maximum d'influence sur les prochaines élections là-bas. Il bénéficierait de l'impact sur les électeurs non seulement de son arrivée aux Etats-Unis mais de son séjour à Camp David, mais aussi de son retour à Lisbonne et du rapport qu'il ne manquerait pas de faire devant le Parlement portugais quelques jours avant les élections.

S'il devait y avoir un coup d'Etat, quel meilleur moment de choisir durant son absence ? Et si Figueira devait y participer, quel meilleur écran pour masquer sa trahison que sa présence à Washington aux côtés de son Président ?

Grâce à son expérience de journaliste, Alexis savait que tout ce qu'elle pouvait faire, c'était attendre, observer et espérer que quelque chose de substantiel allait bientôt se produire qui lui révélerait quel était le rôle de son mari. Jusqu'alors elle ne saurait quoi faire, ni comment utiliser ce qu'elle avait découvert pour le sauver et sauver son mariage.

Epuisée par ce qu'elle pensait, elle promit à Valerie de rester en contact, lui dit tendrement adieu et partit. Elle avait fini par comprendre que Valerie se servait d'elle. La jeune femme était persuadée qu'Alexis Sobieski était mieux placée pour découvrir l'histoire qu'elle-même. C'était un compliment à double tranchant et Alexis s'aperçut que peu lui importait. Chacun pour soi. Valerie n'était pas une sentimentale et Alexis l'aimait bien. A sa place, j'aurais fait la même chose, songea-t-elle, quand je me bagarrais pour me faire une place au soleil. Exactement la même chose. Et c'était étrange, elle avait l'impression que c'était seulement hier.

29

Le président portugais Luis Cabral arriva au milieu de la matinée. Son avion, un 707 de l'aviation militaire portugaise venait à peine de se poser sur la piste de la base d'Andrews qu'une méchante bourrasque balaya le terrain. Il fut accueilli par le président des Etats-Unis. En raison de la pluie torrentielle, on annula la revue qu'il devait passer d'un détachement de Marines. Protégé par un parapluie, le Président américain accueillit son hôte abrité lui aussi en le saluant comme un des alliés le plus sûr des Etats-Unis et en soulignant le rôle critique joué par le Portugal dans le bouclier de l'O.T.A.N. protégeant une Europe libre.

Le président Cabral répondit en exprimant son plaisir de se trouver aux Etats-Unis, une grande nation qui partout était un modèle pour les démocraties. Il déclencha quelques rires polis lorsque, regardant le ciel il proposa que la Maison-Blanche d'été fût installée dans l'Algarve, la côte méridionale du Portugal perpétuellement ensoleillée.

L'escorte de motards entraîna l'escorte présidentielle jusqu'à la Maison-Blanche dans un hurlement de sirènes. Un petit groupe de supporters portugais trempés et grelottants venus soutenir la colation socialo-communiste, pour la plupart des étudiants, était maintenu à quelques centaines de mètres plus bas dans Pennsylvania Avenue pour éviter que les panneaux qu'ils brandissaient ne vinssent provoquer quelque gêne.

Après un rapide déjeuner dans l'atmosphère relativement intime de la salle à manger présidentielle de l'aile Ouest, le temps commença à s'éclaircir. Les deux Présidents, accompagnés de leurs épouses, partirent en hélicoptère pour un week-end de conversations et de détente à Camp David. Le Secrétaire d'Etat et sa femme étaient également du voyage.

Alexis, qui redoutait un peu tout ce week-end, fut surprise de le voir se dérouler de façon fort agréable. L'épouse du président Cabral était une femme moderne et juste à l'opposé des deux épouses qu'elle venait de recevoir à Brigham Bay. Ayant tout juste passé la quarantaine, elle s'intéressait passionnément non seulement à la politique portugaise mais à tout ce qui touchait à la politique aux Etats-Unis aussi bien qu'en Europe. Elle était cultivée, elle avait beaucoup lu, elle parlait quatre langues et de toute évidence s'intéressait à sa propre carrière autant qu'à celle de son mari : elle faisait de la biologie marine, elle était un des plus ardents défenseurs de la protection des espèces et des droits de la femme. En outre, elle jouait bien au tennis. Alexis découvrit avec tristesse qu'une fois de plus la seule personne qu'elle parvenait à battre, c'était son vieux rival, le président des Etats-Unis. Elle était navrée lorsque les deux familles présidentielles regagnèrent Washington le dimanche après-midi et qu'Harold et elle durent en faire autant.

Ils avaient des billets pour une soirée de ballets au centre Kennedy. Après un dîner léger, ils s'habillèrent et s'apprêtaient à partir lorsqu'on demanda Harold au téléphone. Il revint pour lui annoncer qu'il devait aller au Département d'Etat.

C'était le service des Opérations. « On dirait que ça bouge un peu chez les Libyens dans l'affaire des otages. On a besoin de mon avis tout de suite. » Alexis n'essaya pas de dissimuler sa déception. La perspective de cette soirée de ballets avait atténué le regret qu'elle éprouvait à quitter cette atmosphère d'évasion de Camp David et de se retrouver seule avec son mari et de nouveau confrontée à la réalité de ce dans quoi il était peut-être impliqué.

Elle s'efforça de masquer l'hostilité croissante qu'elle commençait à manifester à son égard. « Oh, la barbe, Harold. Tu ne pouvais pas leur dire ce qu'ils ont besoin de savoir au téléphone ?

— Je crois, malheureusement, que c'est un peu plus compliqué que ça. Va en avant avec Sandy. Je pourrai peut-être vous rejoindre pour le dernier acte. »

Alexis protesta qu'il finirait très probablement par passer toute la soirée au Département d'Etat. « Si ça ne te fait rien, dit-elle, j'ai un bon livre. Je préférerais rester à la maison.

— Chérie, ça n'est pas si facile. Il faut que l'un de nous y aille. Et moi, je ne peux pas. Ce sont des invitations et ils jouent à bureaux fermés. Ce serait extrêmement grossier de ne pas y aller. »

Elle se rappela le directeur du centre Kennedy leur offrant les billets la dernière fois qu'ils l'avaient vu là-bas.

« C'est un homme charmant, fit Harold. Et utile. Nous ne pouvons pas nous permettre de le vexer. »

Il tint bon et elle capitula. Un quart d'heure plus tard elle était dans la voiture avec Sandy.

« Vous allez être obligée de voir le ballet, dit-elle d'un ton acide.

— En tout cas jusqu'à l'arrivée du général Volker », protesta Sandy.

Alexis savait au fond qu'elle était ravie.

« Il ne viendra pas », dit-elle d'un ton catégorique. Elle fit grincer les vitesses en accélérant trop vite à la sortie d'un virage.

« De toute façon, c'est très gentil à vous de m'inviter », dit Sandy.

Elle avait l'air un peu vexée. Alexis se rendit compte qu'elle s'était injustement emportée, mais elle n'y pouvait rien. Elle avait l'impression qu'on se débarrassait d'elle. C'était le même sentiment qu'elle avait éprouvé dans le bureau du F.B.I. quand Farr et Bill Rupert l'avaient un peu menée en bateau. Elle se dit qu'elle était stupide. Ce n'était quand même pas la faute d'Harold si on l'avait appelé. Mais son malaise refusait de se dissiper.

Elles garèrent la Lancia à l'endroit réservé aux voitures officielles et entrèrent dans le hall noir de monde. Alexis repéra le directeur et lui présenta les excuses de son mari. La sonnette annonçait le début du spectacle et Sandy et elle entrèrent dans la salle. Elles descendaient la travée jusqu'à leurs places lorsqu'elle se rendit compte que c'était le souci qu'avait manifesté Harold de ne pas vexer le directeur qui sonnait faux. Il n'avait fallu que quelques secondes de conversation avec ce dernier pour qu'elle se rende compte qu'il ne se serait pas le moins du monde formalisé s'ils avaient manqué le spectacle. Il avait déjà fait un geste en leur offrant les billets. Ce n'était pas possible qu'Harold eût commis une telle erreur de jugement.

Alors pourquoi s'était-il montré si insistant ?

Il n'y avait qu'une réponse : parce qu'il n'allait pas au

Département d'Etat. Il restait à la maison et il ne voulait pas qu'elle le sût. Et la seule raison pour lui de faire cela c'était qu'il devait rencontrer quelqu'un qu'il ne pouvait pas voir sans problème ailleurs et qu'il ne voulait pas que quelqu'un qui comprendrait les implications d'une telle rencontre en fût informé. Pas même elle. Peut-être surtout pas elle.

Alexis hésita. N'était-elle pas au bord de la paranoïa ? L'ouvreuse attendait en souriant. Des gens s'étaient levés pour les laisser, Sandy et elle, gagner leurs places.

« Excusez-moi. Je suis désolée. » Elle saisit la main de Sandy et, sans se soucier de sa surprise, la saisit puis la tira à sa suite dans la travée puis dans le hall maintenant presque désert.

« Ecoutez, Sandy. Il faut que vous me rendiez un service. Retournez dans la salle assister au ballet. Je vous rejoindrai pour le second acte ou peut-être le troisième.

— Où allez-vous ?

— Je rentre.

— Mais vous ne pouvez pas.

— Pourquoi pas ?

— Pas si moi je reste ici. Je dois aller avec vous. J'ai des ordres, vous le savez.

— Je vous en prie, Sandy. Je ne veux pas que nos deux fauteuils soient inoccupés. Si vous êtes dans le vôtre, les gens penseront que je suis en tout cas dans le théâtre, au bar ou aux toilettes.

— Mais, Alexis, s'il vous arrivait quoi que ce soit, je perdrais ma place. Définitivement, et il n'y a pas que ça. J'aurais ça sur la conscience pour le restant de mes jours. »

Alexis s'efforça de ne pas se laisser déborder par l'agacement qui montait en elle. « Sandy, soyez raisonnable. Je rentre juste à R Street et je reviens. Que pourrait-il m'arriver ?

— Un tas de choses.

— Mais non. Rien du tout. Vous savez aussi bien que moi que depuis le premier coup de téléphone d'un détraqué nous n'en avons jamais reçu d'autre. Il n'y a rien qui nécessite la présence d'un garde du corps. Nous sommes coincés par la bureaucratie. Bon sang Sandy, nous sommes copines et j'ai besoin de votre aide. Si je me fais attaquer, tirez dessus ou Dieu sait quoi, je tiens à ce que vous sachiez que jamais je ne vous le reprocherai ni que je vous en tiendrai responsable. »

Sandy hésitait.

« Chérie, je vous en prie, c'est important pour moi. Vraiment important. »

La sonnette appelait les derniers retardataires.

Sandy eut un sourire mi-figue mi-raisin. « Qu'est-ce que je dis si le général arrive ? »

Alexis l'embrassa chaleureusement. « Vous trouverez bien quelque chose. » Elle quitta rapidement le Centre, et regagna sa voiture. Elle remonta le Potomac Parkway en direction de Georgetown et, arrivée là, remonta vers R Street. Vite. Mais pas trop vite. Elle n'avait pas envie d'avoir un accident ni de se faire arrêter par une voiture de police. Parvenue au coin de Q Street et de la 28e Rue, elle se gara. Elle reconnaissait l'endroit. C'était là qu'Adrian James l'attendait le jour où elle l'avait emmené à Brigham Bay. Cent mètres plus haut, dans la 28e Rue, il y avait une vieille entrée de service par le jardin qu'elle avait empruntée pour échapper à Steve Riker.

Elle ferma la voiture à clef et se dirigea vers la porte.

30

La 28e Rue était une voie étroite et bordée d'arbres qui descendait en pente assez raide depuis R Street et la maison des Wilderstein où habitaient les Volker. A l'extrémité de la propriété, à une cinquantaine de mètres du coin, le jardin était à trois bons mètres au-dessus du niveau du trottoir et c'était un épais mur de briques à demi couvert de mousse qui soutenait la terre.

La porte qu'il y avait là était très étroite, juste assez large peut-être pour permettre le passage d'un livreur avec un carton de provisions. Avec le lierre qui retombait des deux côtés, on pouvait passer sans même la remarquer. La ferronnerie rouillée était simple, six barres droites verticales aux pointes dangereusement effilées maintenues en place par trois entretoises, dont celle du milieu maintenait une clenche. Quand on avait franchi la porte, de petites marches de brique suivaient le raidillon qui menait au fond du jardin. La lumière du plus proche lampadaire de R Street était en partie arrêtée par une ligne d'arbres mais Alexis put constater que depuis la dernière fois où elle avait utilisé la porte, qu'on ouvrait facilement de l'intérieur en soulevant simplement la clenche, on y avait ajouté une chaîne avec un gros cadenas.

Arrêtée avant même d'avoir commencé, elle se mordit la lèvre en se demandant quoi faire, espérant qu'aucun promeneur attardé, qu'aucune voiture n'allait passer. Le mur de brique s'étendait bien lisse dans les deux directions. Des branches d'arbres qui le dépassaient étaient hors d'atteinte de la rue. Elle devrait escalader la porte. Elle noua sa jupe et posa un pied sur l'entretoise centrale entre les deux verticales. Puis elle empoigna les barreaux et se hissa. Dressée sur la pointe des pieds elle pouvait tout juste atteindre le faîte du mur. En tâtonnant, ses doigts rencontrèrent ce qui semblait être une prise solide. Elle leva un pied jusqu'à la barre transversale du haut de la porte et s'accroupit là-haut dans un équilibre précaire. Les pointes acérées des barres lui effleuraient le ventre. Elle sentait son cœur battre et elle avait la bouche sèche. Si elle glissait ou trébuchait en avant, elle serait empalée.

Il ne fallait pas rester là. Non sans peine elle se redressa lentement. Elle jeta un coup d'œil en bas. La rue lui parut à un kilomètre. Elle s'empressa de détourner les yeux. Le haut du mur était maintenant à la hauteur de sa ceinture, mais il paraissait plus haut. Au-delà, il y avait des fourrés épais et humides. Elle prit appui des deux coudes sur le sol et se glissa en avant, le visage plongeant dans les branchages et des toiles d'araignée. Quelque chose lui fila le long du cou et du bras. Elle réussit tout juste à ne pas sursauter. Un instant plus tard, elle se redressait avec un genou écorché et une jupe déchirée. Tapie contre les buissons, elle gravit les marches jusqu'au moment où elle parvint à un sentier dallé envahi de mauvaises herbes qui menait jusqu'à l'arrière de la maison et la cuisine.

Les lumières de la cuisine étaient allumées. Elle s'immobilisa dans l'ombre en voyant passer un homme en manches de chemise derrière les vitres. Everett. Il tenait une cafetière avec laquelle il s'en alla dans l'office, de l'autre côté de la cuisine par rapport à l'endroit où elle était. Elle savait que la cuisinière qui n'habitait pas là était déjà partie. Pour la première fois, elle se trouva confrontée au problème de savoir comment elle allait entrer sans se faire surprendre. Jusqu'à maintenant, elle n'y avait même pas pensé. Cela lui semblait ridicule : elle était chez elle. Mais si Harold apprenait qu'elle avait quitté le théâtre pour revenir ici, jamais elle ne parviendrait à inventer une histoire à laquelle il croirait et toute chance de l'aider et de sauver leur mariage risquerait d'être à jamais anéantie. Avant de faire quoi que ce soit, elle devait être sûre qu'il était bien là et qu'elle n'avait pas fait tout cela pour rien. Elle quitta l'allée et, évitant les rectangles de lumière des fenêtres qui tombaient sur la pelouse, se dirigea vers l'aile Ouest.

Elle commença à s'inquiéter en pensant au système de sécurité. N'avait-elle pas déjà déclenché un détecteur de son ou de mouvement ? Elle n'avait entendu aucune sonnerie d'alarme, vu aucun agent. La maison elle-même était protégée, mais on ne branchait jamais le système avant qu'Harold et elle ne fussent au lit. Lorsqu'ils avaient emménagé, ils l'avaient trop fréquemment déclenché lorsqu'ils rentraient inopinément d'une soirée.

Elle atteignit un point en face du bureau de son mari et s'arrêta. La pièce était dans l'obscurité. Les rideaux n'étaient pas tirés. Mais, alors qu'elle se demandait ce qu'elle allait faire, la porte du couloir s'ouvrit et un homme entra. Everett de nouveau. Il alluma l'électricité. Il avait remis sa veste et portait un plateau avec des tasses et un service à café. Il le posa sur le bureau, regarda autour de lui et repartit. Cela signifiait une chose : Harold était bien là. Elle n'eut pas longtemps à attendre. Quelques minutes plus tard la porte du cabinet de travail s'ouvrit de nouveau et son mari apparut. La gêne qu'elle éprouvait à l'espionner se trouva tout de suite en partie apaisée par la présence de l'homme qui lui emboîtait le pas. Le général Figueira. Elle attendit pendant qu'ils s'installaient, Harold servant le café, puis elle revint sur ses pas.

Elle savait maintenant avec précision ce qu'elle avait à faire. Des micros étaient installés dans le bureau d'Harold. Chaque fois qu'il le voulait sa secrétaire pouvait enregistrer les conversations qui s'y tenaient. Le magnétophone était dans le bureau voisin et il suffisait d'appuyer sur une touche pour le mettre en marche. Elle viendrait chercher la bobine de bonne heure le matin avant l'arrivée des secrétaires.

Everett n'avait fait sa réapparition ni dans la cuisine ni dans l'office. Cela voulait dire qu'il était dans la salle à manger, à dresser la table du petit déjeuner. Alexis savait qu'elle n'avait plus beaucoup de temps. Si elle comptait utiliser la porte de la cuisine, il allait falloir agir vite et sans hésitation. Si elle déclenchait un signal d'alarme, il lui faudrait trouver une histoire acceptable au cas où un agent surgirait. C'était elle qui avait l'avantage. Elle était la femme d'Harold Volker et on ne la considérerait pas comme une intruse.

Elle rassembla son courage, se dirigea d'un pas vif vers la porte et tourna le bouton. La porte s'ouvrit. Une seconde plus tard elle était dans la cuisine brillamment éclairée. Devant elle un couloir menant à l'aile où se trouvait le bureau. Comme elle se dirigeait par là en passant devant l'office, la porte qui donnait sur la salle à manger s'ouvrit et Everett apparut, marchant à reculons avec un plateau lourdement chargé. Elle fit un bond en avant. Le temps qu'il se retourne elle avait refermé sans bruit derrière elle la porte du couloir.

De l'autre côté, elle s'arrêta pour rassembler ses esprits. Elle l'avait échappé belle. En entrant dans le couloir, elle ne savait pas si quelqu'un s'y trouvait ou non. Elle n'avait pas eu le temps d'écouter. C'était un petit vestibule avec des portes de chaque côté qui donnaient sur des pièces de débarras. Au bout se trouvait la porte qui donnait sur l'aile ouest. N'entendant rien, elle l'ouvrit avec soin et déboucha dans un corridor recouvert d'une épaisse moquette.

Le couloir était désert, la lumière était allumée. Tout au bout, la porte qui donnait sur l'entrée était fermée. Celles qui donnaient sur les bureaux, sur la salle et la cabine de projection étaient autant d'ombres où elle pourrait au besoin chercher refuge. Elle se dirigea vers le bureau de la secrétaire auprès du cabinet de travail de son mari.

Le magnétophone était sur la table auprès du bureau le plus proche de la porte qui séparait les deux pièces. Quand Alexis s'approcha, elle put entendre le murmure étouffé des voix de son mari et du général Figueira. Elle inspecta aussitôt l'appareil. A sa consternation, les deux bobines du magnétophone étaient vides. Elle regarda autour d'elle, ses yeux s'habituant à la quasi-obscurité. Elle essaya les tiroirs du bureau. Fermés à clef. Tout comme un classeur métallique. Et les armoires contenant les dossiers. Pas de bobines sur aucun des rayonnages. De toute évidence on les avait rangées pour la nuit et sans doute se trouvaient-elles dans le coffre qui, elle s'en souvenait, était dans un coin de la pièce et qu'elle pouvait même commencer à entrevoir.

Sa déception était grande, mais sa peur l'était encore plus. Soutenue par un but, elle était parvenue à maîtriser l'affolement qui montait en elle et qui lui disait de tout laisser tomber, de tourner les talons et de décamper. Elle se contraignit à écouter à la porte. Les voix étaient toujours étouffées au point d'en être inintelligibles. Elle essaya de s'agenouiller en posant la tête sur le seuil là où filtrait un mince rai de lumière.

Elle se leva, vaincue. Elle ne pouvait pas rester là. Le risque était trop grand. Un visiteur dans le bureau de son mari, cela pouvait signifier par routine une visite de sécurité dans les pièces voisines. Elle revint sur ses pas. La meilleurs sortie, décida-t-elle, c'était d'utiliser une fenêtre de son bureau à elle.

Elle était au milieu du couloir lorsque la porte de son mari s'ouvrit. Elle eut à peine le temps de plonger dans la salle de projection. Elle sortit et alla jusqu'à l'entrée, laissant les deux portes ouvertes. En écarquillant les yeux, elle le vit qui parlait à Steve Riker. Il lui tournait le dos et Riker était tourné vers elle. Mais Riker regardait Harold et non pas le couloir. Elle prit un risque et se précipita vers son bureau.

Elle attendit, inquiète, auprès du bureau d'Allison Palmer. Riker l'avait-il vue ou non? Elle n'osait pas regarder. Elle entendit la porte du hall se refermer, puis celle du bureau.

Ensuite, ce fut le silence.

Ce fut ce silence qui la fit soudain penser à quelque chose. Le bureau d'Harold était silencieux aussi. La soirée était fraîche et il n'avait pas branché le climatiseur. Les voix pourraient donc être portées par les conduits de ventilation ou même par la fenêtre.

Elle gagna son propre bureau. Dans un tiroir se trouvait le magnétophone qu'elle utilisait quand elle faisait de la télévision. Par rapport aux appareils modernes il était encombrant, de la taille d'un gros livre, mais elle s'en servait encore pour dicter et les piles étaient toujours bonnes. Elle le prit et y introduisit une cassette neuve. Elle passa ensuite dans sa salle de bains pour remettre de l'ordre dans sa toilette. Elle tira les rideaux, alluma l'électricité, lava la boue qui lui maculait les mains et les coudes, se repeigna et rectifia son maquillage. Elle trouva des épingles anglaises pour réparer la déchirure de sa jupe. Avec un peu de chance, elle pourrait repartir sans autre dommage. Elle prit une serviette pour la poser sur le haut du mur et retourna dans son bureau pour tendre un moment l'oreille dans l'obscurité avant de déverrouiller sans bruit et d'ouvrir une fenêtre. Tout était silencieux dans le jardin. Elle enjamba le rebord, sauta dans un parterre de fleurs et referma la fenêtre derrière elle.

Sans quitter l'ombre protectrice du mur de la maison, elle le suivit jusqu'au moment où elle parvint à la première fenêtre du bureau d'Harold. Les rideaux maintenant étaient tirés. Elle écouta. La voix d'Harold arrivait assourdie mais distincte, par le climatiseur. Elle posa le magnétophone juste sous la fenêtre, dissimulé par un buisson de lauriers, et accrocha le microphone à l'une des branches si bien qu'il était à quelques centimètres de l'une des grilles du climatiseur. Personne sans doute n'avait remarqué sa présence. Elle pressa la touche rouge et mit le volume niveau d'enregistrement à pleine puissance. Elle ne pouvait pas voir si le ruban tournait, mais l'appareil ne lui avait jamais fait défaut. Comment et quand le récupérer, elle s'en préoccuperait plus tard. Pas pour l'instant. Pour l'instant, il lui fallait regagner le centre Kennedy le plus vite possible.

Elle revint en suivant le côté de la maison. Lorsqu'elle fut à mi-chemin entre le bureau d'Harold et la cuisine toujours allumée, elle traversa la pelouse pour plonger au-delà à l'abri des buissons et des arbres. Elle se retourna et attendit. Elle ne vit personne. Elle revint avec précaution jusqu'aux marches de brique menant jusqu'à la porte de service, noua une nouvelle fois sa jupe et de nouveau se glissa le long du mur jusqu'à ce qu'elle se trouvât au-dessus de la porte. Elle étala la serviette sur le sol et se coula prudemment au milieu des buissons, les jambes pendant dans le vide et cherchant le haut de la porte et les pointes acérées des barres de fer. L'une lui piqua la cheville. Elle déplaça son pied jusqu'au moment où elle sentit la barre transversale, elle répéta la manœuvre avec son autre pied et se retrouva debout sur la barre transversale.

Ce qui se passa alors ne prit que quelques secondes. Qui lui parurent une éternité.

En même temps qu'une main lui saisissait brutalement la cheville, une voix l'interpellait.

Elle entendit la voix et ce qu'on lui disait en même temps qu'une terreur absolue paralysait le hurlement qui aussitôt lui monta à la gorge.

« Attendez. Pas un geste avant qu'on ne vous ait vue. Ne parlez pas. Ne bougez pas, où je vous plaque sur les pointes. Compris ? »

Elle regarda sous son bras. La lumière du lampadaire de la rue éclairait Steve Riker. Il avait dégainé son revolver. Lui tenant solidement la cheville, il remit son arme à sa ceinture et prit dans sa veste une petite torche électrique.

Il alluma. Le faisceau se braqua sur elle. Mais tout d'un coup décrivit une large trajectoire tandis que la torche filait par-dessus la porte pour retomber dans la rue.

Un instant plus tôt Riker était debout. Puis un corps dégringola sur lui du haut des marches et le précipita contre les barreaux de fer de la porte. Il eut un mouvement de bras. Quelque chose étincela. On entendit un craquement distinct, ses jambes se dérobèrent sous lui et il s'effondra, inconscient, entre la porte et la dernière marche.

Sandy Muscioni se redressa et reprit son souffle.

« Ne bougez pas si vous pouvez jusqu'à ce que je sois dans la rue. » Elle laissa retomber son 6,35 automatique dans son sac du soir et remonta les marches en courant. Il y eut un bruissement de branches, puis on entendit sauter du haut du mur dans la rue. Elle réapparut aussitôt du côté de la porte qu'elle escalada en partie.

« Vous pouvez attraper ma main ? fit-elle en tendant le bras. Bon, maintenant doucement. Le pied droit d'abord. Seigneur, il a dû vous faire une de ses peurs. »

Guidée par elle, Alexis un instant plus tard se retrouva dans la rue.

« Ça va ?

— Oui. »

Alexis tremblait trop fort pour en dire davantage.

« Attendez une minute », fit Sandy. Elle ramassa la torche de Riker et la braqua sur lui. Un filet de sang ruisselait sur sa tempe. « Je l'ai assommé avec mon pistolet », expliqua-t-elle d'un ton détaché. Passant la main entre les barreaux, elle lui souleva une paupière et l'œil bougea.

« Ça va aller. » Elle se redressa. « Allons-y. Et vite. Mais ne courez pas. »

Elles descendirent vers Q. Street et la Lancia.

Alexis prit le volant. « Qu'est-ce qui vous a fait venir ?

— J'ai flairé des ennuis. Vous me donniez l'impression de ne pas être décidée à entrer par la grande porte. Riker ne vous aime pas et je savais qu'il serait ravi de vous mettre dans une situation embarrassante.

— Croyez-vous qu'il savait que c'était moi ?

— Je ne pense pas. Il n'a pas vu votre visage et le fait que vous soyez là où vous étiez aurait été pour lui tout à fait inexplicable. »

Sandy reprit son automatique dans son sac et le remit dans son baudrier accroché à sa cuisse.

« Mon Dieu, fit Alexis encore abasourdie, vous êtes une rapide, vous. Quand êtes-vous arrivée ?

— Environ dix minutes après vous, dit Sandy en riant. Vous sortiez juste par la fenêtre de votre bureau.

— Merci, Sandy. » Alexis tendit le bras et posa la main sur l'épaule de Sandy.

Sandy lui pressa la main. « Pas de problème, patronne. A moins que le général Volker ne vienne tout gâcher en rappliquant trop tôt et en trouvant deux fauteuils vides. »

Mais ce ne fut pas le cas et elles revinrent à temps pour le troisième acte. Alexis avait du mal à admettre qu'elle avait été absente moins d'une heure. En regardant Sandy assise à côté d'elle fascinée par le ballet comme si rien ne s'était passé, elle n'arrivait pas à croire à ce qu'elle venait de vivre. C'était comme un rêve.

Mais ce n'était pas un rêve, elle le savait. C'était la réalité. Tout ce que disaient son mari et le général Figueira était en train d'être enregistré et, à moins que quelqu'un ne découvrît l'appareil, sans doute demain matin saurait-elle exactement ce qui se préparait pour le Portugal. Elle redoutait cet instant.

31

Le téléphone sonna longuement. L'appareil était vert il était posé dans la cuisine, la sonnerie insistant comme la voix d'un intrus. David Farr le contemplait avec une sorte de satisfaction perverse. Il y avait peu de chances pour que ce fût lui qu'on voulût. Ce serait sans doute quelqu'un qui cherchait Susan. Un entêtement rageur, voisin de la jalousie l'empêchait de répondre. Sa main restait figée autour de sa tasse de café.

Susan se précipita dans la cuisine et plongea vers l'appareil. Elle était en peignoir de bain avec une serviette autour de la tête. Elle venait de se laver les cheveux. David était rentré quelques instants auparavant, il s'était préparé du café et le buvait paisiblement en entendant le bruit lointain de la douche.

« Pourquoi ne réponds-tu pas ? » Elle décrocha.

« Allô ? Oh c'est toi Barbara. Non, vas-y. »

Barbara, c'était la moitié d'un jeune couple qu'ils connaissaient. L'autre moitié était un ingénieur chimiste. C'étaient des gens qu'ils aimaient bien et qu'ils voyaient fréquemment. Un an auparavant ils avaient passé un long week-end à explorer Montréal. Il jeta un coup d'œil à sa montre. Le mari travaillait à Baltimore. Il avait dû partir à son travail voilà longtemps.

Il entendit Susan qui lui parlait. « David, Barbara voudrait prendre un verre avec moi après son travail. C'est d'accord ? A quelle heure comptes-tu être rentré ? »

Susan avait son après-midi libre, il s'en souvint. Et une grosse intervention à la colonne vertébrale le matin. Il haussa les épaules. « Comme d'habitude.

— Mais ça peut vouloir dire n'importe quoi. Six heures ? Sept heures ?

— Sept heures. » Elle se retourna vers l'appareil. « D'accord. Cinq heures et demie ? Au coin de Massachusetts et de la 4e Rue ? Le bistrot avec la terrasse au grand arbre. C'est près de ton bureau. »

Barbara travaillait au Sénat comme assistante du président de la Commission des Affaires étrangères. C'était une fille blonde avec un esprit vif et curieux et un enthousiasme sans limites qui la rendait impavide. C'était son bon côté. Son mauvais côté, c'était qu'un jour où elle avait trop bu elle lui avait fait la cour et qu'une autre fois il l'avait vue flirter ouvertement avec une autre femme. Elle avait des seins superbes, très développés pour une femme d'une vingtaine d'années, et elle se plaisait à les montrer en portant des chandails très fins ou des chemisiers largement ouverts. Elle utilisait aussi un parfum provocant et parlait ouvertement de la façon dont elle faisait l'amour avec son mari qui était un Noir, un peu plus clair que David, un jeune homme sérieux, passionné par son métier et constamment surmené. Comme Susan, elle aussi avait de l'énergie pour d'innombrables amitiés et une foule de relations.

Quelques jours plus tôt, il avait découvert qu'elle connaissait Valerie McCullough.

Il entendit Susan raccrocher. Il contemplait sa tasse de café et sentit la tiédeur de son corps lorsqu'elle vint se planter auprès de lui, en lui posant une main sur la nuque. Il ne releva pas la tête.

« David, qu'est-ce qu'il y a ?

— Rien.

— Mais si. Il y a quelque chose qui te tracasse vraiment. Pourquoi ne m'en parles-tu pas ?

— Mais non, Susan, je t'assure. »

Elle le dévisagea, lui planta un baiser sur le front et se mit à préparer le petit déjeuner : des œufs brouillés, du bacon et du pain grillé. Elle versa d'abord le jus d'orange. Il leva les yeux lorsqu'elle lui tourna le dos en ouvrant le réfrigérateur. Son peignoir de bain ne parvenait pas à dissimuler la délicate féminité de son corps mince.

Il avait tellement envie d'elle que c'en était douloureux. Il avait envie de se lever, de la faire tourner sur ses talons, de plaquer son corps contre le sien, pour sentir la douceur de ses seins et de son ventre contre lui, il avait envie d'écraser ses lèvres avec sa bouche à lui et de sentir la langue de sa femme toucher la sienne. Il avait envie de la jeter sur un lit et de s'enfoncer en elle.

Il avait envie d'elle et en même temps il la détestait. Il avait envie de la frapper. Il avait envie de lui crier à quel point il l'aimait avec cette rage désespérée qui l'obsédait jour et nuit. De crier comment il la détestait tout en brûlant pour elle de cette torturante tendresse.

« Ça fait des jours que tu ne m'as pas parlé de l'affaire Volker. C'est ça ? Qu'est-ce qui se passe ?

— Rien. La routine. Je t'ai dit. Du simple travail de flic. Qui ne mène à rien.

— Crois-tu que quelque chose va faire surface ? Peut-être avec toute cette agitation électorale au Portugal ?

— J'en doute. »

Il ne pouvait tout de même pas lui dire qu'Alexis Volker avait appelé la veille pour le rencontrer d'urgence avec Bill Rupert. Pas maintenant qu'il avait décidé de ne plus jamais lui faire de confidence sur son travail. Pas maintenant qu'il avait une équipe spéciale qui ne cessait de la filer, surveillant et signalant ses moindres mouvements, rassemblant tout un dossier sur ses amis, à commencer par cette femme chirurgien orthopédiste qui était partie pour Paris avec Adrian James et une autre femme.

Il ne pouvait pas non plus lui parler de ces heures de tortures à l'aube, où il était là, réveillé, à écouter le souffle tranquille de son sommeil en l'imaginant s'abandonnant dans les bras d'une autre femme, peut-être d'un autre homme. Il ne pouvait tout de même pas lui expliquer quelle souffrance c'était pour lui de ne pas l'appeler à l'hôpital lorsqu'elle disait qu'elle était retenue jusqu'à une heure tardive de crainte qu'elle ne fût peut-être pas là. Ni révéler le soulagement qu'il éprouvait lorsque les policiers chargés de la suivre rapportaient qu'elle avait bien travaillé toute la soirée là-bas. Et comment pourrait-il jamais expliquer son humiliation devant l'impuissance qui le paralysait, ni lui avouer que sa défaillance en tant qu'homme se trouvait par une ironie du sort allégée par tout ce tourbillon d'émotions, mais que son orgueil l'empêchait de lui dire que de nouveau il se sentait capable de faire l'amour ?

Les œufs au bacon et les toasts avaient un goût de sable.

Il avait envie de pleurer et de poser la tête sur la poitrine de Susan en réclamant miséricorde. Mais les hommes ne faisaient pas cela.

« David, il faut que nous parlions.

— Bien sûr. Peut-être ce soir. »

Il était huit heures et demie. Déjà un rapport sur les activités de Susan la veille attendait sur son bureau.

« Nous nous aimons trop pour que ça continue comme ça. »

Il ne répondit pas.

Elle attendit, puis alla s'habiller.

Il but son café froid.

Ils touchaient au but dans le dossier qu'il était en train de constituer sur elle. Une femme qui travaillait pour lui avait réussi à se lier d'amitié avec Valerie McCullough. Il l'avait interrogée dans son bureau la veille. Elle était prête à aller jusqu'au bout avec McCullough ou avec qui que ce soit, homme ou femme, pour réussir. Elle était dure et ambitieuse. Découvrir la fuite lui vaudrait de l'avancement.

Il se demandait ce qu'il était advenu de l'innocence, de la chasteté, du romanesque chez les femmes. Et chez les hommes. Faire l'amour était devenu une fonction organique exempte de tout sentiment.

Susan ne lui dit pas au revoir lorsqu'elle partit travailler. Quand elle sortit elle avait une expression blessée et furieuse.

A neuf heures il partit pour le Hoover Building et, sur le trajet, fit au moins trois queues de poisson à d'autres voitures.

32

Une cassette d'une heure pèse un peu moins de quatre-vingts grammes et ses dimensions sont légèrement inférieures à celles d'un portefeuille. Mais celle qu'Alexis portait dans son sac en bandoulière avait comme une présence accablante. A ses yeux elle possédait sa vie propre et Alexis en avait constamment conscience. Quand elle était rentrée hier soir elle s'était glissée furtivement pour s'en emparer avant qu'on eût branché le système d'alarme. Le matin, après son petit déjeuner avec Harold, elle l'avait écoutée dans le secret de son bureau. Depuis lors, c'était devenu le facteur qui dominait chaque seconde, chaque minute, chaque heure qui passaient.

Tout en attendant que Bill Rupert eût terminé l'histoire stupide que lui avait racontée le Président, et qu'elle avait elle-même entendue une demi-douzaine de fois, elle se souvenait du froid détachement qu'elle avait commencé à éprouver envers Harold tandis qu'elle écoutait sa voix enregistrée. A mesure qu'il parlait, il devenait non plus l'homme avec qui elle riait, buvait, mangeait, partageait les bons et les mauvais moments et son lit, mais un étranger.

« Chaque minute compte, Francisco. Si vous ne vous mettez pas en route au moins vingt-quatre heures avant le retour du Président à Lisbonne, sa présence là-bas pourrait tout arrêter. L'Armée n'aurait pas encore un contrôle suffisant de la situation.

— Mais c'est justement. Catarino dit qu'il a besoin de plus de temps pour disposer ses blindés. Il a beaucoup insisté là-dessus.

— Dites-lui qu'il ne l'a pas. Il faut tenir compte aussi de mon propre calendrier. J'ai différé pour ça un accord sur les otages. Je ne peux pas le remettre plus longtemps et j'ai besoin que l'intérêt du pays se concentre sur la Libye pour m'aider à persuader le Président et le Congrès d'adopter une politique de neutralité au Portugal jusqu'à ce qu'il soit trop tard pour intervenir. »

Elle entendit la voix de David Farr. « Qu'est-ce qu'il y a à l'ordre du jour, Mrs. Volker ? »

Elle se tourna vers lui. Lorsqu'elle était entrée, elle avait trouvé qu'il avait les traits tirés, le visage fatigué. Il lui avait donné l'impression d'un homme qui a le dos au mur.

« De toute évidence, poursuivit-il, il ne s'agit pas de quelque chose que vous estimiez pouvoir me dire au téléphone, et la dernière fois nous nous sommes pratiquement débarrassés des propos de salon et des détails mineurs.

— Vous avez raison », dit-elle. Elle avait répété une douzaine de fois ce qu'elle voulait dire. Elle l'avait mis au point avant même d'avoir fini d'écouter la cassette une première fois. « J'ai une proposition à vous faire. Un accord à discuter si vous voulez. »

Farr l'examina. Ainsi elle sait, songea-t-il. Il se demanda depuis quand, comment elle avait découvert la vérité. Il jeta un coup d'œil à Bill Rupert. Le directeur avait l'air vaguement mal à l'aise. Il roulait nerveusement son crayon entre le pouce et l'index.

« Je présume que vous faites allusion à notre précédente conversation. Qu'avez-vous découvert ?

— Ce qui a toujours été là, dit-elle.

— Je crains de ne pas vous suivre. »

Farr s'étonnait de voir à quel point Rupert était incapable de mesurer l'intelligence d'Alexis. Il réprima un petit sourire.

« Je crois que si. »

Et Farr dit tout haut : « Continuez, Mrs. Volker. »

Il attendit, sans se soucier du regard agacé que Rupert lui lança. Elle parut hésiter un moment, comme si elle prenait son élan. Elle était très belle, se dit-il, avec sa jupe et son chemisier et, comme le temps était un peu frais, un léger cardigan. Elle avait le même sac en cuir de chez Gucci qu'elle portait la première fois qu'il l'avait rencontrée, et aujourd'hui encore il était nonchalamment accroché au dossier de son fauteuil.

Mais depuis l'instant où elle était entrée dans le bureau cinq minutes plus tôt, il avait eu le sentiment qu'elle était bien plus qu'une femme ravissante et racée. On aurait dit un volcan sur le point d'exploser. Elle savait quelque chose et elle savait quelque chose qui était de la dynamite. Il en était convaincu. Sandy lui avait dit qu'elle avait quitté le ballet pour rentrer et qu'elle avait failli avoir des problèmes avec Riker. Sandy ne savait pas ce qu'elle avait fait là-bas, mais ça devait être sérieux. Volker apparemment avait eu une entrevue secrète avec le général Figueira.

« J'aimerais conclure un marché », finit-elle par dire en le regardant droit dans les yeux. « Voici de quoi il s'agit : je persuade Harold de démissionner et vous laissez tomber votre enquête sur lui. Je vous demande jusqu'à dimanche. » Farr vit Rupert lui jeter de nouveau un coup d'œil. Le directeur était un homme qui avait horreur d'être confronté avec la vérité. Même maintenant il allait essayer de sauver la face parce qu'elle avait découvert qu'il lui avait menti lors de leur première rencontre.

« Je ne me souviens pas que nous ayons dit que nous faisions une enquête sur votre mari, dit Rupert.

— *Nous* ne l'avons pas dit, répliqua-t-elle d'un ton ferme. Mais c'est ce que vous faites. Vous le savez. Je sais que vous le faites alors je vous en prie, ne perdons pas notre temps. Ni le vôtre ni le mien. » Elle haussa les épaules. « Vous avez une fuite au bureau. Restons-en là. »

Rupert fut complètement pris au dépourvu. Il pivota dans son fauteuil, ouvrit la bouche pour parler, puis la referma aussitôt. Ses yeux flamboyèrent. Farr ne lui avait pas parlé de la fuite. Et il n'avait pas l'intention de le faire maintenant. Répondre maintenant à la remarque d'Alexis ne ferait qu'insister là-dessus et aggraver les choses. Mais son silence était tout aussi ennuyeux. C'était annoncer à Rupert qu'il savait. Le directeur allait être furieux d'être une fois de plus tenu à l'écart et Farr pouvait sans doute le menacer de donner sa démission pour le calmer. Mais ce n'était pas que cela qui le déprimait. Il s'en tirerait parce que le Président savait à quoi s'en tenir sur Rupert, et dans la mesure où sa propre peau était en jeu, il préférerait compter sur les professionnels du bureau. Ce qui le déprimait, c'était toute la comédie inutile que jouait Rupert. Et les trésors de persuasion qu'il lui faudrait déployer pour amener son supérieur à comprendre l'évidence et à faire la seule chose qui pouvait être faite. Il était fatigué. Il ne s'était jamais senti aussi fatigué de sa vie. Depuis que Fein lui avait parlé de la fuite, sa mission lui était apparue comme vraiment impossible. La seule raison qui lui permettait de se concentrer encore, c'était la femme qui était assise là, en attendant qu'il dise quelque chose. Il avait le sentiment que sa vie, comme la sienne à lui, chancelait au bord du gouffre. Dans une certaine mesure il en était responsable. Le moins qu'il pouvait faire c'était de l'aider.

« Je présume, Mrs. Volker, que vous êtes tombée sur quelque chose que vous pourriez utiliser comme moyen de persuader votre mari de démissionner ? »

Elle eut un pâle sourire. « Disons qu'au nom d'Harold aussi bien qu'au mien, le Cinquième Amendement.

— Pourrais-je vous demander si l'on pourrait considérer que ce moyen est efficace contre lui en dehors du contexte du mariage ?

— Il me faut refuser de répondre à cette question aussi », dit-elle. Elle attendit. Elle remerciait Dieu de lui avoir envoyé Farr. Elle remerciait Dieu que dans toute la monstrueuse bureaucratie qui constituait le gouvernement, le Destin l'eût placée entre les mains d'un homme qui était tout à la fois humain et intelligent. Elle examinait son visage sombre et pensif. Une de ses mains puissantes vint frotter son menton.

Soudain il se tourna vers Rupert. « Je recommande que nous acceptions sa proposition. »

Rupert maîtrisa le ressentiment qui l'envahissait et arbora l'expression d'un homme qui prend ses responsabilités.

« J'apprécie votre geste, David », puis il se tourna vers Alexis. Il y avait maintenant dans sa voix un peu de rancune. « Et, Alexis, j'apprécie ce que vous nous avez proposé quels que puissent être vos motifs. Mais je crois malheureusement que ni Mr. Farr ni moi n'avons le pouvoir de faire ce que vous demandez. Seul le Président en est capable. Si vous voulez que je vous arrange un rendez-vous avec lui, je le ferai. »

C'était précisément ce que Farr attendait. Rupert choisissait de ne prendre aucune responsabilité et cela risquait d'être dangereux. Le Président à son tour se sentirait obligé de demander l'opinion de son chef d'état-major, « Duke » Chancery et de son conseiller pour la Sécurité, Bernard Kornovsky. Tous deux auraient une attitude différente auparavant, alors que sans la moindre preuve tangible contre Volker, mais avec seulement des soupçons, ils avaient conseillé au Président d'appliquer la méthode Watergate à toute enquête. Ils allaient se dire maintenant, comme lui, que si le moyen dont disposait Alexis Volker pour faire parler son mari était une preuve tangible, cette preuve-là risquait de faire surface ailleurs. Pour se protéger, ils feraient pression sur le Président pour qu'il repousse sa requête et ordonne qu'on poursuive l'enquête. Se débarrasser de Volker ne suffirait plus.

Pis encore, aucun des deux hommes, Farr le savait, n'avait l'intelligence ni l'expérience suffisantes pas plus qu'une assez grande compréhension de ce que le K.G.B. pouvait avoir d'impitoyable pour bien juger de la situation. Selon toute probabilité ils allaient traquer Alexis Volker pour lui faire dire ce qu'ils croyaient qu'elle savait, et ce faisant, ils n'allaient pas manquer de l'exposer et de mettre sa vie en péril.

Il crut avoir trouvé une solution. « Il y a une chose, déclara-t-il brusquement à Rupert, qu'à mon avis vous et moi devrions discuter. En privé. » Il fixa sur Rupert un regard dur et attendit. Il comptait sur le point de vue personnel que Rupert avait sans doute de la situation : s'il s'avérait jamais que Volker était innocent, Rupert ne voudrait pas qu'Alexis Volker pût l'accuser de n'avoir pas voulu écouter les arguments de quelqu'un qui visiblement était de son côté à elle. Il se serait fait un ennemi pour rien.

De toute évidence il ne fallut pas longtemps à Rupert pour parvenir à la conclusion qu'écouter ne l'engageait en rien. Il n'était pas politicien pour rien. Il arbora un sourire bon enfant. « Bien sûr, dit-il. Alexis, voudriez-vous attendre dehors un moment ? »

Elle se leva sans un mot. Il l'accompagna jusqu'à la porte et la lui ouvrit. Lorsqu'il l'eut refermée, son sourire avait disparu. « Alors ? » fit-il à Farr.

Farr lui expliqua ce qu'il pensait de Chancery et Kornovsky. « J'ai l'impression, ajouta-t-il, que quelque chose va se passer au Portugal, mais qu'ils n'y croiront jamais si le Président portugais est ici et que Volker le reçoit et dîne avec lui. Ils ne comprendront pas que Volker pourrait bien être soumis à une rude pression pour faire un dernier coup parce que peut-être bien qu'il n'a plus beaucoup de temps, que le K.G.B. sait peut-être que nous sommes sur sa piste, regardez ce qui est arrivé à Adrian James. Mais je crois que s'il arrive en effet quelque chose, ce sera pendant que le Président portugais est encore ici. Ça ne fait que quelques jours. Franchement, je ne voudrais pas être à votre place si c'était le cas. Ces deux clowns de la Maison-Blanche ne traîneraient pas à vous repasser le bébé. Ce serait votre faute si Volker n'a pas été arrêté. Pas la leur. »

Rupert plissa les yeux où s'alluma de nouveau une lueur mauvaise. « Pas nécessairement, dit-il. Il y a une possibilité. Qu'est-ce qui vous fait croire que personne devrait jamais savoir quelle proposition elle nous a faite ou même qu'elle nous en a fait une ?

— C'est pourtant le cas, dit Farr.

— Foutaise, s'exclama Rupert. C'est la parole du Bureau contre la sienne et, si la culpabilité de Volker était prouvée, je ne crois pas que personne serait enclin à écouter ce que sa femme a à dire. »

Farr sentit monter en lui une vague de colère. C'était une réaction typique et il aurait dû s'en douter. Il n'y avait qu'à enterrer le fait qu'Alexis avait fait une proposition et, si les choses tournaient mal, la balle était dans le camp du Président. Dans le sien. C'était le Président qui l'avait chargé de l'enquête. Si Rupert se taisait, il ne serait pas dans le coup. Farr n'avait pas envie de braquer un pistolet sur Rupert, mais il savait maintenant qu'il ne pouvait pas faire autrement.

« Vous avez peut-être raison à propos de Mrs. Volker, dit-il calmement, mais je crois qu'on m'écouterait.

— Que voulez-vous dire ? fit Rupert, en pâlissant.

— Je veux dire que je vous mettrais dans le bain.

— Vous n'oseriez pas.

— Vous avez toujours le choix de prendre le risque », dit Farr. Il se sentait ragaillardi. Il avait tablé sur l'inexpérience de Rupert et sur son manque de pratique du Bureau pour le coincer. Rupert avait oublié une chose qu'un stagiaire se serait sans doute rappelé.

« Bien sûr, poursuivit-il, vous pourriez décider de me congédier, mais de toute façon ça viendrait au grand jour. Et ce ne serait pas la parole d'un employé mécontent qui aurait enfreint son obligation de réserve, quelqu'un qu'une ordonnance trafiquée pourrait obliger à se taire. Chaque réunion que vous tenez dans ce bureau est enregistrée. Celle-ci ne fait pas exception à la règle. Allez-vous dire à votre secrétaire d'effacer la bande et risquer d'avoir sur le dos deux personnes susceptibles de vous impliquer au lieu d'une ? »

Lorsque, après quelques instants de silence, Rupert capitula, ce fut le politicien en lui qui réapparut. Il eut un sourire brusquement affable. « Très bien, Mr. Farr. Un point pour vous. Qu'est-ce que je fais ? »

Farr parvint à réprimer le sourire qui lui venait aux lèvres. Il joua le rôle d'un subalterne respectueux conseillant un patron intelligent. « C'est très simple, monsieur. Vous acceptez la requête de Mrs. Volker, comme je le recommande. Si elle réussit et que Volker donne sa démission, alors nous irons à la Maison-Blanche avec un dossier qui aboutit à une impasse. Pas de preuve. Aucun espoir d'en avoir. Le Président a fait ce qu'il fallait, il a ordonné une enquête complète. Nous avons essayé mais sans arriver à rien. Pourquoi continuer ? Volker n'est plus Secrétaire d'Etat et personne ne peut être accusé d'avoir camouflé quoi que ce soit. »

Rupert réfléchit. « Je crois que ça me plaît comme ça », dit-il. Il sonna sa secrétaire et lui demanda de faire revenir Alexis.

Lorsqu'il eut accepté sa proposition, il fut toutefois incapable de retenir un dernier trait de rancune. « Vous vous rendez compte, Alexis, que faire ainsi pression sur votre mari pourrait être risqué pour vous.

— Pourquoi ? répliqua-t-elle. Harold m'aime.

— Ça pourrait dépasser Harold.

— J'ai envisagé cela aussi, Bill. Mais à quoi croyez-vous que ma vie ressemble actuellement ? »

Cette fois, Rupert laissa Farr la raccompagner.

Farr l'escorta dans le couloir jusqu'à l'ascenseur. Il lui donna sa carte avec son numéro de téléphone personnel au cas où elle aurait besoin de le joindre d'urgence. Il se souvint avoir fait la même chose pour Adrian James et il sentit la peur lui nouer l'estomac. Son coup de téléphone d'hier pour prendre le rendez-vous de ce matin, puis le rapport de Sandy lui avaient annoncé qu'elle n'avait pas renoncé en ce qui concernait son mari. Dans la nuit il s'était creusé la cervelle pour trouver un moyen d'assurer sa protection. Aujourd'hui, rien de ce qu'il pouvait faire ne lui semblait suffisant.

On aurait dit qu'elle lisait dans ses pensées. « Mr. Farr, dit-elle, s'il devait m'arriver quoi que ce soit, je tiens à ce que vous ayez ceci. Si rien ne se produit, je compte sur vous pour que vous gardiez cela tout à fait confidentiel. »

Elle prit la cassette dans son sac, la regarda d'un air songeur puis la lui tendit.

Farr la fourra dans sa poche. « C'est ça, le moyen ?

— Oui.

— Le Portugal ?

— Oui.

— Bonne chance », dit-il. C'était satisfaisant de savoir qu'il avait estimé correctement la situation. Mais ce qui était plus important, c'était qu'elle lui eût fait confiance.

L'ascenseur arriva. Ils se serrèrent la main et elle prit place dans la cabine.

La dernière image qu'elle eut de lui, c'était planté là, silencieux, les yeux fixés sur elle, l'air sombre.

La dernière image qu'il eut d'elle avant la fermeture des portes, elle avait la tête haute, un petit sourire complice aux lèvres et il eut l'impression qu'elle ne se sentait plus tout à fait seule.

Du moins l'espérait-il.

33

La carte, qui était récente, ne signalait pas que la route était aussi mauvaise que le découvrait l'homme aux cheveux gris. C'était une surprise aussi que de constater que la voiture qu'il avait louée avait de mauvais amortisseurs. Il devait se cramponner au volant pour ne pas le lâcher et à deux reprises sa tête heurta le toit.

La route n'était pas empierrée, ce n'était rien de plus qu'un chemin de terre. Elle traversait un étroit bois séparant deux champs de pommes de terre restés en jachère depuis plusieurs années et envahis de mauvaises herbes. Un garagiste bavard lui avait dit que le fermier était mort et que la propriété était à vendre. Il ne s'inquiétait pas à l'idée que l'homme se souviendrait de lui. C'était le genre de type toujours si occupé à expliquer à tout le monde à quel point il connaissait les affaires des autres qu'il oubliait vite tous ceux à qui il parlait.

La route, un chemin d'accès privé, avait commencé quelques centaines de mètres auparavant à une petite départementale bitumée bifurquant de la Nationale 5 qui descendait la longue péninsule entre le Chesapeak et le Potomak. Il avait passé des heures la veille au soir avec son jeune collègue à examiner la carte pour essayer de trouver un champ correspondant à toutes leurs exigences. Ils s'étaient décidés pour un champ parce que ce serait plus facile d'y creuser. Il n'y aurait pas de racines et sans doute peu de pierres. C'était important parce qu'on leur avait dit d'aller jusqu'à au moins un mètre quatre-vingts. Il pourrait y avoir éventuellement des recherches avec des chiens.

Et n'importe quel champ ne ferait pas l'affaire. Ce devrait en être un qu'ils pourraient creuser sans être interrompus, où ils pourraient se débarrasser de leur victime sans être vus et dans une région où on ne remarquerait pas une voiture inconnue. La nuit dernière son collègue avait déploré le fait qu'ils ne puissent pas encore maquiller la chose en suicide. Ça aurait donné beaucoup moins de mal. Mais leur employeur leur avait dit, lorsqu'ils avaient fait cette suggestion, qu'une disparition totale et définitive était ce qu'il fallait. On avait fait des recherches minutieuses sur la victime, il n'y avait aucun motif crédible de suicide et un accident arrangé pourrait être désastreux si cela ratait. Leur employeur avait également opposé son veto à l'idée qu'ils se débarrassent du corps en mer ou dans la Baie. On leur avait expliqué que cela comportait trop d'aléas.

Ils avaient fini par trouver, estimait l'homme aux cheveux gris, l'endroit presque parfait. La maison la plus proche était à près d'un kilomètre. A un endroit, les bois mordaient profondément sur le champ. Il distinguait maintenant l'emplacement de la voiture. S'ils creusaient de l'autre côté, ils ne pourraient pas être vus de la route. Cela signifiait qu'ils devraient faire parcourir à la victime une trentaine de mètres à pied, mais ils doutaient que cela pose de grands problèmes. Ils avaient envisagé aussi la possibilité que quelqu'un achetât la propriété pour bâtir une usine ou construire des maisons. Dans ce cas, un cadavre décomposé ou des ossements pourraient être découverts et pourraient éventuellement en découvrir l'origine, mais il n'y aurait jamais aucun moyen d'établir un lien entre les restes et lui ou son collègue aussi avait-il décidé que ça n'avait pas d'importance. La seule personne à qui ça pourrait ne pas plaire serait leur employeur et le pire qui pourrait arriver serait qu'il cessât de leur confier des travaux.

Il ne s'inquiétait pas pour la voiture non plus. Au cas où un fermier ou quelque autre indigène emprunterait la route, par exemple un jeune couple cherchant la tranquillité, ils avaient pris leurs précautions habituelles. On ne pourrait pas remonter jusqu'à eux à partir de la voiture. Ils avaient montré en la louant de faux papiers et utilisé une carte de l'American Express dont les dépenses étaient débitées sur un compte en banque établi sous un faux nom. Si jamais on se souvenait de la voiture et qu'on remonte cette piste, cela ferait une belle jambe aux techniciens du laboratoire de retrouver des fibres de vêtement, des cheveux ou même du sang. Il n'y aurait aucun vêtement, personne avcc qui faire la comparaison.

Il s'arrêta, coupa le moteur et descendit. Le terrain était plat, les buissons pas trop touffus. Il constata qu'il n'était pas difficile de traverser le bois. Lorsqu'il parvint au bord du champ, il nota avec satisfaction qu'il y avait des parties plus proches du bois et sous les branches qui empêcheraient la tombe d'être vue d'avion. L'absence de mauvaises herbes faciliterait aussi les choses. La terre serait plus meuble, moins cuite par le soleil. On n'aurait pas à arracher de la végétation. Avec quelques précautions ils pourraient redonner à la surface du sol son aspect originel. Ils n'auraient qu'à emporter quelques paniers de terre dont le corps aurait pris la place. On pourrait couvrir la tombe ouverte avec des branchages entre le moment où elle était creusée et le moment où elle serait occupée et ils pourraient faire de même avec le tas de terre qu'ils auraient dégagé.

Il revint à la voiture, fit demi-tour et sans rencontrer personne rejoignit la départementale, puis la nationale. Et repartit vers leur motel. Il faisait partie d'une chaîne et était situé auprès d'une sortie d'autoroute. Cela voulait dire qu'il était généralement plein, ce qui était une bonne chose. Dans un établissement moins fréquenté on aurait pu les remarquer. Lorsqu'il entra dans leur chambre, il trouva son collègue assis devant la télévision avec une boîte de bière, son crâne dégarni contrastant bizarrement avec le dessin animé qu'il regardait.

On était samedi matin. Ils feraient leurs travaux de terrassement de très bonne heure le lendemain et il fallait compter deux heures pour en venir à bout. S'ils commençaient à cinq heures, ils en auraient fini avant que la plupart des gens ne soient réveillés. Dès l'instant qu'il ne pleuvait pas et que le chemin de terre ne devenait pas un bourbier, tout irait bien.

Le plus jeune des deux hommes était allé dans un magasin d'outils de jardinage non loin de là et il avait fait l'acquisition d'une pelle et d'une pioche. Il avait acheté aussi un rouleau de matière plastique qu'ils étaleraient sur le sol auprès de la tombe. C'était pour empêcher la terre de l'excavation de s'enfoncer par-dessus les mauvaises herbes aux alentours, ce qui rendrait difficile de la remettre dans le trou et laisserait des traces de creusement qui dureraient presque tout l'hiver.

Bien que son cadet parût calme, l'homme aux cheveux gris savait qu'il était nerveux. Il l'était lui-même. Pour la première fois, ils n'opéraient pas seuls. Il y avait d'autres gens impliqués, des gens qu'ils ne connaissaient pas. Même si on leur avait garanti que les autres étaient également des professionnels, il avait commencé par refuser catégoriquement le travail. Quand on commençait à faire confiance à des étrangers, c'était le commencement des ennuis. Seule une considérable augmentation de leurs honoraires avait fini par le faire changer d'avis.

Il ôta ses chaussures puis sa veste et sa cravate et s'allongea sur le lit pour se reposer. Il ne rajeunissait pas et le travail lui demandait une concentration de plus en plus grande. Il repassa dans sa tête les exigences de leur employeur ainsi que les siennes propres pour voir s'ils n'avaient rien oublié. Il avait l'impression que non.

Puis il s'efforça de ne plus penser au travail mais aux vacances dont il allait bientôt profiter. On les payait très bien pour ce coup-là et ils avaient envisagé de s'arrêter un an quand ils auraient fini, puis peut-être d'aller s'installer en Californie. Ça faisait trop longtemps qu'ils étaient sur la côte Est. Certains contacts commençaient à se souvenir trop bien d'eux. Mais d'abord il irait passer quelque temps à Miami pour profiter du soleil et des jolies filles. Ça lui manquait. Bientôt il aurait de l'argent, assez pour garder une jeunesse auprès de lui aussi longtemps qu'il en aurait envie. Les femmes se moquaient bien de l'âge qu'on avait dès l'instant que ça leur rapportait.

Son collègue avait décidé de partir pour le Mexique. Très bien. Il fallait se séparer de temps en temps. Peut-être même ferait-il un coup tout seul dans le Sud. Ça l'aiderait à ne pas trop dépendre d'un associé. Ce serait comme un cours de perfectionnement. Et peut-être que son collègue en ferait autant. Et puis ils recommenceraient à travailler ensemble. Ils formaient une bonne équipe et, quand on avait ça, pourquoi essayer autre chose ?

34

Missy avait préparé un crabe à la créole. Elle en tenait la recette de sa grand-mère qui avait été esclave à La Nouvelle-Orléans. C'était vraiment délicieux et Alexis savait que Missy avait passé des heures dans la chaleur de la cuisine pour le préparer. Elle n'osa pas la regarder en face lorsqu'elle ne parvint pas à le terminer et que Missy rapporta dans la cuisine une assiette à demi pleine. C'était la tension. Cela faisait des jours qu'elle n'avait plus d'appétit.

On était samedi soir. Harold et elle étaient arrivés à Brigham Bay vendredi pour trente-six heures de façon qu'il pût préparer le discours que le Président devait prononcer lundi matin à l'occasion du départ de Luis Cabral pour New York. A l'origine, le Président portugais devait partir directement pour Lisbonne, mais on l'avait persuadé de rester un jour de plus aux Etats-Unis pour prendre la parole aux Nations Unies. Harold avait arrangé cela sous le prétexte de donner à l'électorat portugais une image de Cabral en tant qu'homme d'Etat de dimension mondiale. Alexis se doutait que la véritable raison était d'accorder au colonel Catarino les vingt-quatre heures supplémentaires dont il disait avoir besoin pour manœuvrer ses chars.

Le lendemain soir, Harold et elle devaient assister à un gala à la Maison-Blanche en l'honneur de Cabral et Alexis savait que sa dernière chance d'affronter son mari était entre maintenant et ce moment-là. La veille au soir et aujourd'hui, ou bien elle n'avait pas trouvé le courage ou bien il s'était enfermé dans son bureau, inaccessible. Elle avait passé la journée à jouer au tennis avec Sandy.

Ils dînaient dans un silence rompu seulement par les pas feutrés de Missy et par le tintement de l'argenterie contre la porcelaine. Ce fut Harold qui finit par y mettre un terme. « Tu es bien silencieuse, ce soir », dit-il.

Alexis le regarda par-delà la lueur des candélabres jumeaux qui éclairaient la table d'acajou de la salle à manger. Il avait l'air soucieux et il paraissait exceptionnellement beau. Elle se sentait le cœur serré. Si seulement ce cauchemar pouvait se dissiper et si tout redevenait comme au début de leur mariage avec tout le bonheur, l'optimisme et la foi. Mais cela n'arriverait pas. Il avait rendu cela impossible.

« J'ai une migraine épouvantable.

— Oh ! Je suis navré, chérie. Crois-tu, reprit-il, qu'il y ait ici quelque chose à quoi tu sois allergique ? Quand nous sommes venus avec les Wilderstein, tu étais malade, tu te souviens ? »

Elle s'efforça de ne mettre aucune hostilité dans sa voix. Et pourtant elle avait envie de hurler. « Ce n'est pas Brigham Bay, Harold, fit-elle. »

Il repoussa sa chaise, se leva et s'approcha d'elle. « Je crois que tu devrais te coucher de bonne heure. » Il posa un baiser sur ses cheveux. Missy avait commencé à débarrasser. « Missy, je prendrai mon café dans le bureau.

— Bien, général.

— Ne m'attends pas, Alexis. »

On aurait dit qu'il s'adressait à une enfant, songea-t-elle. Elle le regarda sortir. Missy revint bientôt avec son café.

C'était maintenant ou jamais, elle le savait. Allons.

Elle entendit sa propre voix, qui tremblait. « Je vais lui porter le plateau, Missy.

— Mrs. Alexis... fit Missy d'un ton hésitant. Mrs. Alexis, balbutia-t-elle, il y a quelque chose entre votre mari et vous. Je ne sais pas ce que c'est, mon petit, mais ne cachez rien. Expliquez-vous maintenant avant que ce ne soit trop tard.

— Merci, Missy, j'en ai bien l'intention. »

Elle embrassa la vieille femme et sortit dans le couloir avec le plateau. Rien n'était réel. Elle avait l'impression de se retrouver à l'école, presque malade de trac, avant la représentation annuelle. Elle avait répété une douzaine de fois ce qu'elle allait lui dire. Elle ne se souvenait de rien. Elle frappa à la lourde porte de chêne du bureau et entra. Il était assis dans un grand fauteuil de cuir à lire la *Revue de Heidelberg.* Sur une table auprès de lui, un dossier avec des lettres.

Quelque chose dans son expression lui fit comprendre aussitôt qu'il n'était pas surpris de la voir.

« Voici ton café », dit-elle. Elle jeta un coup d'œil au dossier. Un grand nombre de lettres était de l'écriture d'Harold.

Elle essaya de parler. Il le fallait. Maintenant. C'était pour ça qu'elle était venue. Elle n'y parvenait pas. Elle tourna les talons.

Puis elle l'entendit lui dire : « Tu veux me parler, n'est-ce pas ? Pourquoi ne t'assieds-tu pas ? » C'était un ordre.

Elle se retourna, surprise. Il faisait un grand sourire. Elle obéit comme un robot. Elle s'effondra dans le fauteuil en face de lui, les mains sur ses genoux. Et elle comprit au même instant pourquoi elle répugnait tant à parler. Elle était terrifiée par lui. Ce n'était pas seulement l'aura de puissance qui l'entourait, c'était plus que cela. Elle avait peur depuis le moment où elle avait commencé à l'observer. Se sentant coupable, elle craignait un châtiment imminent.

« Il faut que nous ayons une discussion, dit-il. Quel meilleur moment que maintenant. Nous sommes ici seuls. Pourquoi ne pas commencer par ça ? » Il prit le dossier avec les lettres et se remit à sourire, un sourire désarmant. « Tout le monde veut savoir comment s'expliquent les dates, n'est-ce pas ? Pourquoi le cachet de la poste sur l'enveloppe est-il différent de la date portée sur la lettre ? Eh bien, c'est très simple. Je vais te donner une interview exclusive. » C'était si inattendu que cela la prit complètement au dépourvu. Son esprit s'arrêta. Elle ne pouvait plus penser qu'à une chose : elle était découverte. Que savait-il d'autre ? Elle avait du mal à respirer. Elle avait les oreilles qui bourdonnaient.

« La date de la lettre n'est pas une date, vois-tu, expliqua-t-il. C'est un numéro de page et celui d'un paragraphe sur cette page. Là-dedans, fit-il en brandissant la *Revue de Heidelberg.* Une consultation à travers l'Atlantique. Prends par exemple ce paragraphe de la page dix-huit. Il s'agit d'une révolte contre un comte franc en Austrasie en 654 de notre ère. La situation exactement parallèle aux événements actuels au Portugal. Bien sûr, pour l'essentiel c'est de la pure fabrication, mais personne n'a jamais pensé à mettre vingt érudits sérieux au travail pour le contester. Le professeur Schaeffer est considéré comme l'expert mondial de cette période. »

Alexis savait ce qu'éprouvait un petit animal traqué par une bête de proie. Elle retrouva sa voix. « Harold... » Mais ce n'était qu'un murmure, rien de plus.

Il leva la main pour la faire taire. « Attends, j'ai tout juste commencé. » Il tira de sa poche un petit objet en métal noir de la taille d'un gros bouton de manteau et le lui montra. « Miracle de la technologie moderne, dit-il. Il y en a un dans ta voiture. Et un autre au fond de ton sac de Gucci. Ce sont des émetteurs, alors je sais tout de ta rencontre avec Andrew Taylor et Valerie McCullough. Je sais aussi que tu as vu le F.B.I. et je suis au courant du marché que tu as fait avec eux. Je pars pour Princeton enseigner l'histoire, ils cessent de me traquer et tout ça. Mais, même sans cela, je serais sans doute parvenu à tout deviner. Tu as laissé une piste assez nette. »

Alexis s'entendit dire comme de très loin : « J'imagine que tu sais pour moi et Jimmy aussi.

— Mais je ne t'en veux pas pour ça. Ni à Jimmy. De vieux amis, perturbés tous les deux. Ces choses-là arrivent. Après tout, les gens sont humains.

— J'étais ivre, Harold. Et je suis absolument désolée. » Elle se détesta aussitôt de s'excuser, maintenant. Elle reprit d'une voix sourde : « J'imagine que tu es au courant aussi pour le rapport venu d'Allemagne.

— Celui qui a tout déclenché ? Bien sûr. Ça ne me concerne pas. Ce qui me concerne, par contre, c'est l'enregistrement que tu as fait de ma rencontre avec le général Figueira. Il t'a vue, tu dois le savoir.

— Harold, lança-t-elle, ça ne peut pas continuer. Le F.B.I., la C.I.A., Valerie McCullough. Quelqu'un va finir par tout découvrir.

— Quelqu'un comme toi ? » La colère vibrait dans sa voix et un peu de mépris. « Qu'est-ce qui t'a décidée à revenir au journalisme ? »

Alexis le dévisagea. Elle ressentait une incrédulité croissante. C'était lui qui était confronté avec le désastre et la disgrâce et sans doute la prison et pourtant, c'était elle qui était sur la défensive. Il fallait qu'elle se reprenne et qu'elle rétablisse la situation. Elle se contraignit à sourire. « J'ai décidé de revenir au journalisme, dit-elle, parce que ça me semblait la seule façon de sauver mon mariage.

— De sauver ton mariage ? répliqua-t-il en écho. Ton mariage comment ? En espionnant ton mari ? »

Son rire était déplaisant. Cela finit par changer quelque chose en elle. Elle s'aperçut qu'elle n'avait plus peur. La glace était rompue et elle était étrangement soulagée. Tout ce qui comptait, c'était de le persuader.

« Je n'aurai guère de mariage si tu es en prison, tu ne crois pas ? demanda-t-elle. Si tu dois faire le coup de Philby et te réfugier à Moscou pour l'éviter.

— Tu veux dire que c'est tout ce que tu attends de tirer de tout ça ? Moi en cardigan avec de vieilles pantoufles, en train de fumer une pipe au coin du feu ?

— Oui. Si je fais partie du tableau. »

Il se remit à rire. « Alexis. Je t'en prie. Fais-moi plaisir.

— Mais si, Harold. » Elle se leva soudain et vint s'agenouiller auprès de lui. « Harold, mon chéri, je t'en supplie, écoute-moi. Je suis ta femme, je t'aime. Je ne pouvais pas vivre avec ce soupçon. Il fallait que je sache. Sinon, comment est-ce que je pouvais t'aider ? Quoi qu'il se passe, c'est quelque chose avec quoi je peux vivre, dès l'instant que tu t'arrêtes maintenant. Je te garderai et c'est toi qui m'intéresse. Toi et moi. Notre vie. C'est tout ce qui compte.

— C'est trop tard, Alexis.

— Mais non. Ce n'est jamais trop tard. Tu le sais. Harold, dans quoi es-tu impliqué ? Pourquoi as-tu fait ça ? C'est de trahison que nous parlons.

— Pourquoi ne disons-nous pas tout simplement que c'est moche, fit-il avec un rire un peu rauque, et n'en restons-nous pas là ?

— Est-ce que c'est du chantage ? insista-t-elle. Est-ce que ça a un rapport à notre visite à ce club d'échanges ou quoi ? Ça ne pourrait pas être l'aventure que tu as eue au collège. »

Il la regarda brusquement. Puis il dit : « Ah non ?

— Ce garçon ? fit-elle, incrédule. On se fiche bien maintenant de l'homosexualité.

— De l'homosexualité, oui. Avec qui, non. Le " garçon " en question était un marxiste acharné recherché par la police allemande.

— Mais c'était il y a des années, protesta-t-elle. Tu étais un enfant.

— Ça te plairait que quelqu'un raconte cela à l'Immigration

au moment où tu demandes la citoyenneté américaine. Tout part de là, reprit-il d'un ton amer. Une mauvaise note dans ton dossier de collège pour t'amener à fouiner un peu à propos de choses relativement sans importance, tu mets le doigt dans l'engrenage. Alors laisse tomber. On ne peut plus rien y changer et tu as fermé la dernière porte quand tu as enregistré ma conversation avec Figueira. Il me faut cette bande, Alexis. Où est-elle ? »

Elle faillit le lui dire alors mais elle ne le fit pas. Il ne comprendrait jamais qu'elle eût fait confiance à Farr et quelque chose en elle lui disait que cette cassette était le seul moyen qu'elle avait de contrôler la situation. Si elle voulait réussir, elle savait qu'il lui fallait garder le contrôle. Harold avait peut-être trop peur pour avoir les idées claires.

« Elle est en sûreté », dit-elle.

Son regard se glaça. Il eut un pâle sourire. « Pour n'être exhibée que si le petit Harold ne fait pas ce qu'on lui dit ? »

Il lui fallut un moment pour comprendre ce qu'il voulait dire. Elle sentit une bouffée de colère monter en elle. Elle se releva. « C'est moche de dire ça.

— Ah oui ? Je dirais que c'est du réalisme. Si tu ne comptes pas utiliser l'enregistrement contre moi, alors à quoi sert-il ?

— Je ne pouvais guère rester plantée devant ta fenêtre sans me faire prendre par cet horrible Riker. C'est pour ça que j'ai fait l'enregistrement. C'était pour que je l'entende toute seule sans être gênée. » Elle se força à maîtriser sa colère et à baisser le ton. « Harold, je ne suis pas le K.G.B. ni aucun des maîtres chanteurs que tu as à tes trousses. Moi je suis ta femme. » Il y avait des alcools sur un plateau, déposés là avant le dîner, avec un seau à glace et des verres. Elle alla se verser un whisky, en jetant presque des cubes de glace dans son verre.

« Je veux que tu annules le coup du Portugal, lui dit-elle. En tout cas le rôle que tu y joues. »

Il se remit à rire. « Comment me conseilles-tu de m'y prendre ? Prendre l'avion pour aller là-bas et faire un cours sur la démocratie aux hommes des blindés de Catarino ? »

Elle ne releva pas son sarcasme. « Je ne sais pas comment. Tu trouveras bien. Je veux que tu annules le coup du Portugal et que tu rédiges une lettre de démission à la Maison-Blanche.

— Je vois. Et le K.G.B. ? »

Elle pivota furieuse sur ses talons pour lui faire face. « Tu diras au K.G.B. d'aller au diable. Harold, tu es de toute évidence si habitué au chantage que tu as perdu tout sentiment de la réalité. Les Russes ne vont pas avouer publiquement qu'ils avaient accès directement au chef du Département d'Etat américain. Ils tiennent beaucoup trop à la détente pour ça. Ils veulent entamer des négociations sur les céréales, la technologie, et ils veulent un traité de désarmement nucléaire.

— On ne dit pas au K.G.B. ce qu'il doit faire. » Il criait soudain, le visage congestionné. « Tu dis au K.G.B. ce qu'il doit faire et tu te retrouves sur un tas d'ordures avec une balle dans la nuque ou pendu à un balcon.

— Non, répliqua-t-elle sur le même ton. Tu n'es pas Nasciemento. Ils savent que le F.B.I. est sur cette affaire et ils savent que c'est mon intérêt de garder le silence. Alors pourquoi prendre le risque d'un meurtre de plus ? D'ailleurs, nous aurions la protection du gouvernement, tous les deux. Et si tu expliques à Wilderstein que les Russes t'ont menacé, tu auras toute une petite armée autour de toi.

— Des gardes du corps ! Ne me fais pas rire. » Il se leva pour se verser un verre. « Tu sais qui j'ai comme garde du corps ?

— Tu parles de la taupe, fit-elle.

— Oui, je parle de la taupe.

— Qui est-ce ?

— Je ne sais pas. Et Dieu sait que je voudrais savoir. »

Elle fut sincèrement surprise. « Que veux-tu dire ? Tu dois le savoir.

— Je veux dire : je-ne-sais-pas ! fit-il en martelant le dossier d'une chaise pour souligner ses mots. Leur façon de jouer, bon sang. Personne ne connaît jamais l'ensemble du tableau. Même des fragments. Tout ce que je connais, c'est ce foutu truc ! » Il empoigna la *Revue de Heidelberg* et la lança avec rage dans un coin de la pièce. « De temps en temps des coups de téléphone de je ne sais quel salaud que je n'ai jamais vu, sans doute l'ambassadeur russe lui-même. C'est à peu près comme ça qu'il parle. » Comme elle se taisait, il se rassit et dit d'un ton las : « Je veux cette cassette, Alexis, maintenant. »

Elle parvint à rester ferme. « Je suis désolée, Harold. Non. »

Elle ne s'attendait pas à sa réaction. Il bondit de son fauteuil et l'empoigna par les épaules. « Je veux la cassette, dit-il en la secouant avec violence. Où est-elle ?

— Harold, cesse ! » Elle essaya de se dégager. Il la secoua plus fort. « Tu me fais mal !

— Idiote, tu crois vraiment que tu peux te fier au F.B.I. ou quoi que ce soit ? Mais qu'est-ce que tu as fait ? Tu nous a perdus tous les deux.

— Harold, lâche-moi. »

Il la laissa aller brusquement, mais ses lèvres restaient blanches de rage. « Bien sûr, va-t'en. Je ne demande que ça. Pour toujours. Tu parles de l'avenir. Tu l'as arrangé de telle façon que nous ne pouvons pas en avoir. Personne n'avait rien sur moi. Rien. Tout ce qu'ils avaient c'étaient des soupçons, des hypothèses. Ils n'avaient pas le moindre début de preuve. Et maintenant il y a une foutue cassette qui traîne je ne sais où. »

Quelque chose changea chez Alexis. C'était la rage d'Harold qui lui faisait cet effet. Toute la déception qu'elle éprouvait, la présence perpétuelle des Wilderstein, pas de maison à elle et pas d'enfant, tout cela l'étouffait soudain dans une explosion de ressentiment. Elle en avait assez. Assez des mensonges, assez d'être houspillée, assez d'être déçue. Farr allait lui rendre la cassette, elle savait qu'il le ferait. Farr était le seul élément raisonnable qui subsistait dans tout ça.

« Tu peux la récupérer, dit-elle calmement. Elle est à Washington. Je te la donnerai mardi ou bien prends ta voiture et va la chercher ce soir si tu veux. Et ensuite ce sera à toi de jouer. J'espère seulement qu'il te reste assez d'honnêteté pour faire quelque chose rapidement à propos des pauvres diables d'otages avec lesquels Kadhafi et toi jouez depuis des semaines. »

Elle sortit du bureau en laissant la porte ouverte.

Il l'appela.

Elle ne répondit pas. Elle ne se retourna pas. Elle alla jusqu'à sa voiture et arracha le tapis. Le micro était sous le siège du passager. Elle le jeta sur la pelouse avec celui qu'elle arracha de son sac. Puis elle alla jusqu'à la cuisine et ouvrit le réfrigérateur. Missy ne jetait jamais rien. Elle trouva un reste de crabe à la créole et elle s'en servit une portion dans un plat et se versa un verre de lait. Puis elle ressortit et se dirigea vers l'escalier. Elle irait s'installer dans la chambre d'ami, fermerait la porte à clé, mangerait son crabe à la créole et dormirait. Le lendemain matin, Missy verrait en ouvrant le réfrigérateur que la moitié du crabe avait disparu, elle retrouverait l'assiette en venant faire le lit et ça lui ferait plaisir.

Lorsqu'elle passa devant le bureau, Harold était assis dans son fauteuil, le regard perdu dans le vide. C'était la première fois qu'elle lui trouvait l'air vieux.

Il l'entendit. « Alexis, fit-il d'une voix morte. Alexis, je suis désolé. Je t'en prie, pardonne-moi. Je ne pensais pas un mot de tout cela, tu le sais. Je t'aime. Ne me quitte pas. Pas maintenant. J'ai besoin de toi. »

Elle vit des larmes dans ses yeux. Elle reposa le crabe et le verre de lait sur la table du couloir et revint s'asseoir dans le fauteuil en face de lui.

« Tu as raison, reprit-il. Toi et moi, c'est tout ce qui compte, rien d'autre. Je ne pourrais pas le faire tout seul, mais avec ton aide j'y arriverai. Je crois que je pourrais même affronter la prison si on en arrive là.

— On n'en arrivera pas là, fit-elle doucement. Ils ne voudront pas que personne sache jamais. »

Elle le regarda. De nouveau quelque chose en elle se déclencha. Sa froide colère s'évanouit. Il était redevenu Harold, quelqu'un qu'elle connaissait, et elle l'aimait. Et aussi longtemps que lui l'aimait, elle pouvait supporter n'importe quoi.

Elle se passa la main sur le front. « J'en ai assez de tout cela, vraiment assez. Arnold Wilderstein ne va pas être très content, mais c'est son problème. Princeton va nous trouver une maison et nous payer suffisamment pour que nous puissions vivre.

— Bien sûr que oui. »

Il eut un pâle sourire. « Peut-être que j'apprendrai à aimer qu'on m'appelle professeur docteur. Je n'ai jamais vraiment aimé Monsieur le Secrétaire. »

Elle vint vers lui. Elle s'assit sur ses genoux, passa ses bras autour de son cou et l'embrassa avec fougue. Il la serrait très fort. Elle pleura en silence et pendant un long moment elle n'arriva pas à parler.

Quand elle y parvint enfin et qu'ils discutèrent, ce ne fut pas de leur problème mais de l'avenir. De vivre en banlieue et d'avoir des enfants, ils parlèrent d'écoles et de collèges, de jeunes qui grandissaient et d'amis nouveaux.

Le jour se levait presque lorsqu'ils finirent par monter la main dans la main pour se coucher. Alexis savait que c'était peut-être la dernière fois qu'elle dormait à Brigham Bay. Elle allait perdre ça. C'était triste, mais ça n'avait pas d'importance. Au lieu de cela, maintenant elle aurait son mari.

35

Lorsqu'elle s'éveilla c'était le milieu de la matinée. Elle se sentait comme droguée. Elle n'avait pas dormi d'un sommeil aussi lourd depuis des mois.

Elle trouva le mot d'Harold sur la coiffeuse. Il avait annulé leur soirée à la Maison-Blanche et avait préparé un brouillon de sa lettre de démission pour qu'elle la lise. Il l'avait glissée dans la *Revue de Heidelberg* pour éviter le regard inquisiteur d'une secrétaire qui était venue avec lui de R Street afin de l'aider à préparer le discours du Président et qui était repartie à Washington sans le voir. Il disait aussi qu'il avait contacté Figueira et qu'il devait le voir avec Arnold Wilderstein qui arrivait par avion de New York. La nuit dernière, il avait décidé que la seule façon de désamorcer le coup d'Etat portugais était de persuader Figueira d'opérer un retournement de dernière minute et de trahir Catarino. Sans l'influence de Figueira, le complot n'avait pas une chance et Catarino allait se retrouver en prison ou en exil. Pour le récompenser, Volker persuaderait le président Cabral de restituer à la femme de Figueira les domaines confisqués. En attendant il lui ferait verser un demi-million de dollars et lui donnerait la garantie de pouvoir séjourner aux Etats-Unis au cas où les choses tourneraient mal pour lui au Portugal. Il était hors de doute qu'Arnold Wilderstein avancerait l'argent lorsqu'il comprendrait que Figueira sauvait le Portugal du communisme.

Alexis était euphorique. Elle appela Farr chez lui, mais on ne répondait pas. C'était dimanche et il avait dû sortir pour la journée. Elle le rappellerait ce soir. Elle joua au tennis avec Sandy et pour la première fois elle remporta un set. Sandy et elle arrosèrent l'événement en vidant une bouteille de vin blanc frappé sur la terrasse, en riant de tout, puis elles dévorèrent une salade spéciale que Missy leur avait préparée pour leur déjeuner.

En fin d'après-midi, alors qu'elle jardinait, Harold appela. Sur le conseil de Sandy, elle avait donné congé à Missy et à Sam et ils étaient partis dans leur vieille camionnette voir un film à la ville voisine. Elle se précipita pour répondre au téléphone avant que la sonnerie eût cessé.

« Où es-tu ?

— A R Street. Arnold est ici. J'attends Figueira d'un moment à l'autre.

— Arnold va marcher ?

— Pas de problème.

— Oh, chéri, je ne peux pas y croire, c'est si merveilleux. Je t'aime, je t'aime. »

Il se mit à rire. « C'est grâce à toi.

— Tu seras de retour pour dîner ?

— Sauf avis contraire, compte dessus. En attendant, pourrais-tu faire quelque chose pour moi ?

— Bien sûr.

— Il va falloir que tu sortes.

— Ça ne me gêne pas.

— Tu te souviens de ce petit magasin d'antiquités sur la Nationale 5, à peu près à mi-chemin de l'autoroute ? Là où nous avons acheté ces deux gravures de chevaux ? »

Elle se rappelait fort bien. Par un superbe après-midi d'automne deux ans auparavant, ils étaient allés explorer la région après un long déjeuner au champagne. Leur récompense avait été de découvrir ce charmant vieux magasin et la non moins charmante vieille femme qui le tenait.

« Il y a deux semaines, expliqua-t-il, j'ai fait mettre de côté une pendule de cheminée. Mais seulement jusqu'à aujourd'hui. Il y a quelqu'un d'autre qui la veut et j'ai peur que nous la perdions. C'est un objet que tu adoreras. Je ne crois pas que ça ferme avant six heures.

— Je vais y aller tout de suite, promit-elle.

— Je ne me rappelle plus combien c'était exactement. Cent dollars et quelques. Prends un chéquier. »

Dix minutes plus tard, elle avait ôté son short de tennis et sa chemisette, elle avait pris une douche et elle était fort présentable dans une légère robe d'été.

Sandy avait pris un bain et, comme Sam et Missy étaient

absents et que les autres agents étaient à Washington avec Harold, elle prenait un bain de soleil nue sur la plage auprès du hangar à bateaux.

« Je peux y aller seule, Sandy.

— Nous avons déjà eu cette conversation.

— Il n'y a personne d'autre ? »

Sandy éclata de rire et épousseta le sable collé à ses hanches et à ses cuisses. « Croyez-vous que je serais ici dans cette tenue si c'était le cas ? Patronne, j'ai bien peur que vous ne puissiez pas vous débarrasser de moi. » Elle jeta un coup d'œil au soleil, qui n'était plus très haut au-dessus des arbres, les ombres s'allongeaient. « D'ailleurs, il n'y a presque plus de soleil. »

Elle se drapa dans sa serviette et alla s'habiller. Vingt minutes plus tard, elles descendaient le chemin d'accès.

Le magasin d'antiquités était au nord-ouest, en direction de Washington. Il n'y avait pas beaucoup de circulation. Elles avaient abaissé la capote, elles écoutaient des cassettes et se faisaient siffler par les conducteurs qu'elles croisaient. A sept ou huit kilomètres de leur destination, elles ralentirent à un carrefour.

Sandy dit brusquement : « Il y a une grande maison juste à côté de la route par là. Si on allait jeter un coup d'œil ? »

Alexis consulta sa montre. Elles avaient largement le temps. « Bien sûr. »

Sandy lui indiqua la direction et elle s'engagea sur une petite départementale. Elles roulèrent près de deux kilomètres, puis Sandy fit : « Arrêtez ici. » C'était presque un ordre et sa voix avait une stridence inattendue.

Surprise, Alexis ralentit machinalement et se tourna vers elle. Il y avait une étrange dureté dans l'expression de Sandy. Elle ne l'avait jamais vue comme ça. « Sandy, qu'est-ce qu'il y a ?

— Prenez ce petit chemin de terre. » Elle était brutale. Froide. Pourquoi ?

« On ne peut pas voir d'ici ?

— Non. »

Alexis s'engagea dans l'étroit chemin entre les deux champs de pommes de terre. L'humeur de Sandy lui faisait peur.

« C'est juste au-delà de ces arbres. »

La voiture bringuebalait et cahotait. Alexis se concentrait sur sa conduite. Lorsqu'elle s'arrêta dans le petit bois, il n'y avait pas trace de maison. Quelques instants plus tôt elle avait deviné qu'il n'y en aurait pas. Mais elle n'avait pas pu s'arrêter. Ses mains étaient crispées sur le volant, son pied collé à l'accélérateur. Un pressentiment s'abattit sur elle, comme une tempête. Puis la terreur. Elle évoluait comme dans un rêve.

Avant même de poser la question, elle connaissait la réponse. Missy et Sam en congé pour l'après-midi, ç'avait été l'idée de Sandy. Il n'y avait personne d'autre à Brigham Bay. Sandy pourrait retourner là-bas et dire qu'Alexis était partie sans la prévenir et personne ne saurait jamais que ce n'était pas vrai. Nasciemento, Jimmy, et maintenant elle.

« Sandy, qu'est-ce que tout cela veut dire ? »

Il lui fallut un énorme effort pour regarder de nouveau Sandy. Elle était sans force. La jeune femme assise à côté d'elle n'était plus la même Sandy qu'elle connaissait et qu'elle en était venue à aimer après tous ces mois. Le visage n'était plus le même. C'était un masque. Les yeux bleus et rieurs étaient sans expression, sans vie même. C'était une étrangère.

Mon Dieu, faites que ce ne soit pas Sandy. N'importe qui d'autre, mais pas elle. Pourtant, c'était elle. Et la gueule noire du 6,35 automatique qu'elle tenait à la main n'était plus un ami familier, mais un ennemi résolu.

36

Sandy fit d'un ton glacé : « Ne compliquez pas les choses, Alexis. Il faut que ça soit fait et voilà. Descendez ! »

Alexis ne bougeait pas. Elle se sentait étrangement lucide. Tout ce qui s'était passé au cours de l'été lui traversa l'esprit. Des paroles, des incidents, des ambiances. En détail. Jimmy James, M. J. Lindley. Les photographies. Rien ne manquait. Et tout cela en quelques secondes. S'était-elle toujours demandé si la taupe c'était Sandy ? L'avait-elle même su d'instinct et se l'était-elle dissimulé parce qu'elle ne pouvait pas l'envisager ? Mais bien sûr, ce devait être comme ça. C'était si parfait. Une vipère attachée à elle. Le contrôle quotidien de tout ce qu'elle faisait, de chaque endroit où elle allait. Harold avait dit qu'elle avait laissé une piste. Il avait dit qu'il n'avait pas besoin de la preuve fournie par l'émetteur pour savoir ce qu'elle faisait. La seule chose qu'il n'avait pas dite, c'était comment il le savait. Il n'avait pas expliqué que c'était Sandy qui le lui avait dit. Mais c'était ça. Lorsqu'il lui avait demandé de passer au magasin d'antiquités, était-ce une coïncidence ou y avait-il une réponse tout aussi évidente ? Elle eut beaucoup de mal à articuler sa phrase.

« Harold fait partie de tout ça, n'est-ce pas ? »

Pas de réponse. Au lieu de cela, la voix sèche de Sandy lui réitéra l'ordre de sortir. La gueule du pistolet s'avança vers elle et cela lui disait tout. Elle obéit et se planta au bord du chemin. Ce qui s'était passé la veille au soir était un mensonge. Pourquoi prétendre le contraire ? Harold n'était pas un homme brisé par le chantage et ne l'avait sans doute jamais été. C'était un traître calculateur qui avait trahi son pays d'adoption. Il n'y aurait pas la paix au Portugal. Ni une maison à Princeton ni des enfants. Jamais. Il n'y aurait pas d'amour. Et il n'y en avait jamais eu. Il n'y avait que la mort.

Un homme jeune avec un début de calvitie et vêtu d'un costume de confection surgit de derrière les arbres. Sandy contourna la voiture. Elle lui dit : « Emmenez-la. Maintenant. »

Il agissait avec calme, tous ses mouvements s'enchaînaient. Sa main se referma sur le poignet d'Alexis. Elle se dégagea aussitôt.

« Sandy, mon Dieu ! Pourquoi ?

— Vous êtes très dangereuse, Alexis. Je suis désolée.

— Mais nous sommes amies. Nous l'avons toujours été. Je sais que vous m'aimiez bien. »

L'homme lui reprit le poignet. Pas question cette fois de se dégager : il la tenait solidement. « Parlez plus bas. » Sa voix à lui était frêle, presque efféminée. « Si vous criez, si vous appelez à l'aide, il faudra vous bâillonner. »

Le désespoir l'envahit. « Sandy, écoutez. Il faut m'écouter. J'ai un enregistrement d'Harold. D'Harold et de Figueira. Le F.B.I. l'a.

— Le F.B.I. a un concerto de Mozart. J'ai effacé votre enregistrement. »

Bien sûr. Elle était dans le jardin et elle avait tout vu. Juste avant l'arrivée de Riker. Mais il fallait se cramponner au moindre espoir, au moindre fétu. « Ça n'est pas vrai. Non. Hier soir, Harold le voulait. Il le lui fallait absolument. J'ai promis de le lui donner.

— Nous ne disons pas tout au général Volker. Seulement ce que nous voulons qu'il sache. » Sandy tira de son sac un appareil de photo miniature et s'adressa de nouveau au jeune homme. « Il est scellé : deux clichés suffiront. Vous savez où le laisser ?

— Oui, fit-il en fourrant l'appareil dans sa poche.

— Très bien. Et n'oubliez pas. Pas de photo pas d'argent. Quelqu'un sait-il que vous avez choisi cet endroit ?

— Non. Personne. »

Elle tourna les talons et remonta dans la Lancia.

Alexis se débattit pour aller jusqu'à elle. « Sandy, je vous donnerai n'importe quoi. Wilderstein le fera. Je ne dirai jamais rien à personne. Tout ce que vous voulez. »

Un bref instant, le masque glacé tomba. Une expression douloureuse passa dans le regard de la jeune femme et ce fut d'une voix un peu rauque qu'elle répondit : « Peut-être que si les vôtres m'avaient offert ça il y a six mois... ce que vous avez. Mais ils ne l'ont pas fait. Quelqu'un d'autre me l'a offert à leur place.

— Sandy, il n'est pas trop tard. »

Mais le moment était passé. Le moteur de la Lancia démarra. La voiture commença à reculer.

« Sandy, je vous en prie. Mon Dieu, je vous en prie ! Sandy ! »

La voiture était à six mètres, à trente mètres. Bringuebalant et cahotant. Alexis se débattit pour la suivre. L'emprise sur son poignet se resserra. Le corps de l'homme s'approcha d'elle, l'obligeant à se retourner. Il lui tordait le bras. Une douleur lancinante lui traversait l'épaule.

« Marchez dans cette direction. »

Il avait maintenant un revolver à la main. Avec un long tube au bout du canon. Malgré la brume de peur dans laquelle elle évoluait, elle savait que c'était un silencieux.

Où allaient-ils la tuer ?

Ils traversèrent le bouquet d'arbres et, avant de déboucher dans le champ, elle aperçut un tas de terre fraîchement creusé à demi couvert de branchages et elle comprit qu'à côté il devait y avoir une tombe.

Elle n'arrivait pas à se libérer. Elle voulut parler mais elle n'entendit son « non » terrifié que comme un murmure.

Hier soir Harold savait qu'elle allait mourir aujourd'hui. Il le savait et il avait aidé à tendre le piège. Pourtant ils avaient fait l'amour hier soir.

Un autre homme apparut. Grisonnant. Bien plus âgé. Il avait un visage doux et lisse.

« Des problèmes ?

— Non. Elle est partie. » L'homme au début de calvitie lui remit l'appareil de photo.

Elle sentit qu'on lui tordait le bras. « Agenouillez-vous, voulez-vous. »

L'homme plus âgé examina l'appareil. Des photos pour prouver qu'elle était morte.

Le ton était sec maintenant. La pression sur son bras intolérable. « A genoux. »

Elle dut céder, et s'agenouilla tout au bord du trou. Il était long et profond. Et la terre sentait l'humidité. Des criquets étaient tombés dans la fosse et se débattaient pour en sortir. Elle n'éprouvait plus rien, ne pensait plus rien. Ce qu'elle faisait, ce qu'ils faisaient se déroulait au ralenti.

« La tête en avant. Baissez la tête. »

Quelque chose de dur vint s'appuyer tout en haut de son cou, à la base du crâne.

« Vous êtes prête ? »

Il n'y avait plus de temps. Elle aurait voulu juste encore un instant. Mais non. C'était maintenant.

Ses lèvres esquissèrent une muette protestation. L'acier du canon pressa plus fort sa nuque.

Il y eut le claquement sec d'une détonation. Elle eut un grand choc sur l'épaule. Elle bascula en avant par-dessus la tombe, se cramponnant à l'autre bord de la fosse. Une masse grise passa auprès d'elle, emplissant le trou tandis qu'elle s'effondrait. Des vêtements. Un crâne chauve.

Une autre détonation. Plus loin. Ses mains arrêtèrent sa chute, heurtèrent un visage. Le corps sous elle était mou, agité de convulsions, puis s'immobilisa. Il y avait de la terre partout et de la terre qui ruisselait au bord du trou au-dessus d'elle, là où le ciel faisait comme un pâle rectangle bleu. Elle se redressa, vacillant sur la chair molle qu'elle piétinait, trébuchant contre la terre humide et fraîche.

Des mains lui saisirent le bras.

« Prenez appui sur le bord avec votre coude. »

Elle obéit et sentit qu'on la tirait vers le haut. Elle tomba la tête la première parmi les mauvaises herbes du champ de pommes de terre. Elle roula sur le côté et en levant les yeux rencontra le regard de Steve Riker.

Il était accroupi auprès d'elle, un 9 mm à la main. Equipé d'un silencieux. Il était blanc comme un linge et transpirait abondamment, son visage mince ruisselant de sueur, sa chemise trempée. Il haletait et il avait un regard terrifié.

« Bon sang, Mrs. Volker, il s'en est fallu de peu. Ça va ? »

Elle se redressa. Elle n'arrivait pas à parler. Elle ne pouvait que contempler avec des yeux ronds ce que ses yeux voyaient. L'homme aux cheveux gris était allongé de l'autre côté de la tombe, l'appareil de photo dans la terre auprès de lui, sa veste grotesquement retroussée autour de son torse, les bras écartés. Il y avait un peu de mousse rouge à la commissure de ses lèvres et sous son menton. Ses yeux étaient grands ouverts mais ne voyaient rien.

« Allons-nous-en d'ici », fit Riker.

Il l'aida à se relever. Elle se sentait la tête étonnamment légère. Il y a quelques secondes, tout était sombre, accablant, un grondement avait retenti à ses oreilles, et maintenant elle avait l'impression de voler.

Elle marchait trop vite et trébucha.

« Doucement Mrs. Volker, dit Riker. Vous venez de passer un sale moment. Croyez-vous que vous pouvez conduire ? »

Elle acquiesça de la tête. Il lui fit traverser le petit bois et revenir au chemin de terre. Il y avait deux voitures garées juste avant l'embranchement de la départementale. L'une était sa Lancia. Elle s'arrêta, la regarda, puis jeta un coup d'œil par-dessus son épaule et dit soudain : « Pourquoi aller jusque-là ? » Sa voix était rauque. « Pourquoi pas un accident ou un autre suicide ?

— Parce qu'ils ne voulaient pas courir le risque que quelque chose tourne mal. C'était plus sûr que vous disparaissiez simplement. On pourrait faire dire à Wyndholt que vous étiez capable de ça. »

Ils continuaient à marcher. Elle finit par dire : « Comment avez-vous su ? Pourquoi êtes-vous ici ? Je ne comprends pas.

— Le F.B.I. m'a contacté voilà quelques jours, répondit-il. David Farr. Il croyait que j'appartenais au K.G.B. et il voulait m'acheter. Pour une belle somme, d'ailleurs. Si j'avais été du K.G.B., je l'aurais prise. Il m'a dit de ne pas vous laisser seule avec qui que ce soit une minute. Pas même avec Sandy. Surtout pas avec Sandy, avait-il insisté. Il m'a dit que la personne à laquelle on se fiait le plus et la dernière personne qu'on soupçonnerait jamais était toujours la première dont il fallait se méfier. Il m'a dit que c'était quelque chose qu'il avait appris à ses dépens. »

Ils arrivèrent à la Lancia. Sandy était assise au volant, la tête appuyée contre le repose-tête. Elle avait un trou sombre à la tempe gauche et il y avait beaucoup de sang sur ses vêtements et sur la banquette auprès d'elle. Elle avait les yeux clos. Elle paraissait très jeune. Et paisible, comme si elle dormait.

« Désolé, fit Riker. Je n'ai pas eu le temps de la sortir. J'ai couru aussi vite que j'ai pu. » Il examina Sandy, puis reprit : « J'aurais dû m'en douter il y a longtemps, quand je l'ai surprise dans votre bureau avec un micro. Elle m'a dit qu'elle l'avait trouvé, alors qu'en fait elle s'apprêtait à le poser. Et puis, pour vraiment brouiller les pistes, elle l'a remis à notre patron. » Il ajouta : « Et quand je me suis fait assommer, je pense que ça devait être elle. Et je ne sais toujours pas pourquoi. »

Alexis attendit cependant qu'il tirait Sandy de la voiture et la faisait glisser sur le dos dans l'herbe du bas-côté de la route. Elle savait pourquoi Sandy avait assommé Riker. Elle avait dû avoir peur qu'Alexis ne perde la tête et que Riker apprenne l'existence de l'enregistrement et ne s'en empare le premier.

« Bon, Mrs. Volker. Vous êtes sûre que ça va aller ? »

Elle répondit oui. Elle pleurait maintenant sans pouvoir s'arrêter. Elle n'arrivait pas à comprendre Sandy. Elle l'aimait. Malgré tout. En cet instant même, ça lui faisait plus mal pour Sandy que pour Harold. Elle se pencha et effleura les cheveux blonds.

« Ne me demandez pas pourquoi elle l'a fait, Mrs. Volker. Ils leur mettent le grappin dessus, et ne les lâchent jamais. Et ils les paient bien. Elle en a bavé quand elle était jeune. C'était peut-être ça. Elle voulait tout ce que vous aviez et elle n'appartenait à rien ni à personne. Elle ne voulait pas se laisser aller. On le savait tous. »

Riker s'agenouilla, arracha la jupe de Sandy et s'en servit pour essuyer la banquette. Cela fit rouler Sandy, le visage dans la terre et Alexis aperçut l'autre côté de sa tête, à demi arraché là où la balle était sortie. Elle fut prise de nausée.

« Je veux, dit Riker, que vous repreniez la route jusqu'au bistrot là-bas et que vous m'attendiez. Vous pouvez faire ça ? J'ai du travail à faire ici. Et nous ne voulons pas que le K.G.B. sache ce qui est arrivé. A elle. Et à eux. C'est important. N'allez pas à Brigham Bay. Allez directement au bistrot. C'est celui de la Nationale 5. Et tenez, prenez ça. » Il prit le 6,35 de Sandy dans son sac et le déposa dans celui d'Alexis posé tout au bout de la banquette, là où Sandy l'avait repoussé.

« Mrs. Volker, n'hésitez pas à vous en servir, même si vous n'avez que des soupçons. D'accord ? »

Alexis allait monter dans la voiture : elle s'arrêta. « Mr. Riker. » Elle hésita. « Qu'est-ce qu'on dit à un homme qui s'est interposé entre vous et la mort ? »

Il parut deviner ce qu'elle pensait. Il eut un petit sourire. « Mrs. Volker, vous ne m'aimez pas, je le sais. Je ne sais pas pourquoi. A dire vrai, je ne vous aime pas tant que ça non plus. Disons que tout ça fait partie du travail, que, Dieu merci,

Mr. Farr a vu ce qui se préparait et que j'ai réussi à ne pas vous perdre de vue. »

Elle acquiesça sans mot dire.

« Faites attention, dit-il. Si vous vous sentez faible, arrêtez-vous. »

Elle démarra lentement.

Juste avant de s'engager sur la départementale, elle jeta un coup d'œil dans le rétroviseur. C'était plus fort qu'elle. Riker tenait Sandy par les chevilles et la traînait vers le petit bois, et la tête blonde et ensanglantée de Sandy roulait et cahotait dans la poussière.

Alexis ne se retourna plus.

37

Elle n'alla pas au bistrot. Elle alla droit à Brigham Bay. Tout était silencieux dans la grange et les chambres du personnel. Aucune voiture garée dans l'allée ni dans le garage.

Elle descendit jusqu'au vieux mur de brique entre les haies de buis. A la porte d'entrée, elle hésita. N'y avait-il pas un piège ? Pourquoi Riker avait-il tant insisté pour qu'elle aille au bistrot au lieu de rentrer ? Elle ouvrit la porte et pénétra dans le vestibule.

Il régnait dans la maison un silence étrange, souligné par le tic tac de la grande pendule. Et par le bruit de ses pas. Elle se sentait en pays étranger. Même l'odeur familière de moisi lui paraissait nouvelle. Les portes qui donnaient dans la salle à manger et dans le bureau étaient ouvertes. S'attendant à tout moment à rencontrer quelqu'un, elle passa devant elles avec précaution, traversa le salon et déboucha sur la terrasse.

Personne. Personne sur la pelouse. Personne au hangar à bateaux ni sur la plage. Le soleil se couchait tout juste et l'estuaire était embrasé par ses derniers rayons. Elle rentra dans la maison et monta l'escalier en courant. Elle ouvrit toute grande la porte de sa chambre. Déserte. Elle la claqua derrière elle et la ferma à clef, reprit son souffle et se dirigea vers sa coiffeuse. Sa pendulette marquait un peu plus de six heures. Elle avait l'impression qu'il était beaucoup plus tard. Une éternité s'était écoulée entre maintenant et le moment où elle se trouvait dans la chambre pour se changer après sa partie de tennis. Il y avait du sang sur sa jupe. Le sang de Sandy.

Elle eut soudain la sensation de s'effondrer. Elle tremblait. Un tremblement intérieur qu'elle n'arrivait pas à maîtriser. Elle se leva, arracha sa robe et la jeta dans le panier à linge de la salle de bains. La mort lui collait encore à la peau. Elle avait envie de prendre une douche et de se laver inlassablement. Mais elle n'avait pas le temps. Elle prit un flacon de tranquillisant dans l'armoire à pharmacie et en avala deux comprimés. Ce dont elle avait vraiment besoin, elle le savait, c'était un verre. Mais la porte fermée à clef de sa chambre, c'était la sécurité, et en bas c'était l'effrayant inconnu. Elle ne voulait pas sortir à moins d'y être obligée.

Elle retourna à sa coiffeuse et se força à se maquiller pour le soir. Cela lui prit longtemps. Son esprit ne cessait de vagabonder, elle revivait ce qui venait de se passer. Au lieu de son propre visage dans le miroir, elle voyait la tête ensanglantée de Sandy. Elle voyait la tombe béante devant elle, le rectangle bleu ardoise du ciel tandis qu'elle essayait de monter le long des parois de terre humide. Elle se souvint de sa stupéfaction en apercevant Riker et en constatant qu'elle n'était pas morte, le brutal renversement de la situation.

Et elle se souvenait aussi comme elle avait été abasourdie en finissant par comprendre qui était véritablement Sandy, le choc qu'elle avait éprouvé en voyant le visage de Sandy, dur, froid et impitoyable au-dessus de la gueule noire de son pistolet.

Les ombres s'accentuaient, le crépuscule tombait. Elle s'aperçut soudain qu'elle ne voyait plus son miroir. Cela faisait une heure qu'elle était à sa coiffeuse. Il était sept heures passées. Elle alluma les lumières. Le tranquillisant avait fait son effet, elle se sentait plus calme.

Elle acheva de se maquiller. Dans sa penderie, elle choisit une robe du soir très simple de chez Dior, que lui avait offerte deux ans plus tôt le couturier parisien. Elle se brossa les cheveux, puis entreprit de mettre ce dont elle avait besoin dans un sac du soir. Un peigne, du rouge à lèvres, du mascara, du bleu pour les yeux, les clefs de R Street au cas où elle aurait à aller là-bas et où les domestiques seraient couchés.

Puis elle se rappela le pistolet de Sandy. Riker avait dit : « N'hésitez pas à vous en servir. » Pensait-il qu'elle aurait à le faire ? Allaient-ils essayer encore une fois de la tuer ? Dès l'instant où elle mettrait les pieds à la Maison-Blanche, ils sauraient qu'elle était toujours vivante. Harold saurait, ils sauraient. Il lui faudrait contacter immédiatement David Farr ; plus que jamais elle aurait besoin de protection. Elle n'avait pas envie de mourir. Jamais elle n'avait autant voulu vivre. Maintenant, elle devait vivre.

Elle avait laissé sur le lit son sac Gucci. Elle y prit l'automatique. Elle savait se servir d'une arme. Elle avait appris autrefois, à Detroit, lorsqu'elle tenait la rubrique criminelle. Il y avait des années de cela. Avant Washington et Andrew Taylor. Avant Harold Volker. Elle vérifia le chargeur. Il était plein. Elle soupesa le pistolet et elle eut l'extraordinaire impression qu'il lui avait toujours appartenu. L'image soudain lui vint à l'esprit. Le tueur à demi fou du bar de Detroit, l'arme braquée contre sa gorge. L'odeur de l'homme, la chaleur de son corps, tandis qu'il la poussait avec lui dans la rue. Le brusque éclat aveuglant des projecteurs de télévision, l'explosion des flashes, les appels incessants du porte-voix de la police qui arrivaient par vagues au milieu de toute cette lumière.

Le hurlement de celui qui la tenait prisonnière : « Ecartez-vous, laissez passer, où je fais sauter la cervelle à cette salope ! »

Des visages s'écartant comme des feuilles pâles pour les laisser passer.

Le claquement d'une détonation, le râle étouffé de l'homme au moment où la balle du tireur d'élite de la police lui fracassait le crâne. Des corps en uniformes bleus s'abattant sur lui avant même qu'il ne s'effondre sur le trottoir. Et elle contemplant l'arme qu'il venait de lâcher, la ramassant comme dans un rêve pour l'examiner jusqu'au moment où un policier la lui avait doucement reprise.

Où étaient passées toutes ces années ?

Elle vérifia le cran de sûreté du pistolet et le fourra dans son sac du soir.

A la porte, elle tendit l'oreille. Pas un bruit. Elle éteignit la lumière et sortit sur le palier. La pendule du vestibule sonna un coup. Sept heures et demie. La maison était sombre. Elle descendit à tâtons l'escalier, traversa le couloir jusqu'à la porte d'entrée et l'ouvrit.

Le ciel qui s'assombrissait semblait clair après l'obscurité de l'intérieur. Des cigales chantaient. L'été était fini, on sentait déjà l'automne. Il y avait des étoiles. La Lancia était une ombre au bout du mur de brique. Elle se dirigea sans bruit jusqu'à la voiture, ouvrit la portière et s'installa au volant. La banquette était sèche, mais elle sentait encore l'odeur du sang. Il faudrait prendre de l'eau pour la laver, mais elle n'osait pas revenir dans la maison, et d'ailleurs elle n'avait plus le temps. Le gala avait déjà commencé. Harold devait déjà être là, à charmer les invités. Elle avait toujours été persuadée qu'il y serait. Elle avait été éliminée, elle, le seul témoin susceptible de dénoncer le coup d'Etat. Il pourrait maintenant se dérouler comme prévu. Quel meilleur camouflage tandis que les événements se déclenchaient que de voir ceux qui les orchestraient en train de bavarder amicalement avec le Président qui en était victime. A l'abri et bien drapé dans le manteau de respectabilité que lui assuraient la Maison-Blanche et la charge de Secrétaire d'Etat.

Elle mit le moteur en marche.

Moins de cinq minutes après qu'elle fut partie, Riker arriva. Il lui avait fallu près d'une heure pour remplir la tombe. Il lui avait donné rendez-vous au bistrot parce que c'était un endroit anonyme. Personne ne s'attendrait à la trouver au cas où on découvrirait que le plan pour la liquider avait mal tourné. Mais lorsqu'il arriva au bar et que personne ne put se souvenir de l'avoir vue, il attendit un quart d'heure, et puis il lui avait fallu encore vingt minutes pour aller jusqu'à Brigham Bay. Maintenant, ne voyant aucun signe de vie, il gara sa voiture et entra dans la maison. Il alluma les lumières, fit rapidement le tour des chambres, puis alla droit au téléphone du vestibule et appela David Farr chez lui. Quelque chose lui disait qu'ils n'étaient pas au bout de leurs ennuis. Il commençait à regretter d'avoir donné à Alexis Volker le pistolet de service de Sandy Muscioni.

38

Elle entra à Washington par le pont de South Capitol. A près de neuf heures du soir, il n'y avait guère de circulation. C'est à peine si elle se rappelait le trajet de Brigham Bay. Washington lui parut un labyrinthe de rues et de lumières jusqu'au moment où, comme d'instinct, elle se trouva passer devant Union Square au pied du Capitole.

Lorsqu'elle arriva à la Maison-Blanche, elle vit les lumières du salon Est qui brillaient à travers les arbres et les buissons. Des policiers réglaient la circulation et éloignaient les curieux. Elle mit son clignotant et tourna dans l'entrée Nord-Ouest.

Le garde la reconnut aussitôt. « Bonsoir, Mrs. Volker. » Ce fut à peine s'il jeta un coup d'œil au carton d'invitation qu'elle exhibait.

Elle trouva une place pour se garer, puis revint vers l'entrée Nord. Comme elle montait les marches du Portique entre ses colonnes massives, des photographes qui attendaient en flânant la fin de la soirée s'animèrent. Des flashes jaillirent et des caméras de télévision se braquèrent sur elle. Çà et là, une voix qu'elle avait connue autrefois l'appelait par son nom.

Elle se força à sourire. Après cela et pendant quelques minutes, ce ne fut plus qu'une série d'impressions.

Un capitaine de Marines en grande tenue l'accueillait impressionné. Les lustres étincelants de l'entrée Nord. Les colonnes de marbre du grand vestibule. Le sceau des Etats-Unis au-dessus de la porte du Salon bleu, les bustes blancs et silencieux de Washington et de Barlow dans leurs niches incurvées. Les fauteuils rouge et or disposés le long du mur, le cri triste et obsédant d'un chanteur de fado qui filtrait par les portes fermées du grand salon Est.

Les huissiers chamarrés étaient plantés là, attendant la fin de la soirée. Un homme du service de Sécurité en smoking vérifia son invitation et son laissez-passer.

« C'est une bien belle robe, Mrs. Volker.

— Merci.

— Passez une bonne soirée. »

Le capitaine des Marines lui offrit son bras. « Nous pouvons nous glisser par le Salon vert, madame, ce sera moins voyant. »

Ils étaient au pied du grand escalier menant aux appartements du Président au premier étage. Elle s'arrêta. « Je monterai un peu plus tard. J'aimerais que vous disiez au général Volker de venir me rejoindre le plus tôt possible dans le vestibule central. »

Elle avait dit cela d'un ton brusque et autoritaire. Sans lui laisser le temps de répliquer, elle avait décroché le cordon de velours qui bloquait l'escalier et l'avait raccroché derrière lui. Les deux Marines plantés de chaque côté de l'escalier se mirent innocemment au garde-à-vous.

« Mrs. Volker, je ne crois pas que ce soit permis. » Le capitaine hésita, indécis, impressionné.

Elle se mit à gravir les marches recouvertes de moquette rouge. Et au moment où elle passait sous le portrait de Woodrow Wilson, un garde de la Maison-Blanche accourut au secours du capitaine et lança d'un ton sec : « Un moment, je vous prie. » Il la suivit dans l'escalier, puis s'arrêta net. Un homme grisonnant en habit et cravate blanche se précipitait pour accueillir Alexis avec effusion. C'était le chef d'état-major de la Maison-Blanche, Lanard « Duke » Chancery.

« Alexis, ma chérie. »

Elle lui tendit la joue.

« Harold a dit que vous n'étiez pas dans votre assiette. »

Elle marmonna n'importe quoi. Elle allait mieux, elle avait décidé qu'elle ne pouvait pas manquer cette soirée, elle qui adorait tout ce qui était portugais, surtout le fado.

Chancery hocha la tête et lui prit les deux mains dans les siennes.

« Il faut vous féliciter, n'est-ce pas ? On dirait qu'Harold a remis ça, c'est incroyable. » Elle le regarda sans comprendre. Il reprit : « Il ne vous a pas dit ? Il vient de sauver le Portugal d'un coup d'Etat communiste. Mon Dieu, il s'en est fallu de peu. Douze heures. »

Abasourdie, elle réussit à dire : « Ça ne m'étonne pas. Nous devons nous retrouver en haut dans quelques minutes. Un huissier vient d'aller le chercher.

— Alors je vais le laisser vous raconter ça lui-même. A tout à l'heure. Nous sommes tous ravis. » Il lui serra le bras et continua à descendre.

Elle le vit s'arrêter auprès du garde inquiet et du capitaine de Marines, jeter un coup d'œil vers elle et leur adresser quelques mots rassurants. Elle continua à monter les marches.

Les lumières étaient allumées dans le vestibule central lorsqu'elle y arriva. Une femme de chambre tapotait les coussins sur un des canapés et ramassait les cendriers. Il avait dû y avoir un cocktail avant le dîner pour le Président portugais, quelques invités de marque du corps diplomatique et du Congrès. La pièce était moins imposante, son décor plus chaud que le reste de la Maison-Blanche.

« Le général Volker va venir me rejoindre et nous aimerions être seuls quelques minutes, s'il vous plaît.

— Bien, Madame », fit la femme de chambre qui disparut en silence.

Pour la première fois, Alexis avait un sentiment de réalité. En montant l'escalier elle était encore dans un monde imaginaire. Elle se représentait le Salon Est, avec ses lustres énormes, sa petite estrade avec un chanteur de fado tout seul devant le microphone, un guitariste l'accompagnant tout au fond. Elle voyait le capitaine des Marines descendre sans bruit l'allée entre les rangées de chaises dorées et la foule silencieuse des invités. Il s'approchait d'Harold, puis il lui murmurait quelque chose à l'oreille. L'expression d'Harold demeurait impassible. Il acquiesçait de la tête, attendait d'entendre les applaudissements signaler la fin du morceau, puis présenter ses excuses à la femme du Président assise à côté de lui et s'éclipser discrètement.

D'en bas et de ce qui lui parut bien loin, Alexis entendit la faible rumeur des applaudissements. Elle se mit à examiner une toile de Cézanne, se concentrant. Les minutes s'écoulaient. Combien ? Elle était incapable d'en faire le compte. Sans l'avoir entendu arriver, elle eut conscience qu'il était là. Elle le laissa attendre un moment avant de se retourner. Il s'encadrait dans la porte du petit Salon Est et, comme « Duke » Chancery, il était en tenue de soirée. Il semblait encore plus jeune et plus beau que d'habitude, son visage ne lui révélait rien. Elle savait que la trouver là avait dû être un véritable choc pour lui. Il y a quelques minutes encore il avait dû la croire morte, peut-être pensait-il même à l'air désemparé qu'il aurait lorsqu'on annoncerait sa disparition et qu'il garderait pendant tous ces mois avant qu'on renonçât à la retrouver.

Elle essaya de comprendre les sentiments qu'elle éprouvait envers lui. C'était plus du mépris que de la haine. Hier, hier soir, elle l'avait aimé. Profondément, avec ardeur même. Et elle se cramponnait à la certitude qu'il l'aimait. Devant la tombe ouverte, devant l'horreur de la tête ensanglantée de Sandy traînant dans la poussière, son incompréhension s'était changée en hésitation. L'amour avait tout simplement cessé d'exister ; n'avait jamais existé. Il était un total étranger et elle pouvait enfin affronter quelque chose qu'elle n'avait pas osé regarder en face depuis qu'ils étaient mariés. Elle pouvait enfin s'avouer pourquoi elle avait eu à consulter Wyndholt et ce que Wyndholt avait deviné dès le début.

Harold Volker ne l'avait jamais aimée, mais avait tout simplement et sans merci utilisé à son propre avantage le rêve qu'elle se faisait de la vie. Il s'approcha d'elle à pas lents. « Qu'est-ce qui s'est passé ? Pourquoi es-tu venue ? »

Elle s'obligea à garder un ton calme et afficha même un petit sourire. « Comme tu n'es pas rentré pour dîner, que tu n'as pas appelé, j'ai pensé que tu avais décidé de venir et que j'allais te rejoindre. »

Son regard était méfiant. « As-tu acheté la pendule ? »

Elle dut chasser l'incrédulité croissante qu'elle éprouvait devant la comédie qu'il jouait. Mais bien sûr, il devait la jouer. Jusqu'au moment où il saurait avec précision ce qui s'était passé. Pourquoi livrer quoi que ce fût ? Elle décida de jouer le jeu. « Je suis arrivée trop tard, dit-elle.

— Quel dommage. Je suis désolé de ne pas t'avoir téléphoné pour le dîner, mais j'ai été débordé de travail au bureau. Je viens d'arriver. Il s'est passé des tas de choses. Mais il fallait que je fasse une apparition.

— Il paraît, fit-elle, qu'on doit te féliciter de quelque chose. »

Il eut l'air vaguement soulagé. Elle crut aussi qu'il rougissait légèrement, mais elle se rendit compte que c'était tout simplement son visage qui retrouvait ses couleurs normales. En arrivant, il était très pâle.

« Tout le monde a l'air de le penser, dit-il. En réalité, c'est toi qu'on devrait remercier, pas moi. Tout ce que j'ai fait, au fond, ça a été de suivre ton conseil. Figueira a décidé que ce serait son intérêt de changer de camp une fois de plus. A peine l'a-t-il fait que j'ai eu un entretien avec le Président. Il a convoqué à six heures ce soir le Conseil national de Sécurité. Luis Cabral a été prévenu et a téléphoné à Lisbonne. Figueira en a fait autant. Les blindés de Catarino sont consignés dans leurs casernes et Catarino est en route pour une prison des Açores. »

Quelle brillante simplicité, songea-t-elle. Comme toujours. Elle se sentait idiote de ne pas l'avoir prévu. Au lieu de dissimuler le coup d'Etat, il l'avait dénoncé et s'était attribué le mérite de sauver le Portugal et l'O.T.A.N. D'un seul coup, il avait ainsi évité tout risque en même temps qu'il se sauvait pour l'avenir. En acceptant de perdre une fois, il avait anéanti tout soupçon qu'il pourrait préparer d'autres pays à des coups d'Etat communistes en même temps qu'il avait prouvé qu'il était un Secrétaire d'Etat hors pair. Qui saurait jamais la véritable histoire ? Sandy avait effacé la bande. Elle-même était le seul témoin de tout ce qu'il avait failli faire et il l'avait crue à jamais écartée.

Comme s'il lisait ses pensées, il lui dit : « Si tu penses à ta cassette, Alexis, bien sûr je me suis fait un peu de souci au cas où elle tomberait accidentellement dans de mauvaises mains. Mais j'ai décidé que, quel qu'en fût le contenu, ce n'était qu'une petite partie de ma conversation avec Figueira. Tout ce qui m'accuserait pourrait être expliqué comme la façon dont je l'avais amené à me révéler comment le coup allait se réaliser. »

Alexis avait du mal à ne pas prendre un ton sarcastique. « Joli retournement, fit-elle. Je présume que tu as changé d'avis aussi au sujet de ta démission ?

— Je ne vois aucune raison maintenant de le faire, dit-il en haussant les épaules. Et toi ?

— Et les otages ?

— On annoncera leur libération demain. »

Un triomphe après l'autre.

« Je vois, fit-elle. Que comptes-tu que je fasse, Harold ?

— J'ai peur de ne pas te suivre. »

Brusquement, elle en eut assez. « Harold, cessons cette

escrime, veux-tu ? Le temps presse. Sandy et les deux hommes ont essayé de me tuer voilà quelques heures. Je ne suis ici que par la grâce de Dieu et de Steve Riker. Et Sandy est là où j'étais censée être : dans une tombe creusée dans un champ de pommes de terre. »

Elle vit son regard se durcir. « Tu m'as mise en garde à propos du K.G.B., dit-elle, mais tu ne m'as pas prévenue que mon mari me préparait un piège sur ordre de ses maîtres de Moscou. »

Il y eut un silence de mort. Puis il eut un faible sourire. « Je suis désolé. Je ne comprends pas de quoi tu parles.

— Pourquoi, Harold ? Je ne veux pas dire pourquoi m'as-tu épousée ? Ça, je le comprends. J'étais un brillant accessoire dont ta carrière avait grandement besoin. Je veux dire : pourquoi as-tu trahi ta charge et la confiance que j'avais mise en toi ? Hier soir, tu ne m'as pas raconté toute l'histoire, n'est-ce pas ? Ça n'était pas juste du chantage. Il y a plus que ça. Il faut qu'il y ait plus. »

Elle attendit. Il ne disait rien.

« Il y a un fil conducteur dans tout cela, Harold. Ça a commencé avec Horst Melkine. Tu étais vraiment amoureux de lui ? Schaeffer est-il vraiment Horst Melkine revenu d'entre les morts, comme tout le monde le soupçonne ? Es-tu toujours amoureux ? Est-ce que ça en fait partie ? »

Il éclata de rire. « C'est exactement le genre de remarque que feraient la plupart des femmes américaines. Si elles n'arrivent pas à comprendre quelque chose, il doit y avoir du sexe derrière. C'est ce qui dissimule leur manque d'intelligence.

— Mais j'ai raison, n'est-ce pas, insista-t-elle. Au fond ça a bien commencé avec Horst, n'est-ce pas ? Avec Horst et son marxisme ? »

Il répondit avec une fureur inattendue. Un instant il s'oublia. « Horst Melkine n'est pas qu'un marxiste. C'est un Allemand. Avec une conception de l'histoire plus grandiose que n'en auront jamais Moscou ou Washington.

— Une conception allemande ? cria-t-elle. C'est ça que tu veux dire ? »

Elle eut une brusque illumination. Aider les Etats-Unis et la Russie à s'affaiblir mutuellement au point de permettre à l'Allemagne de finir par dominer. Utiliser Moscou pour mettre d'abord à genoux les Etats-Unis parce que la Russie ensuite finirait par s'effondrer sous sa propre inertie économique. C'était le genre de pensée qui avait marqué toute sa carrière.

Il était silencieux, de nouveau maître de lui.

« Tu n'as pas répondu à ma question. »

Il sourit. « Va te faire foutre ! »

Elle savait qu'elle l'avait poussé aussi loin qu'elle le pouvait. Elle ouvrit son sac et en sortit sa lettre de démission. « Ça ne fait rien, dit-elle. Et toi et moi ne comptons pas. Ce qui compte, ce sont tous les autres. L'avenir. Je veux que tu signes cette lettre. C'est ce dont nous sommes convenus, et je m'en vais te faire tenir ta promesse. »

Il y jeta un coup d'œil méprisant. « Je croyais m'être fait clairement comprendre il y a un instant. Je n'ai pas l'intention de démissionner.

— Je t'ai entendu et je crains que tu n'aies pas le choix. » Elle soutint son regard. « Je suis vivante, n'est-ce pas ? »

Elle attendit. C'était tout ce qu'elle pouvait faire.

Il se mit à rire. « Oui, tu es vivante. Tu es aussi, comme tout le monde le sait, en passe de devenir alcoolique. En y mettant le prix, jusqu'où Everett pousserait-il ses confidences ? Une demi-bouteille de vodka par jour ? Et soignée par un psychiatre, doté d'ailleurs d'une femme dépensière et de trois enfants, qui passe ses nuits à écrire des ouvrages obscurs pour essayer de joindre les deux bouts, tu vois ce que je veux dire. Mais tout cela mis à part, que vas-tu dire exactement, maintenant que tu ne peux pas raconter aux gens que je projette de louer la rade de Lisbonne à la flotte russe ? Que je t'ai entraînée dans un champ de patates pour que le K.G.B. puisse t'éliminer ? Crois-tu vraiment que personne croira cela ? On n'aura qu'à appeler l'antiquaire pour savoir que je lui ai téléphoné pour annoncer ta visite. Comptes-tu révéler que je communique avec Gunter Schaeffer par le truchement de la *Revue de Heidelberg* ? Ils mettront des érudits au travail pendant des années à essayer de trouver autre chose qu'un mutuel intérêt pour l'histoire. Ou bien accuseras-tu Schaeffer d'être en réalité le pauvre Horst Melkine ? Je crois qu'on peut facilement persuader les Allemands de l'Est d'exhumer les documents attestant que Schaeffer a disparu dans le bombardement de Dresde. »

Il prit la lettre de démission qu'elle tenait à la main, secoua la tête comme si la stupidité de ce texte l'ahurissait et la fourra dans sa poche.

« Tu as plusieurs solutions, ma chérie, poursuivit-il. Tu pourrais retourner à la télévision, par exemple, si on voulait encore de toi : tu n'es plus si jeune. Ou bien, fit-il amusé à cette idée, ou bien tu pourrais trouver le dentiste d'une petite ville pour t'épouser et te faire des enfants. Mais je ne pense pas que tu feras ni l'un ni l'autre. Je crois que tu opteras pour une troisième solution. Je crois que tu choisiras de continuer à être la femme du Secrétaire d'Etat et à travailler à devenir l'hôtesse la plus en vue de Washington. Bien sûr, tu n'y es pas obligée, mais si tu ne le fais pas, comprends-tu, je demanderai le divorce. Je n'aurai pas d'autre choix. J'invoquerai ton adultère avec Adrian James. J'ai les négatifs de vos photos ensemble. Je n'hésiterai pas à les montrer à un tribunal. Ou à un futur mari. Je ne voudrais pas que les gens croient que j'aurais quitté la célèbre Alexis Sobiesky sans de bien bonnes raisons. »

Il se dirigea vers la porte, puis se retourna.

« Tu viens ? »

Elle sut alors ce qu'elle avait à faire. Elle avait échoué et il avait fermé toutes les portes qui s'ouvraient à elle. Sauf une. Elle se rendit compte qu'elle avait toujours su et elle comprit pourquoi elle avait mis aussi dans son sac du soir le pistolet de Sandy. Riker le lui avait donné pour se protéger et maintenant elle devait le faire. Elle était traquée. Elle le sentit à travers le tissu de son sac, un objet dur, bizarre, entre un peigne et un tube de rouge à lèvres.

Il l'attendait toujours sur le seuil de la porte. Elle le vit soudain changer d'expression et elle comprit pourquoi. Elle avait le pistolet à la main.

Elle ôta le cran de sûreté.

Il revint vers elle. « Alexis, donne-moi ça ! »

Il tendit la main. Il referma les doigts autour du canon.

Une fraction de seconde, une éternité. La porte grande ouverte sur le petit Salon Est, la moquette jaune vif, la toile de Cézanne, un vase de fleurs, un canapé.

Et Volker, le bras tendu, comme figé là.

Elle pressa la détente.

39

Harold Volker mourut presque sur le coup d'une balle en plein cœur, les doigts toujours crispés autour du canon du petit 6,35 qui l'avait tué. En tombant, il l'avait arraché de la main de sa femme.

Dans le tumulte qui s'ensuivit, Bernard Kornovsky, le conseiller du Président à la Sécurité nationale, et Duke Chancery ne tardèrent pas à comprendre qu'une question précise se posait à la Maison-Blanche : pourquoi avait-elle fait ça ? S'agissait-il d'un problème personnel, ou bien le meurtre était-il lié à l'enquête que le F.B.I. menait sur Volker ? Avant la publication d'un communiqué, il fallait répondre à cette question. La presse déjà les harcelait.

On persuada facilement le Président d'abandonner ses invités et une conférence d'urgence se réunit dans la salle du conseil. Le vice-président fut la seule autre personne à y être convoquée. On convint aussitôt qu'il fallait parler à David Farr, qui était arrivé quelques minutes trop tard pour empêcher le meurtre. On le fit venir du bureau du second étage où Mrs. Volker était sévèrement gardée par des agents de la Sécurité de la Maison-Blanche.

Ce que Farr leur révéla était extrêmement troublant, mais en même temps cela leur indiquait clairement ce qu'ils avaient à faire. Alexis lui avait raconté tout ce qui s'était passé au cours des précédentes vingt-quatre heures. En l'absence de tout enregistrement de la rencontre de Volker avec Figueira, elle restait l'unique témoin de sa trahison. Le visage de Farr s'assombrit encore davantage lorsqu'il expliqua qu'il avait réussi à éviter tout risque de fuite, en se contentant d'annoncer à la

United Broadcasting Company ce qu'elle savait déjà, à savoir que l'enquête se poursuivait. Farr estimait qu'Andrew Taylor, un patriote convaincu, était un homme qui, à aucun prix, ne se livrerait à des spéculations sans fondement sur un sujet aussi délicat. Il pouvait contrôler Valerie McCullough et ne manquerait pas de le faire : son ambition même la rendait vulnérable. Tout reportage qu'elle ferait sur Volker anéantirait ses chances de faire une carrière à la télévision. Il ne fallait pas oublier non plus que Taylor dînait souvent à la Maison-Blanche.

Après avoir entendu Farr, le Président n'eut aucun mal à décider ce qu'il fallait faire. C'était une chose de nourrir des soupçons contre Harold Volker alors qu'il était encore en vie et disposé à en supporter les conséquences politiques si une enquête prouvait sa culpabilité. C'en était tout à fait une autre de révéler l'existence d'une telle enquête et de courir le risque d'être tenu pour responsable de ce dont on le soupçonnait maintenant qu'il était mort et ne constituait plus une menace pour personne.

Mais cela dépendait de Mrs. Volker. Elle était capable, surtout s'il y avait procès, de condamner publiquement l'homme qui avait fait de sa vie un enfer. Personne ne pourrait l'en empêcher. Et puis c'était maintenant une veuve qui aurait peut-être du mal à reprendre sa carrière. Avec son passé de journaliste, ce qu'elle avait à raconter pourrait se vendre une fortune.

Farr parvint à les convaincre qu'Alexis ferait tout ce qu'il lui demanderait. Mais c'était plus qu'une question de confiance. Moscou pourrait encore vouloir la liquider puisque toute révélation sur la filière russe de Volker pouvait être aussi embarrassante pour le Kremlin que pour Washington. Farr proposait que l'on offre tout de suite un échange au sous-secrétaire russe qui dirigeait l'antenne du K.G.B. aux Etats-Unis. Il garantissait le silence de la Maison-Blanche en échange de la promesse du K.G.B. de ne pas toucher à Alexis, et Farr était certain que les Russes accepteraient.

Le Président donna son accord et on publia aussitôt un communiqué précisant que le meurtre du Secrétaire d'Etat par sa femme était un tragique accident. La main de Mrs. Volker s'était accrochée au fermoir de son sac du soir au moment où elle remettait le pistolet à son mari. Elle ne portait une arme que sur l'insistance de l'agent chargé de sa sécurité et, avec son mari à la Maison-Blanche, elle n'en voyait plus la nécessité.

Alexis, en état de choc, fut emmenée en ambulance jusqu'à un étage réservé pour elle à l'hôpital de la Marine de Bethesda. Le Président alla ouvertement lui rendre visite tout comme Arnold Wilderstein et sa femme. Quelques jours plus tard, on la transporta dans une clinique privée de Virginie. A part quelques brèves formalités avec la police de Washington et le F.B.I., son seul contact avec l'Administration tandis qu'elle se remettait d'une quasi-dépression nerveuse, ce fut une rapide entrevue avec le coroner du District de Columbia et un entretien avec trois sénateurs compatissants représentant une prétendue commission d'enquête instituée par le Président.

Dans toutes ses dépositions, qu'elle fit toujours en présence de David Farr du F.B.I., elle confirma les termes du communiqué publié par la Maison-Blanche.

L'affaire Volker était donc à jamais enterrée.

Épilogue

Par un jour de printemps, huit mois plus tard, David Farr se promenait à pas lents sur le chemin de halage du vieux canal qui longeait le Potomac au-dessus de Georgetown. C'était le milieu de la matinée, et une petite brise soufflant du fleuve agitait les feuilles desséchées restées là depuis l'automne dernier et éparpillait les pétales des cerisiers en fleur.

Farr avait sa tenue de bureau, un costume sombre à fines rayures blanches. Il avait son manteau sur l'épaule et les mains dans les poches. En arrivant devant un banc de bois, il s'assit, agitant avec une sorte de ravissement la terre jaune et poussiéreuse à ses pieds, savourant cette vie nouvelle qui jaillissait tout autour de lui, puis il ferma les yeux comme pour mieux goûter la tiédeur du soleil.

Il était assis là depuis quelques minutes lorsqu'il sentit que quelqu'un l'observait. Il regarda de l'autre côté du canal. Alexis Volker était arrêtée sur le chemin de halage de l'autre rive. Elle portait un tailleur de tweed avec un chandail en cachemire à col roulé et elle avait la même beauté élégante que lorsqu'il l'avait rencontrée pour la première fois.

Elle lui sourit et agita la main. « Vous êtes du mauvais côté », cria-t-il.

Elle se mit à rire. « J'aime bien être différente. » Ils se retrouvèrent au beau milieu d'une vieille écluse à une centaine de mètres plus loin. Alexis lui posa un bref baiser sur la joue. « Salut, David. »

Elle paraissait en bonne forme, mais l'année passée l'avait marquée. Elle avait des fils gris dans les cheveux, et ces rides de lassitude autour des yeux que la plupart des femmes n'avaient qu'aux abords de la cinquantaine. Il se rappela brièvement une Alexis bien différente : une femme bleue et bouleversée, entourée par des hommes du Secret Service. Une femme dans les yeux de laquelle il avait lu tout à la fois de l'horreur et un appel au secours désespéré. Elle s'en était bien tirée, songea-t-il, mais il se rendit compte qu'il s'en était toujours douté.

Il prit une de ses mains, en serrant entre ses doigts son poignet frêle. Accoudés à une balustrade de fer forgé, ils regardaient le canal. « J'ai vu votre émission hier soir, dit-il. Vous étiez épatante, comme d'habitude.

— Bien sûr, fit-elle d'un ton léger. A quoi vous attendiez-vous ? » Son émission hebdomadaire d'une heure était une série d'entretiens à bâtons rompus avec des chefs d'Etat. On avait proposé à Alexis de reprendre son ancien poste, mais elle avait refusé. « Je dois aller de l'avant et non reculer, avait-elle dit. Et je veux me servir de l'expérience que ça a été d'être la femme d'Harold, je veux profiter des gens que j'ai rencontrés, du nouveau point de vue que j'ai sur les choses. »

Farr ne l'avait vue se démonter qu'une fois. C'était à l'époque où l'émission était encore au stade de projet. Ils prenaient un café en fin de soirée dans le nouvel appartement qu'elle occupait derrière le Capitole, dans la 5e Rue. Il lui avait parlé mariage et enfants. Elle l'avait regardé, surprise, et des larmes lui étaient venues aux yeux. Elle s'était aussitôt retournée pour les dissimuler et s'était plantée devant la cheminée en lui tournant le dos, tenant sa tasse à deux mains. Lorsqu'elle s'était retournée pour lui faire face, les larmes avaient disparu.

« David, avait-elle dit, si j'ai appris une chose, c'est que presque toute sa vie on doit s'accommoder d'un peu moins que ce qu'on veut vraiment. » Elle haussa les épaules et eut un pâle sourire. « Si le type idéal se présentait, bien sûr que je ne le repousserais pas, bien que sans doute je me lancerais avec un peu moins de précipitation. En attendant, il faut que la vie continue. J'ai un devoir envers les gens qui me font confiance, et envers moi-même. C'est de me débrouiller toute seule. »

« J'ai eu des nouvelles de mon ami de Harvard », lui dit Farr. C'était pour cela qu'ils s'étaient rencontrés. L'ami en question était un historien qui avait épluché des mois de correspondance et des numéros de la *Revue de Heidelberg* pour essayer de comprendre quel mobile avait poussé Harold Volker.

Sans détourner les yeux du canal, elle dit : « Et alors?

— Il pense que vous aviez raison et que tout a commencé avec Horst Melkin, répondit-il. Et que vous aviez raison aussi à propos d'une nouvelle suprématie allemande. Melkin et votre mari considéraient la Russie comme une nation de barbares ; et ils estimaient que l'Amérique avait lamentablement échoué dans sa mission de porte-flambeau de la civilisation occidentale. Le dernier espoir, c'était l'Allemagne. Ils semblaient avoir tout préparé du temps qu'ils étaient au lycée. Ils plaisantaient sur la façon dont ils se servaient de Moscou alors que Moscou est en réalité Schaeffer. Mais je doute que maintenant personne le prouve jamais.

— Ça ne rimerait à rien, n'est-ce pas? murmura Alexis.

— Non, reconnut-il, à rien. »

Ils bavardèrent encore quelques minutes, puis Alexis dut repartir. Elle avait une séance d'enregistrement et ils s'étaient donné rendez-vous au bord du canal parce que c'était sur son chemin. Farr la regarda s'en aller sur le chemin de halage. Elle avait beau crâner, il savait que longtemps elle devrait affronter des moments de poignante solitude et parfois de pénibles souvenirs. Mais la vie était comme ça et, si on ne l'acceptait pas, on passait ses années à être tantôt malheureux et tantôt furieux.

Il songea à ce qu'elle avait dit quand elle avait failli craquer, qu'on devait s'accommoder d'un peu moins que ce qu'on voulait vraiment. Il pensa à lui et à Susan. Son euphorie en découvrant que c'était la femme de son assistant qui était responsable des fuites qu'il y avait au Bureau avait été de courte durée. Par le fait même d'avoir tout d'abord suspecté Susan, il avait anéanti une innocente confiance que jamais il ne retrouverait. Tout cela était apparu quand, par une nuit de colère, il avait avoué son soupçon et découvert en même temps un secret chez Susan. Elle non plus ne lui avait pas fait confiance. Elle ne pouvait pas avoir d'enfant et elle le savait lorsqu'ils s'étaient mariés. Par crainte de le perdre, elle n'avait rien dit et parfois elle l'avait haï pour le remords qu'elle éprouvait à garder le silence. Aujourd'hui, s'ils continuaient à s'aimer, quelque chose d'assez spécial qu'ils avaient toujours partagé n'existait plus. Ç'aurait été comme ça pour Alexis Volker, se dit-il, si son mari s'était avéré innocent.

Une brusque rafale balaya l'écluse. Farr avait froid. Hier soir c'était son anniversaire et Susan lui avait fait la surprise d'inviter des amis. Il faisait presque jour lorsqu'ils s'étaient couchés et aujourd'hui il était épuisé. Il enfila son manteau.

Alexis soudain n'était plus qu'une petite silhouette tout au bout du chemin, une tache de couleur sur le vert du printemps. Farr sentit un pincement au cœur. Etrange destin, songea-t-il, qui avait entremêlé la vie d'un descendant d'esclaves africains avec celle d'une femme qui portait un très vieux nom polonais, deux étrangers qui, à cause de cela, avaient découvert l'un pour l'autre une sorte d'affection qui n'avait rien à voir avec l'attirance qui peut rapprocher un homme et une femme, mais qui était plutôt une affaire de foi et de confiance. C'était tout le bien qui était sorti de cette affaire. En y pensant il éprouva un sentiment de paix.

Il la suivit des yeux jusqu'à ce qu'elle ait tourné au coin d'un bosquet. Lorsqu'elle eut disparu et que sa présence ne fut plus qu'un souvenir, il revint vers l'endroit où il avait laissé sa voiture.

Littérature

Bibliothèque Marabout

Classiques

Carroll, L. **Alice au pays des merveilles** .... BM 572 [06]
Defoe, F. **Robinson Crusoë** .... BM 632 [09]
Dumas, A. **Les aventures de John Davys** .... BM 561 [06]
Vingt ans après T. 1 .... BM 587 [02]
Vingt ans après T. 2 .... BM 588 [02]
Les Mohicans de Paris T. 1 .... BM 600 [02]
Les Mohicans de Paris T. 2 .... BM 601 [02]
Les Mohicans de Paris T. 3 .... BM 602 [02]
Les Mohicans de Paris T. 4 .... BM 603 [02]
Le Comte de Monte-Cristo T. 1 .... BM 609 [03]
Le Comte de Monte-Cristo T. 2 .... BM 610 [03]
Le Comte de Monte-Cristo T. 3 .... BM 611 [02]
Grafteaux, S. **Mémé Santerre** .... BM 800 [02]

Science-fiction

Anderson, P. **La patrouille du temps** .... BM 232 [04]

Asimov, **Le temps sauvage** .... BM 377 [02]

Clarke, A.C. **Les sables de Mars** .... BM 630 [04]

Dick, P.K. **Brèche dans l'espace** .... BM 477 [03]

Langelaan, G. **Nouvelles de l'anti-monde** .... BM 252 [04]

Morressy, J. **Le fils des étoiles** .... BM 502 [04]

Renard, M. **Le péril bleu** .... BM 599 [04]

Rosny Ainé, J.H. **Récits de science-fiction** .... BM 523 [09]

La guerre du feu .... BM 531 [02]

Silverberg, R. **La tour de verre** .... BM 624 [04]

Spitz, J. **La guerre des mouches** .... BM 349 [05]

Sprague de Camp, L. **De peur que les ténèbres** .... BM 405 [04]

Van Vogt, A.E. **Pour une autre terre** .... BM 262 [03]

Weiss, J. **La maison aux 1 000 étages** .... BM 266 [04]

Fantastique

Belknap Long **Le druide noir** .... BM 634 [04]

Bertin, E.C. **Derrière le mur blanc** .... BM 631 [05]

Bixby, J. **Appelez-moi un exorciste** .... BM 560 [02]

Bloch, R. **Psychose** .... BM 904 [05]

Bruss, B.R. **Le bourg envoûté** .... BM 628 [02]

Chappell, F. **Dagon, le Dieu-Poisson** .... BM 706 [05]

Chambers, R. **Le roi de jaune vêtu** .... BM 589 [02]

Ewers, H.H. **L'araignée** .... BM 334 [06]

La mandragore .... BM 707 [06]

Hoffmann, E.T.A. **Les contes d'Hoffmann T. 1** .... BM 901 [09]

Les contes d'Hoffmann T. 2 .... BM 902 [09]

Les Contes d'Hoffmann T. 3 .... BM 903 [09]

Howard, I. **Le pacte noir** .... BM 712 [02]

Fureur noire .... BM 713 [02]

James, H. **Le tour d'écrou** .... BM 412 [04]

Maupassant, G. (de) **Contes fantastiques complets** .... BM 464 [06]

Merritt, A. **Brûle, sorcière, brûle !** .... BM 710 [03]

Sept pas vers Satan .... BM 711 [03]

Meyrink, G. **Le Golem** .... BM 387 [04]

Owen, T. **Cérémonial nocturne** .... BM 242 [04]

La truie .... BM 394 [02]

Renard, M. **Le docteur Lerne** .... BM 567 [03]

Seignolle, C. **Histoires étranges** .... BM 708 [02]

Seignolle, C. Histoires vénéneuses .... BM 419 [02]
Les loups verts .... BM 353 [02]
La Malvenue .... BM 215 [06]
Shelley, M.W. **Frankenstein** .... BM 203 [06]
Singer, I.B. **Le dernier démon** .... BM 900 [05]
Stevenson, R.L. **Dr Jekyll & Mr Hyde** .... BM 364 [06]
Stoker, B. **Dracula** .... BM 182 [06]
Le joyau des sept étoiles .... BM 597 [03]

Policiers

Burnett, W.R. **High Sierra** .... BM 751 [04]
Cana & Vilette, **Le feu dans le sang** .... BM 747 [02]
Condon, R. **Un crime dans la tête** .... BM 722 [05]
Cook, R. **Coma** .... BM 723 [05]
Delacorta, **Nana** .... BM 729 [02]
Fast, J. **Le cercle des initiés** .... BM 744 [04]
Garfield, B. **Poursuite** .... BM 720 [05]
Goodis, D. **Epaves** .... BM 749 [02]
Latimer, J. **Comme la romaine** .... BM 735 [02]
L'épouvantable nonne .... BM 740 [04]
Les morts s'en foutent .... BM 739 [04]
La poire sur un plateau .... BM 736 [02]
Malet, L. **Enigme aux Folies-Bergère** .... BM 1057 [04]
L'homme au sang bleu .... BM 1058 [03]
L'ombre du grand mur .... BM 1056 [04]
Trilogie noire, T. 1 : Il fait toujours nuit .... BM 717 [02]
Trilogie noire, T. 2 : Le soleil n'est pas pour nous ... BM 718 [02]
Trilogie noire, T. 3 : Sueur aux tripes .... BM 719 [02]
Mc Bain, Ed. **Dans le sac** .... BM 730 [02]
Souffler n'est pas tuer .... BM 731 [02]
Soupe aux poulets .... BM 732 [02]
Mc Donald, R. **Fletch** .... BM 721 [05]
La belle endormie .... BM 726 [05]
Mon semblable, mon frère .... BM 742 [04]
Le sang aux tempes .... BM 727 [05]
Simon, R. **Cul sec** .... BM 743 [02]
Le grand soir .... BM 733 [02]
Stone, R. **Les guerriers de l'enfer** .... BM 737 [05]
Varela, J. **Drick** .... BM 754 [02]
Wager, W. **Le code** .... BM 728 [05]
Westlake, G. **Gendarmes et voleurs** .... BM 738 [02]
Whittington, H. **Les étrangers du vendredi** .... BM 745 [02]
Vengeance .... BM 748 [02]

Histoire
Biographies

Marabout Université

Aiglon (l'), A. Castelot	MU 331 [06]
Alexandre le Grand, L. Homo	MU 382 [07]
Aquitaine (quand les Anglais vendangeaient l'), J.M. Soyez	MU 388 [06]
Attila, M. Bouvier-Ajam	MU 395 [09]
Austerlitz, C. Manceron	MU 359 [07]
Belgique (histoire de la), G.H. Dumont	MU 381 [09]
Bismarck, H. Vallotton	MU 421 [ ]
Bretons peuplaient la mer (quand les), I. Frain	MU 384 [07]
Brigades internationales (les), J. Delperrié de Bayac,	MU 425 [ ]
Camisards (la guerre des), A. Ducasse	MU 340 [04]
Cathares (les), R. Nelli	MU 326 [04]
Catherine de Médicis, H.R. Williamson	MU 306 [05]
César, G. Walter	MU 49 [09]
Charlemagne, G. Teissier	MU 305 [07]
Charles le Téméraire, M. Brion	MU 315 [07]
Chine (histoire de la), R. Grousset	MU 358 [07]
Christophe Colomb, J. Heers	MU 390 [09]
Civilisations noires (les), J. Maquet	MU 120 [07]
Colbert, I. Murat	MU 414 [09]

Croisades (l'épopée des), R. Grousset ..... MU 320 [08]
Croisade (les hommes de la), R. Pernoud ..... MU 324 [07]
Dictionnaire des grands événements historiques,
G. Masquet ..... MU 389 [07]
Egypte éternelle (l'), P. Montet ..... MU 302 [08]
Elisabeth 1re, J. Chastenet ..... MU 398 [09]
Empire romain (la chute de l'), A. Piganiol ..... MU 379 [09]
Etrusques (les), W. Keller ..... MU 296 [10]
France (histoire de la), P. Miquel
T. 1 ..... MU 290 [06]
T. 2 ..... MU 291 [06]
François 1er, J. Jaquart ..... MU 403 [09]
Front populaire (le), Delperrié de Bayac ..... MU 413 [09]
Gaule (la), F. Lot ..... MU 294 [09]
Guerre mondiale (histoire vécue de la seconde),
T. 1 De Rethondes à mai 40 ..... MU 32 [06]
T. 2 Du Blitz à l'avance japonaise ..... MU 33 [06]
T. 3 Stalingrad, Midway, El Alamein ..... MU 34 [06]
T. 4 Du 6 juin 44 à Hiroshima ..... MU 35 [06]
Guerre mondiale (la deuxième), H. Liddell Hart ..... MU 423 [12]
Guerre d'Algérie (la), Y. Courrière
Les fils de la Toussaint ..... MU 432 [ ]
Le temps des léopards ..... MU 433 [ ]
L'heure des colonels ..... MU 434 [ ]
Les feux du désespoir ..... MU 435 [ ]
Guerre de Cent ans (la), P. Bonnecarrère, ... MU 426 [ ]
Guerre des ombres (la), J. Delperrié de Bayac, ... MU 431 [ ]
Guerres de religion (les), P. Miquel
T. 1 ..... MU 372 [07]
T. 2 ..... MU 373 [07]
Guillaume le Conquérant, P. Zumthor ..... MU 321 [09]
Histoire (l'), Malet & Isaac
T. 1 Rome et le Moyen-Age ..... MU 354 [06]
T. 2 L'Age classique ..... MU 355 [06]
T. 3 Les Révolutions ..... MU 356 [06]
T. 4 Naissance du Monde moderne ..... MU 357 [06]
Histoire Universelle, C. Grimberg
T. 1 L'Aube des civilisations ..... MU 26 [09]
T. 2 La Grèce et les origines de la puissance romaine ..... MU 29 [09]
T. 3 L'Empire romain et les grandes invasions ..... MU 31 [09]
T. 4 Au cœur du Moyen Age ..... MU 36 [09]
T. 5 De la Guerre de Cent Ans à la Renaissance italienne MU 39 [09]
T. 6 Humanisme et Réforme ..... MU 48 [09]
T. 7 Des guerres de religion au siècle de Louis XIV ..... MU 55 [09]
T. 8 La Puissance anglaise et la fin de l'ancien régime ..... MU 58 [09]
T. 9 La Révolution Française et l'Empire ..... MU 66 [09]
T. 10 La Révolution industrielle : luttes de classes et nationalismes ..... MU 71 [09]
T. 11 De la Belle Epoque à la Première Guerre Mondiale ..... MU 76 [09]
T. 12 Le monde contemporain ..... MU 86 [09]
Hitler, A. Bullock
T. 1 ..... MU 27 [08]
T. 2 ..... MU 28 [08]
Inquisition espagnole (l'), B. Bennassar ..... MU 396 [09]

Biographies

Marabout Université

Dostoievesky, H. Troyat .... MU 386 [09]
François Villon, J. Favier .... MU 400 [09]
Ninon de Lenclos, R. Duchêne .... MU 000 [ ]
Sand (George) — Lelia, A. Maurois .... MU 334 [10]
Sévigné (Madame de), R. Duchêne .... MU 000 [ ]
Toulouse-Lautrec, H. Perruchot .... MU 365 [06]
Van Gogh, H. Perruchot .... MU 364 [06]
Victor Hugo — Olympio, A. Maurois .... MU 333 [09]

Documents

Marabout Université

Affaires africaines, P. Péan .... MU 418 [07]
Américains (les), L. Sauvage .... MU 410 [09]
Politique, F. Mitterrand .... MU 408 [09]

Achevé d'imprimer sur les presses de **Scorpion**,
à Verviers, pour le compte des nouvelles éditions **Marabout**,
D. septembre 1985/0099/142
ISBN 2-501-00720-4